강력한 이화여대 인문계 논술

기출문제

저자 소개

저자 김근현은 현재 탁트인 교육, 일으킨 바람, 에듀코어 대표이다.
前 메가스터디 온라인에서 대입 논술과 면접, 자기소개서, 학생부종합 등 다양한 동영상 강의를 하였다.
현재는 학습 프로그램 개발 및 연구 활동을 통해 교육의 발전을 고민하고 있다.
홍익대학교에서 전자전기공학부를 졸업하고 동대학원에서 전자공학 석사(반도체 레이저)를 전공하였다. 또한 연세대학교 교육경영최고위자 과정을 마쳤으며 연세대학교 교육대학원에서
평생교육 경영을 공부하고 있다.

강력한 이화여대 인문계 논술 기출 문제

발　행 | 2023년 08월 28일
개정판 | 2024년 06월 26일
저　자 | 김근현
펴낸이 | 김근현
펴낸곳 | 일으킨 바람
출판사등록 | 2018.11.12.(제2018-000186호)
주　소 | 경기도 고양시 일산서구 하이파크 3로 61 409동 1503호
전　화 | 031-713-7925
이메일 | ileukinbaram@gmail.com

ISBN | 979-11-93208-79-3

www.iluekinbaram.com

강력한 이화여대 인문계 논술 기출문제

김 근 현 지음

차례

머리말

책을 쓰기 위해 책상에 앉으면 아쉬움과 안타까움, 나의 게으름에 늘 한숨을 먼저 쉰다.
왜 지금 쓸까?
왜 지금에서야 이 내용을 쓸까?
왜 지금까지 뭐했니?
스스로 자책을 한다.

또 애절함도 함께 느낀다.
시험이 코앞에서야 급한 마음에 달려오는
수험생들에게 왜 미리 제대로 준비된 걸 챙겨주지 못했을까?
그렇게 하루, 한 달, 일 년 그렇게 몇 해가 지나 이제야 조금 마음의 짐을 내려놓는다.

입에 단내 가득하도록 학생들에게 강의를 했고,
코앞에 다가온 연속된 수험생의 긴장감을 함께하다보면
그렇게 바쁘게 초조하게 지냈던 것 같다.

그렇게 함께했던 시간을 알기에
부족하겠지만
부디 이 책으로 수험생들이 부족한 일부를 채울 수 있고,
한 걸음이라도 희망하는 꿈을 향해 다갈 수 있길 간절히 바래 본다.

김 근 현

Ⅰ. 이화여자대학교 논술 전형 분석

1. 논술 전형 분석

1) 전형 요소별 반영 비율

전형방법	전형요소 및 반영비율		최고점	최저점	총점
일괄합산	논술	100%	1,000	0	1000

논술유형	모집단위	출제유형
인문Ⅰ	인문과학대학, 사범대학 교육공학과	언어논술Ⅰ
인문Ⅱ	사회과학대학, 공과대학 휴먼기계바이오공학과, 경영대학, 신산업융합대학 의류산업학과, 국제사무학과	언어논술Ⅱ

2) 학생부 교과 반영

없음

3) 수능 최저학력 기준

계열/모집단위	최저학력기준	비고
인문계열	국어, 수학, 영어, 탐구(사회/과학) 4개 영역 중 3개 영역 **합 6** 이내	[탐구영역] 응시한 과목 중 상위 1개 과목의 등급으로 반영
스크랜튼학부	국어, 수학, 영어, 탐구(사회/과학) 4개 영역 중 3개 영역 **등급 합 5** 이내	

※ 계열은 모집단위/전공 구분 기준에 따름
※ 인문계열은 국어 영역, 자연계열(약학전공 포함)은 수학 영역(미적분, 기하 중 택1)을 응시하여야 함
※ 제2외국어/한문은 탐구영역의 한 과목으로 인정하지 않음

2. 논술 분석

1) 출제 구분 : 계열 구분

2) 출제 유형 :

논술 유형	출제유형	출제범위	시간
인문 Ⅰ	언어논술 Ⅰ	고등학교 전 교육과정 (2015 개정 교육과정)	**100분**
인문 Ⅱ	언어논술 Ⅱ		

문제구성	▸ 논술유형별로 구분하여 출제 - 인문Ⅰ은 **영어지문**이 제시되며 인문Ⅱ는 **통계자료, 표** 등을 활용하여 논리적 사고력을 측정하는 문항이 포함됨 ▸ 전 유형 모두 3개의 대문항이 제시되며 각 문항은 세부 문제들로 구성 - 언어논술은 다양한 주제의 여러 지문에 대한 종합적 논술형태로 일부 문항은 **수리적 개념이 가미된 형태**로 출제될 수 있음
제시문의 소재 및 범위	▸ 동서고금의 명작, 명문 뿐 아니라 통계·그림·사진 등의 자료 ▸ 일상생활·사회현상·자연과학 소재 속의 다양한 상황에 대한 설명 ▸ 사회현상과 자연현상에 관한 자료, 언어·사회·수학 등의 교과 내용 ▸ 수리논술 문항은 수학 교과과정에서 출제
문제유형	▸ 주어진 상황이 가지는 특징을 분석하여 표현하는 분석 논술형 ▸ 핵심개념, 문장, 지문내용(요지)에 대한 이해를 요구하는 설명 논술형 ▸ 제시된 주장의 반론 제시, 타당성 검토 등 비판 논술형 ▸ 주어진 자료나 지문의 논리적 연관성을 찾는 논리 진술형 ▸ 지문들을 근거로 하여 자신의 주장을 서술하는 종합 논술형

※ 고등학교 교육과정의 범위와 수준 내에서 출제

3) 출제 목적 :

가. 고교과정에서의 학업성취도 평가
- ▸ 기초 교과지식 및 원리의 이해력과 적용 능력
- ▸ 다양한 교과내용에 대한 학습자 주도적 응용 능력

나. 대학에서의 수학 능력 평가
- ▸ 사고의 논리성·합리성, 논증 능력
- ▸ 학문적 발전가능성과 잠재력

다. 융복합적 사고력 및 의사소통 능력 평가
- ▸ 언어적 사고력과 영역 간 재구성·종합적 분석 능력
- ▸ 과정 중심적 이해력, 비판적 사고력과 표현력
- ▸ 수리적·논리적 사고력 및 종합적 분석 능력

3. 출제 문항 수

- 인문 Ⅰ - 인문 논술 3문항
- 인문 Ⅱ - 인문 논술 2문항 + 자료 분석 1문항(2~3개 소문항)

4. 글자수 제한

- 인문계열이지만 **글자수 제한 없음!**
- 밑줄형 노트 형식의 논술 답안지 제공
- 기출문제를 주어진 논제에 맞게 구성하는 연습이 꼭 필요함!

5. 시험 시간

- **100분**

6. 답안 작성시 유의사항

가. 질문 요지의 정확한 파악

▸ 제시문과 질문의 요지에 대해 정확히 이해한 후 답변을 시작할 것

▸ 주관적 진술보다는 명확한 근거를 바탕으로 비판적 사고력 중심의 논술을 전개할 것

나. 간단명료하고 논리적인 답변 필요

▸ 주어진 제시문의 내용을 논거로 하여 간단, 명료하게 답변할 것

▸ 문제와 직접적인 관련성이 없는 자신의 상식을 중언부언하지 말 것

▸ 요구된 답안에 맞게 답안 길이를 조정할 것

다. 고교 수학 과정에서 터득한 관련 주제의 지식들을 종합한 새로운 관점 제시

▸ 제시문에 나온 주제들을 정확히 이해하고 이와 관련한 다양한 지식들을 활용할 것

▸ 제시된 주제와 관련한 다양한 지식들을 종합하여 새로운 관점을 제시하도록 노력할 것

▸ 새로운 관점의 제시가 지나친 비약이나 논리적 허구성에 빠지지 않도록 할 것

7. 논술 유의사항

1. 시험 시간은 100분임.
2. 답안은 검은색 펜이나 연필로 작성할 것.
3. 학교명, 성명 등 자신의 신상에 관련된 사항을 답안에는 드러내지 말 것.
4. 연습은 문제지 여백을 이용할 것.
5. 답안은 해당 문항 답안지에만 작성할 것.

II. 기출문제 분석

1. 출제 경향

학년도	교과목	주제
2024학년도 수시 논술 (인문 Ⅰ)	독서, 동아시아사	분석적 이해, 비판적 이해
	독서, 영어과, 영어, 영어 독해와 작문	교양독서, 비판적 이해, 분석적 이해
	독서, 문학 윤리와 사상	분석적 이해, 비판적 이해, 실존주의
2024학년도 수시 논술 (인문 Ⅱ)	독서, 생활과 윤리	교양 독서, 사실적 이해, 비판적 이해
	독서, 실용국어	교양 독서, 비판적 이해
	경제	물가, 소비자물가, 물가상승률, 예금, 이자율, 명목이자율, 실질이자율
2024학년도 모의 논술 (인문 Ⅰ)	독서, 윤리와 사상	통치론, 동학의 무장포고문, 롤스의 정의론, 민주주의, 홉스의 사회계약론, 아리스토텔레스의 직접 민주주의, 막스 베버의 프로테스탄티즘의 윤리와 자본주의 정신,
2024학년도 모의 논술 (인문 Ⅱ)	독서, 정치와 법, 경제	노블레스 오블리주, 평등과 불평등 문화, 고용률, 민주주의와 법치주의의 상호 보완 관계, GDP, 짐 크로법, 제한된 범위 내 자료의 예측 위험성, 귀뚜라미의 한계, 경제활동 참여율 실업률,
2023학년도 수시 논술 (인문 Ⅰ)	독서, 영어, 국어, 문학	비판적 이해, 작품 해석, 한국 문학, 분석적 이해 공감적 이해, 한국 고전 수필과 현대 수필의 요지 파악, 확실성, 비물질성, 획일화,
2023학년도 수시 논술 (인문 Ⅱ)	독서, 국어, 정치와 법, 실용국어, 경제	교양 독서, 비판적 이해 맹자, 순자의 인간 본성과 의지에 대한 관점, 전제집단과 부분집단의 불일치, 군집분석, 심슨의 역설, 수요, 공급, 시장 균형, 자유 무역, 최고 가격제, 소비자 잉여, 생산자 잉여
2023학년도 모의 논술 (인문 Ⅰ)	독서, 문학, 영어, 기술가정	타지펠의 사회 정체감 이론, 내집단 내 차별적 편애현상, 국적의 정체성, 묵자의 흥리제해(興利除害)와 겸애(兼愛), 언어의 분류, 베르그송의 삶에의 주의, 유씨 부인의 조침문, 지속가능한 소비생활

학년도	교과목	주제
2023학년도 모의 논술 (인문 Ⅱ)	독서,	흑인 인권 운동과 제도 개혁, 고을 수령의 모범(목민심서), 정치논리와 경제논리, 평균값의 모순,
2022학년도 수시 논술 (인문 Ⅰ)	독서, 문학, 영어Ⅱ, 통합사회, 독서, 문학	교양 독서, 비판적 이해, 비판적 이해, 작품 해석, 한국 문학, 지속 가능한 발전, 보존, 일원론적 해석, 다원론적 해석
2022학년도 수시 논술 (인문 Ⅱ)	독서, 경제	교양 독서, 비판적 이해, 사실적 이해, 이집트의 벽화, 해리 벡의 지하철 노선도, 테일러의 시간의 관점, 수요, 공급, 시장 균형, 잉여
2022학년도 모의 논술 (인문 Ⅰ)	문학, 독서, 영어, 철학, 통합사회	명분과 실리, 의사소통, 통계수치의 비판적 사고, 공정무역의 현실, 종 우월주의 비판, 동물복지
2022학년도 모의 논술 (인문 Ⅱ)	철학, 생활과 윤리, 동아시아, 독서,	세계 시민, 도덕공동체, 시민공동체에 대한 의무감, 사실주의적 역사관, 밸리 포지의 교훈, 경제 주체, 시장 개입, 공유자원의 비극
2021학년도 수시 논술 (인문 Ⅰ)	독서, 문학, 국어, 영어 독해와 작문	교양 독서, 비판적 이해, 한국 문학, 사실적 이해, 상호 텍스트성, 추론적 이해, 세부 정보, 중심 내용, 맥락, 함축적 의미 집단과 개인, 감시와 복종, 매체의 변화, 감시 체제, 패놉티콘, 무주의 맹시, 시각의 특성, 과학의 정의, 사회적 관습 자연적사실, 사회적 사실
2021학년도 수시 논술 (인문 Ⅱ)	독서, 문학, 화법과 작문, 통합사회, 경제	비판적 이해, 교양 독서, 문학의 생활화, 갈등 해결과 소통의 윤리, 작문의 구성 요소 경쟁의 장단점,획일성과 경쟁의 시대, 다양성과 공존, 공존의 가치, 찰스 다윈의 진화론, 린 마굴리스의 공생 진화론, 시장과 경제활동(수요, 공급, 시장 균형, 자원 배분의 효율성, 잉여), 세계 시장과 교역(무역 정책)

학년도	교과목	주제
2021학년도 모의 논술 (인문 Ⅰ)	국어, 생활과 윤리, 철학, 문학, 영어, 독서	여유의 필요성과 기능, 통곡에 대한 인식, 예술을 통한 교육의 의미, 타인과의 인간관계, 동물의 집단행동, 양극화, 생산적 논쟁, 의사소통
2021학년도 모의 논술 (인문 Ⅱ)	독서, 환경,	자연 생태계, 도시생태계, 자연을 극복한 인간, 자연에 순응한 조상의 지혜, 맹자의 부동심, 자동차의 올바른 사용,
2020학년도 수시 논술 (인문 Ⅰ)	국어Ⅰ, 국어Ⅱ, 독서와 문법, 문학, 영어Ⅱ	인간의 상상력, 창조적 융합, 창의적 독해력, 정확한 분석력 문화 소통, 공정 무역, 상호 번영, 줄서기, 자본주의, 민주주의, 분배, 불평등
2020학년도 수시 논술 (인문 Ⅱ)	독서와 문법, 문학, 생활과 윤리, 국어Ⅱ, 사회, 사회문화, 경제	글의 사고 전개 특징 파악, 비판적 독서, 창의적 문제 해결, 과학 기술과 윤리, 자연, 실업, 논리적 구성, 과학기술, 환경, 윤리, 인간, 인간중심주의, 생산 요소, 총비용, 기술 개발, 최저 임금제

2. 출제 의도

학년도	출제 의도
2024학년도 수시 논술 (인문 Ⅰ)	● 이론적이고 철학적인 진술로 이루어진 제시문의 핵심을 제대로 파악하고, 구체적인 현실에 적절하게 적용하여 비판하는 능력을 평가한다. 정확한 이해력과 문제 해결 능력, 그리고 이를 구체적 사례에 적용하여 분석할 수 있는 논리적 사고를 종합적으로 평가하기 위해 출제하였다.
	● 현실에 대한 인간의 인지과정이라는 유사한 주제를 다루는 두 글을 읽고 두 글의 공통점과 차이점을 정확하게 이해하는지를 묻는다. 이 문항은 인간의 인지활동에 대한 구체적인 사례를 비교함으로써 사실 파악 능력과 글의 논리 구조를 이해할 수 있는 사고를 요구한다.
	● 문항 (1)은 제시문 [마]와 [바]의 주요 개념을 비교하여 논하게 함으로써, 제시문에 대한 정확한 이해는 물론 각 글의 목적과 의도를 파악하고 맥락을 고려하며 읽는 독해 능력과, 주어진 자료를 비교 분석하는 능력을 평가하기 위해 출제하였다. ● 문항 (2)는 제시문 [바]의 핵심적인 내용을 명확히 이해하고, 이를 제시문 [사]의 작품 속 인물이 처한 상황에 적용하는 문제로, 응시자의 사실적·추론적 독해력과 작품에 대한 비판적 감상 능력을 평가하기 위해 출제하였다.
2024학년도 수시 논술 (인문 Ⅱ)	● 명품과 대체 교통수단에 대한 소비를 지불 용의 가격 측면에서 논할 수 있는지 파악함으로써 응시자의 독해력과 응용력을 평가하고자 하였다. 또한, 비판적 논의에 근거한 합리주의적 태도라는 기준을 통해 상이한 사례들을 평가하게 함으로써 응시자들이 다양한 사례들을 동일한 기준으로 평가할 역량을 갖추고 있는지 확인하고자 하였다.
	● 수집한 자료의 통계분석을 실시할 때, 자료의 어떤 수준에서 분석하고 그 결과를 해석해야 하는가라는 내용을 다루고 있다. 연구자의 질문 수준이 개인에게 있다면 개인 수준에서 자료를 분석할 수 있는 방법을 찾아야 한다. 응시자는 동일한 자료도 집단 수준에서 분석을 하느냐 또는 개인 수준에서 분석을 하느냐에 따라 일치하지 않는 결과를 줄 수 있음을 파악해야 한다. 집단 수준에서의 자료 분석과 개인 수준에서의 자료 분석이 각각 어떤 정보를 줄 수 있을지 생각해 보고, 논의를 심화시킬 수 있는지 파악함으로써 응시자의 자료와 통계를 바라보는 이해력, 분석력 등을 평가하기 위해 출제하였다.

학년도	출제 의도
	● 3-(1) 지문에서 주어진 소비자물가지수 정의를 이용하여 소비자물가지수를 산출하는 문항이다. ● 3-(2) 지문에서 주어진 내용을 바탕으로 물가상승률과 구매력의 관계에 대한 이해를 묻는 문항이다. ● 3-(3) 명목 이자율과 실질 이자율에 대한 이해를 확인하는 문항이다.
2024학년도 모의 논술 (인문 Ⅰ)	● 동아시아의 대표적인 군주론을 이해하고, 그 관점을 다른 시대, 다른 장소에서 발생한 실제 역사적 사건에 적용하여 비판적으로 사고하는 능력을 측정한다. 이론적이고 철학적인 진술로 이루어진 제시문의 핵심을 제대로 파악하고, 이와 상반된 주장을 보이는 구체적인 현실 상황에 적절하게 적용하여 논증해 내야 하는 문항이다. 이에 답하기 위해 정확한 이해력과 문제 해결 능력, 그리고 이를 구체적 사례에 적용하여 분석할 수 있는 논리적 사고가 종합적으로 요구된다.
	● 제시문 [다]는 사회의 정의에 대한 철학적 담론을 다룬 글이며, 제시문 [라]는 고등학교 학습을 통해 위선적이고 비가시적인 권력의 폭력을 다루고 있는 현대소설이다. 이 문항에서는 사회 정의에 대한 상이한 장르의 두 글을 읽고, 그 내용의 핵심을 명확히 이해할 수 있는지를 묻고 있다. 이 문항에 답하기 위해서는 먼저 제시문 [다]의 핵심을 이해하는 능력, 그리고 제시문 [라]의 인물들의 성격과 갈등 양상을 파악하는 능력이 선행되어야 한다. 이를 바탕으로 [다]에 나타난 롤스의 관점을 [라]의 학급 운영 상황에 적용하여 비판할 수 있는 응용력과 분석력, 그리고 이를 논리적으로 서술하는 능력을 확인하고자 하였다.
	● 상반되는 견해를 다룬 두 글을 읽고, 서로 다른 입장을 대비하는 문제이다. 정확한 대비를 위해서는 먼저 제시문 [마]의 신적 세계에 종속된 인간관과 제시문 [바]의 인간 중심주의를 정확히 이해해야 한다. 그리고 이를 바탕으로 상이한 두 입장을 차이를 설명할 수 있어야 한다. ● 인간의 권리 양도라는 유사한 주제를 다루는 두 글을 읽고 두 글의 공통점과 차이점을 정확하게 이해하는지를 묻는다. 이에 답하기 위해서는 제시문 [사]의 영어 구문과 직접 민주주의로부터 대의 민주주의의 이행에 대한 정확한 이해가 있어야 하고, 이를 바탕으로 제시문 [바]가 지적하는 홉스의 사회 계약설이 전제하는 인간의 자연권과 국가의 역할을 비교, 설명해야 한다. 이 문항은 주체로서의 인간과 권리 양도의 필요성에 대한 구체적인 사례를 비교함으로써 사실 파악 능력과 글의 논리 구조를 이해할 수 있는 사고를 요구한다.

<table>
<tr><th>학년도</th><th>출제 의도</th></tr>
<tr><td rowspan="3">2024학년도
모의 논술
(인문 Ⅱ)</td><td>● 인문·사회과학 지식 습득에 가장 기본이 되는 부분은 다양한 주장들의 공통점과 차이점을 비교하여 파악하는 것에 있다. 이러한 관점에서 문항 1-(1) 문제는 수험생들이 적절한 언어와 논리적 구성을 통해 상이한 주장들을 비교할 수 있는지 평가하기 위해 출제하였다. 또한, 다양한 사례들을 특정 기준에서 평가하고 논할 수 있는 능력은 인문·사회과학 연구에서 상당히 중요하다. 문항 1-(2) 문제는 수험생들이 특정 관점에서 실제 사례를 평가할 수 있는 역량을 충분히 지니고 있는지 알아보기 위해 출제하였다.</td></tr>
<tr><td>● 귀뚜라미의 울음과 은유검증위원회의 예를 통해 예측 방법의 문제점을 인식하고, 이러한 문제점을 통해서 이코노미스트의 틀린 예측을 설명해 내는 것이 이 문제를 출제한 의도이다. 제시문 [라]는 과거에 일어난 패턴을 기반으로 미래를 예측한다는 것이 얼마나 위험한지를 보여주는 예이다. 이처럼 자료의 수집 범위를 벗어나 예측하는 것은 많은 학자에 의하여 비판받는 예측 방법이다. 미국과 중국의 GDP 예측 규모와 실제 규모의 차이는 이러한 문제점을 보여주는 전형적인 예라고 할 수 있다. 1990년과 2010년 사이에 수집된 자료는 그 범위 안에서는 유효할 수 있으나 그 범위 밖으로 나가면 얼마든지 틀릴 수 있다는 것을 보여준다. 제시문 [마]는 이러한 문제점을 두 가지 예를 들어서 설명하고 있는 글이다. 귀뚜라미의 울음과 온도 사이의 관계성도 일정한 범위 안에서만 성립이 되며, 그 범위 밖으로 나가서 예측하려고 하면 성립하지 않는다는 것을 보여준다. 은유검증위원회 역시 과거의 자료들을 이용해서 미래의 주가를 예측하는 것도 방법론적 오류를 내포한 예측으로서 잘 작동하지 않을 수 있음을 보여준다.</td></tr>
<tr><td>● (1) 지문에 소개한 개념 경제활동 참가율, 실업률, 고용률에 대한 명확한 이해 및 적용
● (2) 지문에서 소개한 경기 상황 변화에 따른 실업률과 고용률의 변화에 대한 이해
● (3) 지문에서 소개한 비경제 활동 인구 개념에 대한 이해 확인</td></tr>
<tr><td rowspan="2">2023학년도
수시 논술
(인문 Ⅰ)</td><td>● 문항은 영어 제시문에서 확실성 또는 확신이라는 추상적 개념을 정확히 이해하고, 그 결과를 바탕으로 실제 키네틱 아트라는 예술사조에 적용하도록 함으로써 응시자의 독해력과 이해력, 그리고 분석력을 평가하기 위해 출제되었다.</td></tr>
<tr><td>● 현대 사회의 경쟁적인 속도감에 대한 글쓴이의 의도와 목적, 생략된 내용 등을 추론적으로 이해하고 이를 소설 엇박자의 주제와 연결지어 공통점을 파악하는 것으로, 응시자의 추론적 독해력과 분석력을 평가하기 위해 출제되었다.</td></tr>
</table>

학년도	출제 의도
	● 두 제시문은 시대적·공간적 배경, 문제 상황 및 문제 해결 방식 그리고 삶에 대한 태도 등 여러 면에서 서로 다른 내용을 다룬 고전 수필과 현대 수필에서 각기 발췌한 글이다. 이 문항은 두 제시문을 이해하고, 이를 토대로 각기 다른 두 제시문에 나타나는 공통점과 차이점을 추출해내는 분석력과 공감력을 평가하기 위해 출제되었다.
2023학년도 수시 논술 (인문 Ⅱ)	● 맹자와 순자가 인간의 본성과 의지에 대해 논한 두 개의 상이한 관점에서 국제 관계 관련 현실주의의 타당성에 대해 적절하게 평가할 수 있는지 파악함으로써 응시자의 독해력과 논리력을 평가하고자 하였다. 또한, 분쟁을 해결하는 다양한 방법들을 적절하게 대조하여 설명할 수 있는지 확인함으로써 학생들의 분석력을 평가하고자 하였다.
	● 수집한 자료의 통계분석 결과를 어떻게 해석 및 진실에 더욱 접근한 결과를 얻어내기 위해서는 어떤 분석법을 사용할 수 있는가에 대한 내용을 다루고 있다. 자료 전체의 통계분석 결과도 그 자체로 의미를 지니고 있지만, 자료를 분할하여 들여다보면 전체 자료에서는 미처 나타나지 않았던 추가적인 통찰을 얻을 수 있다. 이 문제를 통해 전체 자료와 분할된 자료가 각각 어떤 정보를 줄 수 있을지 생각해 보고, 논의를 심화시킬 수 있는지 파악함으로써 응시자의 자료와 통계를 바라보는 이해력, 분석력 등을 평가하기 위해 출제되었다.
	● 3-(1). 수요 곡선 및 공급 곡선이 주어졌을 때 균형 가격과 균형 거래량에 대한 이해를 확인하는 문항이다. ● 3-(2). 자유 무역 정책하에서의 수입이 소비자 잉여 및 생산자 잉여에 미치는 효과에 대한 이해를 확인하는 문항이다. ● 3-(3). 폐쇄 경제 하에서의 최고 가격제가 소비자 잉여 및 생산자 잉여에 미치는 효과에 대한 이해를 확인하는 문항이다.
2023학년도 모의 논술 (인문 Ⅰ)	● (1) 제시문 [가]는 타지펠의 사회 정체감 이론을 설명하는 사회과학 분야의 글이며, 제시문 [나]는 조선족 작가인 금희가 경계적 정체성을 주제로 하여 쓴 현대소설이다. 유사한 주제를 다루고 있는 상이한 장르의 두 글을 읽고, 그 내용의 핵심을 명확히 이해할 수 있는지를 묻고 있다. 이 문항에 답하기 위해서는 먼저 제시문 [가]의 핵심을 이해하고 요약하는 능력, 그리고 제시문 [나]의 인물이 처한 상황과 그 갈등의 핵심을 파악하는 능력이 선행되어야 한다. 또한 [가]의 사회현상을 [나]의 서술자의 상황에 적용할 수 있는 응용력과 분석력, 그리고 이를 논리적으로 서술하는 능력을 확인하고자 하였다.

학년도	출제 의도
	● (2) 이 문항은 상반되는 개념을 다룬 두 글을 읽고, 하나의 입장에서 다른 입장을 비판하도록 하는 문제이다. 정확한 비판을 도출하기 위해서는 먼저 제시문 [다]에서 묵자의 입장과 제시문 [가]의 실험 결과를 정확히 이해해야 한다. 그리고 이를 바탕으로 상이한 입장과 연관된 비판의 논점을 도출할 수 있어야 한다.
	● 이 문항은 인간의 인지활동의 중심인 분류화, 범주화라는 유사한 주제를 다루는 두 글을 읽고 두 글의 공통점과 차이점을 정확하게 이해하는지를 묻는다. 이에 답하기 위해서는 제시문 [라]의 영어 구문과 분류체계로서의 언어에 대한 정확한 이해가 있어야 하고, 이를 바탕으로 제시문 [마]가 지적하는 유용성의 원리에 함몰되어 발생하는 사물에 대한 왜곡에 대해 설명해야 한다. 이 문항은 인간의 인지활동에 대한 구체적인 사례를 비교함으로써 사실 파악 능력과 글의 논리 구조를 이해할 수 있는 사고를 요구한다.
	● 제시문 [바]와 제시문 [사]는 창작 연대, 저술 동기 등 여러 면에서 상이한 배경을 지닌 글들이다. 그런데 제시문 [바]와 제시문 [사]에는 공통적으로 물건을 대하는 태도가 나타나 있어 이 문항은 이 공통점을 토대로 하여 두 제시문을 대비할 것을 요구하고 있다. 오늘날 우리는 지구 환경의 미래를 생각하면서 지속 가능한 발전, 지속 가능한 미래 혹은 지속 가능한 소비 등의 문제를 고민하고 있다. 이는 현재 인류가 당면한 문제이며 미래 세대를 위해 해결을 모색해야만 하는 과제이다. 이런 문제의식으로 접근한다면 제시문 [바]의 화자가 물건을 대하는 태도는 오늘날 소비 생활에서 새삼 유의미하게 간주될 만한 것이다. ● 문제에서 제시한 대로 물건을 대하는 태도라는 점을 토대로 하여 제시문 [바]와 제시문 [사] 각각에 나타난 차이점을 파악하여 분석적으로 설명하고, 의미화하는 사고가 요구된다.
2023학년도 모의 논술 (인문 Ⅱ)	● 학문적 이론을 습득하는 과정에서 상이한 주장들을 비교하여 공통점과 차이점을 파악하는 것이 중요하다. 제시문의 저자들은 공통적으로 사회에 참여하고 있는 사람들이 직접 변화를 이끄는 것의 중요성을 강조한다. 하지만 변화를 주도하는 인물들이 일반 시민인지 혹은 위정자인지에 대해서는 다른 견해를 보여주고 있다. 다음 문항에서는 학생들이 '정치논리'와 '경제논리'의 기준을 이용하여 사례를 평가할 수 있는 역량이 있는지 알아보기 위해 만들어졌다. 즉, '토피카 교육 위원회' 판결 사례를 정치적 분배, 경제적 효율성과 같은 기준에 따라 적절하게 논할 수 있는지 평가하고자 하였다.

학년도	출제 의도
	● 제시문 [라]에 나타난 미국 공군 전투기 운항 사고의 원인은 평균의 오류와 관련된 것이다. 일반적으로 사람들은 평균적인 키와 평균적인 몸무게를 가진 사람들이 가장 일반적일 것이라고 생각하지만, 실제로는 그렇지 않을 수도 있다는 것을 보여주는 글이다. 공군 전투기 조종사 전체의 평균이 일정한 값으로 나왔다고 하여도, 실제로는 그 평균값을 갖지 않은 많은 수의 조종사가 존재할 수 있다는 사실을 간과해서는 안 된다는 것이다. 이러한 관점에서 제시문 [마]에 나타난 그림은 코로나19의 평균적인 사망률이 1% 정도라고 하여도 60세 이상의 사람들에게는 평균보다 더 위험할 수 있으며, 80세 이상의 경우에 7%에 가까운 사망률을 보일 수 있음을 보여준다. 표의 경우에도 코로나 이후 전체적으로, 즉 평균적으로 소비지출 증가보다 소득증가가 200여만원 더 많지만, 1분위 저소득자 집단에서는 오히려 소비지출 증가가 소득 증가보다도 더 크다는 것을 알 수 있다.
	● 경제의 총수요와 총공급, 그리고 균형의 개념을 설명하는 지문이다. 관련된 사전 지식이 없더라도 지문을 충실하게 이해함으로써 제기한 문제를 해결할 수 있는 능력을 갖추고 있는가를 판별하는 것이 출제 목적이다.
2022학년도 수시 논술 (인문 Ⅰ)	● 다양한 시대적 배경을 가진 제시문들을 통해 통념에 대한 태도, 관점의 전환, 새로운 해석의 문제 등에 대해 다루고 있다. 서로 다른 시대적 배경과 직업을 가진 인물이 등장하는 제시문 [가]와 제시문 [나]에서 공통점을 추출하고, 제시문 [다]의 유사성과 상사성 개념에 대한 이해를 바탕으로 이를 제시문 [가]와 연관 짓도록 한 이 문항은 세 편의 글을 읽고, 상호 관련되는 요지를 비교할 뿐 아니라 개념에 대한 정확한 이해를 바탕으로 연관된 제시문을 논리적으로 설명할 수 있는지를 파악함으로써 응시자의 독해력과 분석력을 평가하기 위해 출제되었다.
	● 경제 발전이라는 유사한 주제를 다루는 두 글을 읽고 공통점과 차이점을 이해할 수 있는지를 묻는다. 이에 답하기 위해서는 제시문 [라]의 영어 구문과 스마트 농업이 초래하는 발전에 대한 필자의 관점을 정확히 이해해야 하고, 이를 제시문 [마]가 주장하는 지속가능한 발전과 비교, 설명해야 한다. 이 문항은 동일한 표현의 개념이 다르게 사용되는 맥락을 구체적인 사례를 들어 설명하는 사실 파악 능력과 공통점과 차이점을 이해할 수 있는 분석적인 사고를 요구한다.

학년도	출제 의도
	● 일원론적 해석, 다원론적 해석과 같은 예술 작품 해석에 대한 상이한 관점을 이해하고, 그 이해한 결과를 바탕으로 실제 예술 작품에 대한 이해의 예를 평가함으로써 응시자의 독해력과 분석력을 평가하기 위해 출제되었다.
2022학년도 수시 논술 (인문 Ⅱ)	● 세상을 바라보는 관점과 그 관점의 차이에 따른 시간, 공간, 사람 등을 바라보는 시각과 변화에 대한 내용을 다루고 있다. 이집트인들이 사람을 바라보는 관점, 해리 벡(Harry Beck)의 지하철 노선도에 나타난 혁명적인 변화, 자본주의의 등장과 함께 나타난 시간 개념의 변화를 비교할 뿐만 아니라 논리적으로 연결 짓고, 논의를 심화시킬 수 있는지 파악함으로써 응시자의 이해력, 분석력, 독해력 등을 평가하기 위해 출제되었다.
	● 고난의 상황에서 민족과 국가가 나아갈 바를 제시한 주장들을 비교하여 이들의 공통점과 차이점을 밝히게 함으로써 학생들이 충분한 논리적 사고 능력을 갖추고 있는지 평가하기 위해 해당 문항을 출제하였다. 또한, 학생들이 논리적으로 상이한 주장들의 인과관계적 차이점을 파악할 수 있는 분석력을 지니고 있는지도 평가하고자 하였다. 그리고 글을 읽고 글쓴이들의 의견을 정확하게 이해하는 능력이 있는지 역시 추가적으로 평가하고자 하였다
	● 3-(1). 초과수요와 균형량, 수요량 및 공급량에 대한 이해, 수요곡선과 공급곡선이 주어진 경우의 소비자 잉여 및 생산자 잉여에 대한 이해를 평가하기 위해 출제되었다. ● 3-(2). 최저 가격제에 대한 이해, 최저 가격제 하에서의 소비자 잉여 및 생산자 잉여에 대한 이해를 평가하기 위해 출제되었다. ● 3-(3). 형평성에 대한 이해를 위하여 소개한 소득 분배의 불평등도를 활용하여, 최저 가격제도의 효과에 대한 이해를 평가하기 위해 출제되었다.
2022학년도 모의 논술 (인문 Ⅰ)	● 제시문 [가]는 역사적 사건을 배경으로 하되 작가의 상상력을 바탕으로 그때의 사건을 허구적으로 재현한 역사소설이고, 제시문 [나]는 인간의 이성과 진리, 그리고 바람직한 의사소통과 언어에 대한 통찰을 담은 철학서의 일부이다. 소설과 철학서와 같이 상이한 종류의 글을 함께 읽을 때 글의 특징을 고려하여 읽는 능력, 제시문의 핵심을 요약하는 능력, 그리고 철학서에서 이야기한 바람직한 의사소통의 자세를 소설 속에 생생하게 형상화된 인물들 간의 대화에 적용하여 보는 응용력과 분석력을 확인하기 위하여 이 문항을 설계하였다.

학년도	출제 의도
	● 이 문항은 현상을 해석한 결과에 대해 비판적으로 접근할 필요성이라는 유사한 주제를 다루는 두 글을 읽고 공통된 논리 전개 방식을 이해할 수 있는지를 묻는다. 이에 답하기 위해서는 제시문 [다]의 영어 구문과 통계 수치에 대한 필자의 관점에 대한 정확한 이해가 선행되어야 하고, 여기서 드러나는 비판적 읽기라는 접근을 바탕으로 제시문 [사]가 지적하는 '공정 무역 인증'의 실상에서 나타나는 필자의 논리 전개 방식을 설명해야 한다. 이 문항은 비판적 읽기의 구체적인 사례에 대한 사실 파악 능력과 글의 논리 구조를 이해할 수 있는 사고를 요구한다.
	● 인간과 동물, 천지 만물에 대한 우월성의 관점과 이런 관점에 기반한 인간과 동물과의 관계 설정에 대한 지문들로 이루어져 있다. 또한 이런 관계 설정으로 인하여 인간이 동물을 어떻게 다뤄야 하며, 동물 복지라는 개념을 어떻게 이해해야 할지에 대한 고민을 담고 있다.
2022학년도 모의 논술 (인문 Ⅱ)	● 문항 (1)은 지문들을 해석하고 비교하는 능력을 측정한다. 이에 답하기 제시문 [가]의 세계 시민으로서 보편적인 인류애에 대한 개념을 이해하고, 그것과 제시문 [나]의 한 공화국의 자랑스러운 역사를 기억하고 기념하여 그 공동체에 도덕적 의무감을 가지는 것을 대비할 수 있어야 한다. ● 문항 (2)는 제시문 [다]의 핵심을 제대로 파악하고, 그것을 통해 지문 [다]의 역사관을 논하는 능력을 측정한다. 제시문 [다]는 역사에 대한 사실적 기술 강조하는 반면, 제시문 [나]는 자랑스러운 역사를 기억하고 기념하는 행위를 칭송한다. 전자의 역사관은 역사는 찬양의 대상이 아니라, 진실에 대한 서술이 중요하다는 것이다. 문항(1)과 문항(2)는 지문에 대한 이해력과 비교 및 대비 능력 등 논리적 사고가 종합적으로 요구된다.
	● 제시문 [라]는 식량 등 재화에 대한 정부의 인위적 가격 통제가 오히려 가격 급등과 공급 부족의 부작용을 낳은 사례를 통해, 정부는 시장에 대해 항상 제한적으로 개입해야 한다고 주장한다. 제시문 [마]에서는 과도하게 소비되는 특징이 있는 공유 자원의 비극을 해결하기 위해 정부가 개입하여 문제를 해결하는 조기의 사례를 제시하고 있다. 두 제시문에서 기술된 식량과 조기의 사례를 통해, 상이한 특성을 지닌 시장에 대한 정부의 개입이 가져오는 다른 결과를 설명할 수 있는지를 요구하는 문제이다.
	● 비교우위에 입각하여 생산하고 적절한 교역을 한다면, 교역 당사자들의 후생 수준이 개선될 수 있다는 것을 단계적으로 이해하고 설명할 수 있는가를 평가하는 문제이다. 먼저 비교우위에 대하여

학년도	출제 의도
	정확하게 이해하고 있는가를 평가하고자 하였다. 또한, 한 경제의 기술 수준을 반영하는 생산가능곡선의 개념에 대하여 이해하고 있는가를 평가하였다. 마지막으로 생산한 것을 그대로 소비하는 자급자족 경제에 비하여 비교우위에 입각하여 생산하고 적절한 교환을 통하여 더 많은 소비를 달성할 수 있다는 것을 논리적으로 정확하게 보여줄 수 있는가를 평가하였다.
2021학년도 수시 논술 (인문 Ⅰ)	● 근대 사회 형성기로부터 정보 혁명 시대라 일컬어지는 현재까지 관통되는 권력의 작동 방식에 대해 다루고 있다. 집단과 개인, 감시와 복종, 매체의 변화와 감시 체제를 다루고 있는 세 편의 글을 읽고, 상호 관련되는 개념을 비교할 뿐 아니라 논리적으로 연결짓고 논지를 심화시킬 수 있는지 파악함으로써 응시자의 독해력과 분석력을 평가하기 위해 출제되었다.
	● 인간의 시각에 대한 서양의 과학적 실험과 본다는 것에 대한 동양의 성찰을 담은 지문들로 구성되어 있다. 뇌가 수많은 정보 가운데 자신이 필요한 정보를 선택적으로 받아들여 있는 것도 보지 못하는 ‘시각’의 특징을 제시문 [라]에서 찾아 논리적으로 설명하는 능력을 평가하고자 한다. 아울러 제시문 [마]에서 눈이 세상을 제대로 보지 못하는 것을 파악하여 눈은 스스로 속일 수 있다는 것과 그것을 경계하는 태도를 찾아내고, 눈뿐이 아니라 손, 발, 코, 귀 등의 다른 감각기관으로도 세상을 보고 인식할 수 있다는 태도를 읽어낼 수 있는 분석능력을 측정하고자 하였다.
	● 과학적으로 발견한 자연적 사실을 근거로 남녀 성차와 같은 사회현상을 판단 또는 해석하는 틀로 삼는 과정에 개입할 수 있는 사회의 지배적인 통념을 파악하고, 자연적 사실로 사회의 통념을 정당화는 위험을 비판적으로 고찰할 수 있는 사고 능력을 요구한다. 과학을 가치중립적이고 절대적 진리로 정당화하기보다는 과학이 우리의 가치관 또는 사회적 사실을 전제하고 있을 수도 있다는 개방적 태도가 새로운 발견을 가능하게 만들고, 나아가 과학과 사회발전에 기여할 수 있다는 입장을 이해할 것을 요구하는 문항이다. 과학과 자연적 사실, 사회적 관습과 사회적 사실이라는 유사한 개념을 다른 맥락에서 사용하고 있는 두 제시문을 읽고 비교함으로써 다른 입장이 반영된 글을 해석하는 능력과 더불어 기본 영어 독해력까지도 요구되는 문항이다.
2021학년도 수시 논술 (인문 Ⅱ)	● 문항 1-(1) 이 문항은 과학·기술과 관련한 비판적 견해를 담은 두 편의 글을 읽고, 내용을 정확히 파악하는 독해력과 두 견해의 공통점과 차이점을 도출할 수 있는 논리적인 분석 능력을 평가하기 위해 출제하였다.

학년도	출제 의도
	● 문항 1-(2) 이 문항은 하나의 관점을 통해 다른 한 편의 글을 논리적으로 이해하고 연결시켜 설명할 수 있는 능력을 평가하기 위해 출제하였다. 고전문학 작품에 반영된 내용, 표현 방법과 필자의 숨겨진 의도를 파악하고 그 관점에서 다른 글의 논지를 설명할 수 있는 응용력과 논리력을 평가하고자 하였다.
	● 현대 사회의 문제를 진단하는 글과, 인간이 보편적으로 가져야 할 삶의 자세를 논한 고전을 읽고, 현실의 문제를 정확히 파악한 후 고전의 지혜를 바탕으로 현실의 문제를 해결할 수 있는 방안을 모색하게 하여 응시자의 독해력과 문제 해결력을 평가하기 위해 출제하였다.
	● 보호 무역 수단 중 하나인 수입 할당제를 시행할 경우 균형 가격, 균형 거래량, 소비자 잉여, 생산자 잉여 등이 어떻게 변화할지에 대한 논의를 요구함으로써 수험생들의 경제적, 논리적 분석 능력을 측정하고자 하였다. 구체적인 수치를 이용하여 보호 무역 정책의 효과를 분석하도록 요구함으로써 학생들의 수리적 분석 능력 및 추론 능력을 평가하고, 그 과정에서 시장 균형, 총잉여 등에 대한 수험생들의 이해도를 측정하고자 하였다.
2021학년도 모의 논술 (인문 Ⅰ)	● 제시문 [가]에는 인간의 본성을 올바로 인식하기 위해 '여유'가 필요하다는 생각, 제시문 [나]에는 다양한 감정을 숨김없이 느끼고 표현하는 '통곡'이 중요하다는 통찰, 그리고 제시문 [다]에는 인간이 좋은 예술작품을 통한 교육을 거쳐 바람직한 상태에 이르게 된다는 견해가 표현되어 있다. 서로 다른 소재를 다루며 그에 대한 관점도 상이한 글들을 읽고, 주어진 글의 의미를 정확히 파악하는 능력, 글쓴이의 주장이나 입장에서 대상을 이해하는 힘, 그리고 글쓴이의 생각을 비판적으로 검토하는 역량을 측정하고자 하였다.
	● 이 문항은 타자와의 관계를 통해 이루어지는 주체성의 개념을 이해하고, 그 개념을 문학에 적용하여 작품을 해석하는 능력을 측정한다. 이에 답하기 위해 제시문 [라]의 철학자 레비나스가 말하는 무한 책임의 주체가 어떤 것인지 파악해야 하며, 제시문 [마]의 소설 지문에서의 대화 상황을 분석하여 인물의 태도를 비판적으로 평가할 수 있어야 한다. 추상적 개념 진술을 통해 이루어진 제시문의 핵심을 제대로 파악하고, 구체적인 상황이 제시된 글에 적절하게 적용하여 논증해내야 하는 본 문항에서는 글에 대한 이해력과 문제 해결 능력, 논리적 사고가 종합적으로 요구된다.
	● 이 문항은 사회 구성원으로서 가장 효과적인 의사소통 방법은 무엇인가라는 유사한 주제를 다루는 두 글을 읽고 상호보완적인 관계를 이해할 수 있는지를 묻는다. 이에 답하기 위해서는 제시문

학년도	출제 의도
	[바]의 영어 구문과 과학적 사실에 대한 정확한 이해가 선행되어야 하고, 이를 바탕으로 제시문 [사]가 지적하는 인터넷 시대 의사소통의 문제점에 대한 해결 방안을 제시하여야 한다. 이 문항은 자연 관찰을 통한 과학적 지식을 어떻게 인간 사회에 적용할지에 대한 사실 파악 능력과 문제 해결 능력을 요구한다.
2021학년도 모의 논술 (인문 Ⅱ)	● 자연, 문명 혹은 도시 그리고 인간 간의 관계에 대한 지문들과 그것들을 잘 파악해야 답할 수 있는 문항들로 구성되어 있다. 제시문 [가]는 인간이 살아가는 도시 생태계는 자연 생태계와 마찬가지로 최하위 존재의 재생을 통해 지속 가능성을 달성할 수 있다고 말한다. 제시문 [나]는 기술과 노력으로써 열악한 자연환경을 극복하고 인간에 맞는 삶의 환경인 도시를 세운 베네치아의 예를 제시하고 있다. 제시문 [다]는 우리 조상들이 자연 순응과 생명 존중 사상을 통해 생물 다양성을 유지함으로써 지속 가능한 사회를 유지했음을 지적하고 있다. ● 제시문의 내용을 정확히 이해하는 독해력과 제시된 사례에 적용하여 분석하는 능력을 평가하기 위해서 출제되었다. 제시문 [라]는 맹자가 부동심을 강조한 이유를 설명하고 마음의 뜻(지향)을 붙잡는 일이 수양에서 중요한 과제임을 주장한다. 감각적인 욕구를 충족하는 상황에서는 '작은 몸'이, 선한 본성에서 유래한 마음이 주도하는 상황에서는 '큰 몸'이 이끄는 것으로 설명한다. 이 문항은 무절제하게 욕망에 탐닉하게 되는 경우 각 개인이 저지르는 악의 기원과 책임의 소재를 파악할 수 있는지 묻고 있다. 제시문 [라]의 '작은 몸'과 '큰 몸'이라는 대비적 관점을, 제시문 [마]에 나타난 화자의 경험을 통해서 자동차 사용의 편리함과 자동차가 살생의 도구일 수 있다는 자각에 각각 적용시켜 논리적으로 설명할 수 있는지를 요구하는 문제이다. ● 시장에서 형성되는 균형 가격이 공공의 목적에 적합하지 않다고 판단할 경우 정부는 시장에 개입하여 가격을 규제하기도 하는데, 가격 통제 정책의 대표적인 예로는 최저 임금제, 분양가 상한제, 이자 제한법 등이 있다. 본 문항에서는 시장 균형의 형성, 가격 통제 정책의 효과 등에 대한 논의를 요구함으로써 수험생들의 경제적, 논리적 분석 능력을 측정하고자 하였다. 구체적인 수치를 이용하여 가격 통제 정책의 효과를 분석하도록 요구한 후 이를 현실의 경제 정책과 연계하여 논하도록 요구함으로써 학생들의 수리적 분석 능력 및 추론 능력을 평가하고자 하였다. 또한 그 과정에서 시장 균형, 소비자 잉여 등에 대한 수험생들의 이해도를 측정하고자 하였다.

학년도	출제 의도
2020학년도 수시 논술 (인문 Ⅰ)	● 고금(古今)의 문제적 현실에 대한 비판적 견해를 담은 세 편의 글을 읽고, 비판의 대상과 비판 방식 및 그에 대한 대응의 측면에서 공통점과 차이점을 도출하게 하여 응시자의 독해력과 분석력을 평가하기 위해 출제되었다.
	● 아프리카 로디지아를 여행 중인 백인 부부가 원주민의 토착 공예품을 대하는 태도의 차이를, 영어 지문에 나오는 공정 무역의 개념을 사용하여 설명하도록 묻는다. 설명문과 소설이라는 서로 다른 유형의 글을 읽고 해석하는 능력과 더불어 기본 영어 독해력까지도 요구되는 문제이다. 또한 공정 무역이라는 사회·경제적인 논의를 매우 사적인 경험으로 보이는 두 부부의 일화에 적용하여 설명할 수 있는 응용력 및 논리력 역시 평가할 수 있다
	● 정치 체제와 경제 체제, 그리고 제도적 차이에 따라 재화의 분배가 어떻게 달라질 수 있는지 비교하게 함으로써 학생들의 논리적 사고 능력을 평가하고자 출제하였다. 그리고 학생들이 이론과 실례를 적절하게 연결하고 그 과정에서 적절한 결론에 이를 수 있는지도 평가하고자 하였다. 또한 학생들이 사회 문제와 관련한 상이한 주장들을 면밀하게 고찰하고 이를 구별할 수 있는 분석력이 있는지도 추가적으로 평가하려 하였다.
2020학년도 수시 논술 (인문 Ⅱ)	● 문항 1-(1)은 과학 기술이 급격하게 진보하고 그 어느 시대보다도 과학 기술이 갖고 있는 사회적 영향력에 대해 논의가 활발한 상황에서, 학생들이 과학 기술의 윤리적 책임에 문제의식을 갖고, 문학 작품에서 나타난 관련 상황을 적절하게 이해할 수 있는지를 평가하기 위해 출제하였다. 문항 1-(2)는 과학 기술에 대한 두 편의 글을 제재로 하여, 기존 글의 주장을 정확히 파악하는 능력, 그리고 하나의 관점을 통해 다른 한 쪽의 주장을 비판적으로 이해하는 사고 능력을 측정하기 위하여 출제하였다.
	● 인간 중심주의가 서로 다른 맥락에서 어떻게 활용되고 있는지를 묻는다. 인간 중심주의가 오늘날 첨단기술과 대량생산이 지배하는 시대에 '적정기술'이라는 방식으로 기술 분야에 적용되는 제시문 [라]와, 인간 중심주의의 지나친 지배로부터 빚어진 문제를 인식하고 그에 대한 대안으로서 '온건한 인간 중심주의'를 주장하고 있는 제시문 [마]의 주장을 비교하고, 이들 각각에서 인간 중심적 사고가 어떻게 적용되는지를 비교하여 창의적으로 재구성하고 이를 설명하도록 한다.

학년도	출제 의도
	● 기술의 발전, 그로 인한 기업의 생산성 향상, 그 과정에서 노동자들이 겪을 수 있는 실업 문제에 대한 논의를 요구함으로써 수험생들의 경제적, 논리적 분석 능력을 평가하고자 하였다. 기술 개발, 생산성 향상 및 실업에 대한 이해와 더불어 효율적인 생산 요소의 조합을 통한 기업의 생산 결정, 최저 임금제의 효과 등에 대한 수험생들의 이해도를 평가하고자 하였다.

III. 논술이란?

1. 논술이란?

1) 논술이란?

어떤 문제에 대해 자기 나름의 주장이나 견해를 내세운 다음, 여러 가지 근거를 제시하여 그 주장이나 견해가 옳음을 증명하는 글쓰기 활동을 말한다. 따라서 논술의 가장 기본적인 요소는 주장과 근거이다. 다시 말해 어떤 주제에 관해서 자신의 견해를 밝히고 자기 의견을 내세우는 글이 바로 논술이다. 때문에 논술은 특별히 논리적이어야 한다는 요구를 받게 된다. 왜냐하면 여러 가지 의견이 있을 수 있는 문제에 대해 자신의 의견을 세워 다른 사람을 설득하려면, 그 주장이 충분한 근거 위에서 논리적으로 개진될 때만 가능하기 때문이다.

2) 대한민국 논술고사는?

한국에서의 대학 입시 논술고사는 실제 교과 과정과 교과서가 기본이 되어 응용된 사고와 풀이 능력과 지식을 바탕으로 한다. 논술고사는 일반적을 비판적으로 글을 읽는 능력과 창의적으로 문제를 설정하고 해결하는 능력 그리고 논리적으로 서술하는 능력을 종합적으로 평가하는 시험이다. 비판적으로 글을 읽는다는 것은 능동적으로 자신의 관점에서 글을 읽는 것을 말하며, 창의적으로 문제를 설정하고 해결하는 능력이란 심층적이고 다각적으로 논제에 접근함으로써 독창적인 사고와 풀이를 이끌어낼 수 있는 능력을 말한다. 그리고 논리적 서술 능력은 글 구성 능력, 근거 설정 능력, 표현 능력 등을 포괄한다.

3) 인문계 논술? 그리고 그 변화

모든 글은 일반적으로 3가지 종류로 나뉘어진다. 시, 소설 등 문학 작품과 같은 글쓰기인 창작적 글쓰기(creative writing)와 설명문이나 해설문의 글쓰기는 해명적 글쓰기(expository writing), 그리고 논설문의 글쓰기인 비판적 글쓰기(critical writing)가 있다. 이 글쓰기 중 대한민국의 대학입시에서 시행되고 있는 인문계 논술은 창작적 글쓰기는 포함되지 않는다. 새로운 문학 작품을 쓰는게 아니라 제시문을 읽고 내용을 구체화시켜 잘 설명하는 설명문의 형태가 있고, 주어진 문제에 대해 생각하고 깊이있는 주장을 피력하는 비판적 글쓰기도 있다.

2. 논술의 기본 용어

1) 논제 : 논술의 문제를 의미한다.

반드시 해결하고 접근하여야 할 논술 시험의 대상이다.

(ㄱ) **중심 논제 : 채점할 때 가장 배점이 높으며, 핵심적으로 해결해야 할 논술의 문제**

(ㄴ) **세부 논제 : 큰 논제 속에 포함된 작은 문제, 각 단계별 채점의 기준이 되며 세부 채점 항목으로 필수 해결 항목이다.**

2) 논거 : 논술에서 설명하고 주장하는 논리적인 근거 혹은 이유

3) 주장 : 수험생이 생각하고 채점자에게 알리고 싶은 생각

4) 제시문 : 보기 지문을 말한다.

(ㄱ) 출제자가 논제 해결을 위해 보여주는 다양한 글

(ㄴ) 각종 그래프, 도표, 그림 등

자료가 정해져 있지는 않다. 하지만 고등학교 교과서를 가장 많이 인용하고, 고등학교 교과 과정으로 분석하고 판단할 수 있는 내용을 제시한다.

5) 개요 : 논제에 맞게 더 구체적으로는 세부 논제에 맞게 글의 진행 방향을 간략하게 정리하는 과정이다.

3. 논술의 명령어

논술고사 후 대학의 발표 자료를 보면 논술은 출제자의 의도에 부합하게 글을 써야 한다고 강조한다. 그런데 출제자의 의도를 파악하는 것은 자칫 상당히 모호하고 주관적인 것으로 판단하기 쉽다.

하지만 인문계 논술에서는 명령어가 한정되어 있다. 그 명령어들을 잘 익히고 의미를 파악한다면 훨씬 논술의 이해가 높아질 것이다. 또한 대학의 채점 기준에는 명령어의 요구 조건을 충족하는지를 평가한다. 그러므로 인문계 논술의 명령어는 수험생에게는 아주 기초적이지만 필수적이며 절대 잊지 말아야 할 중요한 핵심이다.

1) ~ 에 대해 논술하시오.

; 주장을 밝히고 근거를 제시한다.

2) ~ 에 대해 설명하시오.

: 사실, 주장 등을 쉽게 풀어서 밝힌다.

- **~ 제시문 간의 관련성을 설명하시오.**
- **~ 제시문의 논리적 타당성과 문제점을 설명하시오.**
- **~ 제시문을 참고하여 주어진 자료의 특징을 설명하시오.**
- **~ 제시문의 관점에서 왜 그런 현상이 생기는지 그 이유를 설명하시오.**

3) ~ 의 비교하시오. 혹은 대조하시오.

: 공통점과 차이점을 중심으로 설명한다.

- **~ 공통점과 차이점을 설명하시오.**

4) ~ 을 분석하시오.

: 주제를 구성요소로 나누고 각 부분의 의미와 상호관계를 밝힌다.

5) ~ 제시문과 주어진 자료를 참고하여 현상을 예측해 보시오.

: 주어진 자료를 해석하고 자료로부터 얻을 수 있는 시간에 따른 변화나 자료의 발생 이유를 살핀다.

6) ~ 제시문의 문제점을 지적하고 그 문제점을 해결할 방법을 제시하시오.

: 보통은 수학이나 과학의 역사에서 발생했던 여러 오류나 실험과정에서 나타난 문제점을 가지고 있다. 또한 이론이나 실험, 학생의 실험보고서 등과 같이 확실한 오류가 있는 제시문을 주기도 한다. 분명히 문제점을 파악하여 답안에 서술하고 문제점이나 해결할 수 있는 방법 등을 명확히 하여야 한다.

● ~ 제시문의 관점에서 왜 그런 현상이 생기는지 그 원리를 설명하고 그런 현상을 예방할 수 있는 방안을 제시하시오.
● ~ 문제점을 지적하고 합리적 대안을 제안해 보시오.
● ~ 주어진 관점을 검증할 수 있는 방법을 논하시오.
● ~ 주어진 문제점을 해결할 수 있는 실험을 설계해 보시오.

7) 제시문의 관점에서 주장을 비판하시오.

: 어떤 주장의 타당성이나 가치 등을 평가한다.

4. 인문계 논술 글쓰기 유의사항

① 논제의 해결이 핵심이다. 출제자가 원하는 답을 써야 한다.

② 논제에 부합하는 글을 일관성 있게 써야 한다.

③ 한편의 글을 완성하여야 한다. 나열하거나 사례를 보여주는 것은 의미가 없다.

④ 제시문을 활용, 인용하는 것과 제시문을 그대로 옮겨 쓰는 것은 다르다. 적절하게 제시문의 내용을 사용하여 논제를 해결하여야 한다. 절대 제시문의 문장을 그대로 쓰면 안 된다. 금기사항이고 감점요인이다.

⑤ 부적절한 문장 즉, 비문을 만들지 말아야 한다. 주어와 서술어가 적절하게 있어 문장의 의미를 명확히 전달하여야 한다. 주어를 생략하거나 지시어를 과도하게 사용하면 문장의 의미가 모호해 진다.

⑥ 문장은 짧고 간결하게 써야 한다. 자신의 의견을 명확히 간결하고 효과적으로 밝혀야 한다.

5. 논술 확인 사항

① 시간의 제한이 시험이다. 논술 시험은 자유롭게 글을 쓴다고 생각하고 주어진 시간을 체크하지 않는 경우가 정말 많다. 대학별로 요구하는 시간에 알맞게 답안을 구성해야 한다.

② 문단의 구성, 맞춤법, 띄어쓰기 등을 무시하면 절대 안 된다. 글쓰기의 기본은 의미의 전달 과정임으로 효율적인 연습과 준비가 되어 있어야 한다.

③ 습관적으로 물어보는 의문문, 같이 할 것을 제안하는 청유형은 사용하지 않는 것이 좋다. 문법의 오류가 아니라 격을 떨어뜨리고 글을 단조롭고 어색한 글 전개가 될 가능성이 높다.

④ 500자 미만이면 서론에 해당하는 도입과정은 과감히 생략하고 바로 논점으로 들어간다.

⑤ 한국어에는 수동태가 없다. 그러나 워낙 영어 번역하며 많이 사용하다 보니 논술 답안에도 수험생들이 자주 사용한다. 문법에 맞는 효과적인 표현이 필요하다. 학생이 수험생이 대학의 논술 고사에 응시하고 답안지에 논술 답안을 쓰는 것이다. 대학의 논술 답안지가 수험생으로부터 답안으로 쓰여지는 것이 아니다.

⑥ 많은 수험생들은 착각을 한다. 논술을 멋진 글쓰기라고 생각해 감상적이거나 비유적인 표현도 많이 사용한다. 그런데 오히려 이러한 표현은 채점자가 수험생의 사고능력 파악이 힘들어지고, 오히려 논제 해결을 했는지 판단하는데 혼동을 준다. 또한 일상에서 사용하는 구어체도 사용하면 안 된다. 논술은 글쓰기에서 쓰는 조금 딱딱한 문어체를 사용하는 것이다.

⑦ 아무리 강조해도 글씨의 중요성은 지나치지 않을 것이다. 채점하는 교수님들의 한결같은 큰 애로점은 이해할 수 없는 학생의 글씨라고 한다. 글씨체를 갑자기 바꿀 수 없지만 타인이 알 수 있게 규칙적으로 줄을 맞춰 쓰고, 분량에 맞는 큰 글씨로, 흘려 쓰지 않는 정자체로 답안을 작성하여야 한다.

IV. 인문계 논술 실전

1. 각 대학별 논술 유의사항을 파악하라!

많은 대학에서 글자수 제한을 확인하여야 한다. 그래서 원고지 형이 많지만, 문항별 칸을 만들거나 밑줄 답안 형식도 있다. 논술 시험 시간은 각 대학별로 다양하다. 60분 즉, 한 시간을 시작으로 많게는 2시간까지 (120분)까지 다양하게 있다. 대학별로 준비해야 하는 중요한 이유이다. 답안을 작성하는 필기구도 다양하다. 연필(샤프펜)의 사용이 꾸준히 증가하지만 아직까지 검정색 볼펜이나 청색 볼펜으로 사용하는 학교도 많다. 주의할 것은 수정법이다. 수정은 학교에 따라 수정액, 수정 테이프의 사용을 제한하는 경우도 있고 틀리면 두줄을 긋고 써야 하는 곳도 있다. 그러므로 각 대학별 특징을 파악하고, 미리 답안 작성 연습은 물론이고 작성할 때도 대학별로 금지하는 내용을 숙지하고 시험장에 가야 한다.

각 대학별 유의사항 사례

사례 1)

가. 답안은 한글로 작성하되, 글자수 제한은 없다.
나. 제목은 쓰지 말고 특별한 표시를 하지 말아야 한다.
다. 제시문 속의 문장을 그대로 쓰지 말아야 한다.
라. 반드시 본 대학교에서 지급한 필기구를 사용하여야 한다.
마. 수정할 부분이 있는 경우 수정도구를 사용하지 말고 원고지 교정법에 의하여 교정하여야 한다.
바. 본 대학교에서 지급한 필기구를 사용하지 않거나, 수정도구를 사용한 경우, 답안지에 특별한 표시를 한 경우, 또는 원고지의 일정분량 이상을 작성하지 않은 경우에는 감점 또는 0점 처리한다.

사례 2)

Ⅰ. 필요한 경우 한 개 또는 여러 개의 제시문을 선택하여 논의를 전개하고, 사용한 제시문은 꼭 참고문헌 형태로 표시하시오.
예) …[제시문 1-4].
예) …되며[제시문 2-4], …의 경우는 ~을 보여준다[제시문 2-1].
Ⅱ. [문제 1]부터 [문제 4]까지 문제 번호를 쓰고 순서대로 답하시오.
Ⅲ. 연필을 사용하지 말고, 흑색이나 청색 필기구를 사용하시오.
Ⅳ. 인적사항과 관련된 표현을 일절 쓰지 마시오.
Ⅴ. 문제당 배점은 동일함.

사례 3)

◇ 각 문제의 답안은 배부된 OMR 답안지에 표시된 문제지 번호에 맞춰 작성하시오.
◇ 각 문제마다 정해진 글자수(분량)는 띄어쓰기를 포함한 것이며, 정해진 분량에 미달하

거나 초과하면 감점 요인이 됩니다.
◇ 답안지의 수험번호는 반드시 컴퓨터용 수성 사인펜으로 표기하시오.
◇ 답안은 검정색 필기구로 작성하시오. (연필 사용 가능)
◇ 답안 수정시 원고지 교정법을 활용하시오. (수정 테이프 또는 연필지우개 사용 가능)
◇ 답안 내용 및 답안지 여백에는 성명, 수험번호 등 개인 신상과 관련된 어떤 내용, 불필요한 기표하면 감점 처리됩니다.

사례 4)
◆ 답안 작성 시 유의사항 ◆
□ 논술고사 시간은 90분이며, 답안의 자수 제한은 없습니다.
□ 1번 문항의 답은 답안지 1면에 작성해야 하고, 2번 문항의 답은 답안지 2면에 작성해야 합니다. 1, 2번을 바꾸어 작성하는 경우 모두 '0점 처리'됩니다.
□ 연습지는 별도로 제공하지 않습니다. 필요한 경우 문제지의 여백을 이용하시기 바랍니다.
□ 답안은 검정색 또는 파란색 펜으로만 작성하며 연필, 샤프는 사용할 수 없습니다.
□ 답안 수정은 수정할 부분에 두 줄로 긋거나 수정테이프(수정액은 사용 불가)를 사용해서 수정합니다.
□ 답안지에는 답 이외에 아무 표시도 해서는 안 됩니다.
□ 답안지 교체는 고사 시작 후 70분까지 가능하며, 그 이후는 교체가 불가합니다.

2. 제시문에 먼저 눈을 두지 말고 문제를 파악하라!!!

대학별 고사인 논술의 어려운 점은 시간의 제한이 있는 글쓰기 시험이라는 것이다. 자유롭게 잘 쓸 수 있는 내용일지라도 시간의 제한이 있으면 얘기가 달라진다. 특히 지금과 같이 각 대학별로 다양하게 등장하는 시험에 익숙하지 않은 수험생에게는 더 큰 부담으로 작용을 한다.

대학에서는 다양하게 제시문과 문제를 분포시킨다. 문제를 등장시키고 제시문이 등장하는 경우, 그림과 도표, 그래프 등과 같이 자료를 제시하고 제시문과 문제를 함께 등장시키는 경우, 제시문을 많이 등장시키고 마지막에 문제를 제시하는 경우 등... 이렇듯 다양한 문제에 시간의 적절한 활용은 대학별 고사의 실전에서는 당락을 결정하는 중요 요소이다.

이러한 실전적 논술에서 핵심은 바로 목적을 가지고 제시문의 읽기가 선행되어야 한다. 글 읽기의 핵심은 문제을 통해 논제를 구체적으로 파악하고 그 논제에 부합하게 제시문을 분석하는 것이다.

① 문제를 먼저 확인하라!! - 제시문을 읽고 문제를 보면 다시 긴 제시문을 또 읽어 시간을 낭비한다.
② 세부 논제 확인하라!! - 한 문제라도 그 문제 속에 다루는 논제는 여러 개가 될 수 있

다. 그 질문 내용을 파악하라. 그리고 요구한 논제에 맞게 글을 구성한다.
③ 전제적 요건 파악하라!! - 각 문제의 전제적 요건 및 글로 표현된 부연 설명 등이 중요한 키워드가 될 수 있다.

Ⅴ. 이화여자대학교 기출

1. 2024학년도 이화여대 수시 논술 (인문 Ⅰ)

【문항 1】 다음 글을 읽고 물음에 답하시오.

[가] 키니코스학파 철학자 디오게네스는 어떤 사람이 그에게 어디서 왔느냐고 물었을 때 "나는 세계의 시민이다."라고 답했다고 한다. 금욕적인 태도를 추구하며 세속의 가치를 부정했던 디오게네스는 참된 가치와 거짓 가치의 차이만이 유일한 구분이고 다른 구분은 쓸데없다고 여겨서, 어디 출신인지가 중요한 것이 아니라 세계 시민으로서 같은 인간이라는 점이 중요하다고 본 것이다. 키니코스학파의 세계 시민주의는 정치적 공동체를 목표로 한 것이 아니라 기존의 사회적 관습이나 규약으로부터 자유로운 자연적 공동체를 추구한 것이었다. 이들은 세계 시민의 개념에 해당하는 우주적 국가의 시민이라는 용어를 사용해 인류를 세계 시민으로 전향시키고자 했다. 키니코스학파의 세계 시민주의는 이후 모든 인간이 이성을 가지고 있으며 이성적 원리에 의해 구성된 우주에 일치하는 삶을 살아야 한다고 주장한 스토아학파로 이어졌다.

키니코스학파 철학의 영향을 받은 스토아 철학의 창시자 제논은 온 인류가 동료 시민이며 기존의 공동체를 넘어서 하나의 삶의 방식과 질서로 다스려지는 세계 공동체를 지향했다. 초기 스토아학파는 우주 혹은 자연에 일치하는 삶이 기존의 정치 체제인 폴리스(polis)를 거부하는 것이라고 여기지 않았다. 이들은 인류의 공동선을 도모하기 위해서라면 자신이 속한 폴리스든 다른 폴리스든 어느 곳에서라도 정치에 참여할 수 있다고 보았다. 초기 스토아학파는 세계 시민권을 우주 혹은 자연의 법칙에 일치해서 사는 자에게 한정하고, 인류 전체의 유익을 우선적으로 추구했다.

하지만 세계를 지배하고 다스리려는 로마 제국과 코스모폴리스* 자체를 동일시한 로마 시대의 스토아학파는 로마의 시민권을 이성을 가진 온 인류로 확장하면서 로마에 대한 소속감 내지 애국심을 강조했다. 이를 동심원의 비유를 통해 표현한 스토아학파 철학자 히에로클레스는 세계 시민이 되기 위해 지역적 정체성과 소속감을 포기할 필요는 없다고 보았다. 그는 우리에게 지역적 소속이 없다고 생각할 것이 아니라 우리 자신이 연속적인 동심원들로 둘러싸여 있다고 생각해야 한다고 주장했다. 그에 따르면 가장 내부의 원은 우리 자신의 마음이고, 두 번째 원이 직계 가족이며, 세 번째 원은 친족, 네 번째 원은 이웃과 동료 시민, 이웃한 도시의 주민 등이다. 그리고 내부의 모든 원을 포함하는 맨 마지막 원은 인류 일반이다. 이때 우리의 목표는 동심원들이 가능한 한 중심을 향해 가깝게 모이도록 하는 것이다. 예를 들어 세 번째 원에 속하는 사람들이 마치 두 번째 원에 속하는 사람들인 것처럼 그들을 대우해야 한다는 것이다.

* 코스모폴리스: 우주 전체를 하나의 폴리스로 간주하여 지칭한 용어.

[나] 청나라 황제 옹정제가 만주족의 통치에 저항한 한족 지식인 증정(曾靜)을 다음과 같이 신문(訊問)하였다.

"너는 역모를 꾀한 서신에서 말하기를, '하늘이 사람과 동물을 낳을 때, 천리(天理)에서는 하나지만 기질(氣質)에 따라 구별이 있게 하였다. 중원에서 태어나 올바름을 얻고서 음양의 덕이 합해지면 사람이 되고, 사방의 변경에서 태어나 마음이 치우치고 음험하여 간사하고 올바르지 않으면 금수(禽獸)가 되는 것이다.' 라고 하였다.

금수라고 명명하는 이유는 대개 거주하는 곳이 아주 멀고 언어와 문자가 중원과 서로 통하지 않기 때문이다. 그러나 중원에서 태어났다고 하여 사람이 되는 것이 아니며, 변경에서 태어났다고 하여 사람이 될 수 없는 것도 아니다. 사람과 금수는 모두 천지 가운데 존재하여 똑같이 음양의 기운을 부여받는데, 그중에 영명하고 빼어난 것을 얻으면 사람이 되고, 치우치고 이상한 것을 얻으면 금수가 된다. 따라서 사람의 마음은 인의(仁義를)를 알지만, 금수에게는 윤리(倫理)가 없는 것이다. 어찌 태어난 곳이 중원인지 변경인지를 근거로 사람과 금수의 차이를 구분할 수 있겠는가?

만약 너의 말대로라면, 중원은 음양이 화합하는 땅이라 오직 인간만 태어나야 할 것이며, 그 공간에 금수가 살아서는 안 될 일이다. 그런데 어찌 중원의 땅 곳곳에 사람이 금수와 뒤섞여 함께 거주하며, 금수의 무리가 인류보다 훨씬 많은 것인가? 더구나 인류 가운데 어쩜 너처럼 무엄하게 반역을 꾀하여 천량(天良)을 상실하고 인륜을 절멸시킨 금수만도 못한 물건이 나올 수 있단 말인가? 너는 어떻게 대답하겠는가?"

[문항 1] 제시문 [가]에 나타난 세계 시민주의의 변화를 설명하고, 제시문 [나]의 옹정제의 관점에서 제시문 [가]의 히에로클레스의 주장을 비판하시오. [30점]

【문항 2】 다음 글을 읽고 물음에 답하시오.

[라] A quality of the human brain is known as induction, how something positive generates a contrasting negative image in our mind. This is most obvious in our visual system. When we see some color-red or black, for instance-it tends to intensify our perception of the opposite color around us, in this case, green or white. As we look at the red object, we often can see a green halo* forming around it. In general, the mind operates by contrasts. We are able to formulate concepts about something by becoming aware of its opposite. The brain is continually dredging up** these contrasts. What this means is that whenever we see or imagine something, our minds cannot help but see or imagine the opposite. If we are forbidden by our culture to think a particular thought or entertain a particular desire, that taboo instantly brings to mind the very thing we are forbidden. Every no sparks a corresponding yes. We cannot control this vacillation*** in the mind between contrasts. This predisposes**** us to think about and then desire exactly what we do not have.

* halo 후광
** dredge up ~을 떠올리다
*** vacillation 동요, 흔들림
**** predispose ~한 경향을 띠게하다

[라] 들뢰즈는 이미지의 개념을 운동 개념과 관련지어 인식론적으로 확장하고, 영화를 새로운 인식의 매개체로 재해석하였다. 그는 영화에서의 카메라 역할에 주목했다. 카메라로 대표되는 영화적 기술은 인간의 지각 작용과 마찬가지로 무한한 이미지의 일부만 취할 수밖에 없으나, 인간의 지각처럼 어떤 특정한 시점이나 의도에 구속되지 않아 자유로우며 자연적 지각과는 전혀 다른 메커니즘으로 운동을 생산한다는 것이다. 들뢰즈는 우리가 파악할 수 없는 대상의 실재를 잠재성으로 보고, 이를 현실성과 대립되는 것으로 파악했다. 영화는 스크린을 통해 이미지의 움직임을 보여줌으로써 시각적 조건에 관계없는 운동의 이미지를 보여준다. 카메라 자체가 움직일 수 있기 때문에 운동의 흐름이 더 이상 제한된 시각에 고정되지 않고 나타나는 것이다. 그래서 들뢰즈는 영화를 인간의 지각에 감지되지 않는 잠재성의 일부인 미세한 실재들을 포착해 내는 새로운 사유의 길로 보았다.

들뢰즈가 영화를 통해 기대하는 것은 바로 이러한 부분이다. 카메라는 기계의 눈이기 때문에 현실에 무관심하다. 따라서 카메라를 통한 현실의 지각은 우리 눈으로 세상을 지각하는 것보다 훨씬 더 현실에 가깝다. 물론 그는 우리의 눈과 마찬가지로, 어떤 카메라도 현실을 있는 그대로 담아내는 것은 아니라고 보았다. 카메라도 결국 우리의 시각 구조를 모델로 만든 장치에 불과하기 때문이다. 다만 카메라는 인간의 시각 구조와 닮았음에도 개념이나 관습에 얽매이지 않고 세상을 새로운 이미지로 보여줄 수 있다는 점에서 인간의 시각이 수용할 수 있는 지각의 궁극적인 가능성을 내포하고 있다. 카메라는 인간의 눈과 닮았지만 인간의 눈과 달리 기존의 개념이나 관습 혹은 신체적 구속으로부터 자유로울 수 있고, 이 때문에 인간의 눈으로 쉽게 지각할 수 없는, 현실의 새로운 이미지를 드러낼 수 있는 가능성이 있다. 이러한 점에서 들뢰즈는 카메라의 눈이 인간의 눈보다 더 뛰어날 수도 있다고 보았던 것이다.

들뢰즈는 영화가 인간의 눈이 아닌 카메라라는 기계의 눈에 담긴 지각을 바탕으로 한다는 점을 포착했다. 그는 영화가 표상, 관습에 의해 지배되었던 우리의 사고에 새로운 충격을 던질 수 있다고 믿었고, 영화 자체가 가지고 있는 새로운 가능성을 밝혀낸 셈이다. 결국 들뢰즈는 영화가 인간의 시각을 극복할 수 있게 함으로써 고정 관념을 탈피하고 새로운 사유를 창조할 수 있는 철학적 위상을 지닌 예술이라고 본 것이다.

[문항 2] 제시문 [다]의 'induction'의 의미를 설명하고, 인지 과정이라는 측면에서 제시문 [다]와 제시문 [라]를 비교하시오. [30점]

【문항 3】 다음 글을 읽고 물음에 답하시오.

[마] '나'가 가질 수 있는 기본적 관계는 '나'와 '너'의 관계, 그리고 '나'와 '그것'의 관계뿐이다. '나'와 '그것'의 관계는 주체와 객체의 관계이자 차등의 관계이지만, '나'와 '너'의 관계는 주체와 주체의 동격 관계이며, 두 유일무이한 존재들의 대등 관계이다. (중략) 그러므로 '나는 누구인가?'라는 질문은 '인간은 무엇인가?'라는 질문과는 차원이 다른 것이다. 인간이 무엇인지 안다고 해서 '나'를 아는 것은 아니며, 인간을 아는 지식과 '나'를 아는 지식이 동일한 성질의 것도 아니기 때문이다. 인간에 대한 지식은 '그것'에 대한 지식이고, 그것은 이론적으로 혹은 객관적으로 규정할 수 있는 성질의 것이다. 객관적이기 때문에 누구든지 원칙적으로 동의할 수 있는 지식이다. 그러나 '나'에 대한 지식은 객관적일 수 없으며, 좁은 의미로 '지식'이 될 수도 없다. 그것은 지식 이상이요, 지식이 일으킬 수 없는 인격 전체가 동원된 힘과 반응을 불러일으킨다. 우리가 진정한 '나'가 될 수 있는 것은 '너'가 될 수 있는 다른 사람이 있기 때문이요, 그 사람과 '나'와 '너'의 관계를 맺기 때문에 가능한 일이다. 다른 사람이 존재하지 않거나, 존재하더라도 '나'에게 어떠한 반응도 보이지 않으면 진정한 관계는 형성될 수 없다.

[바] 무신론자였던 사르트르는 인간은 사물과 달리 그 본질이나 목적을 가지고 판단할 수 없다고 보았다. 예를 들어, 연필은 처음부터 '쓴다'는 목적으로 만들어진다. 무엇인가 쓴다는 것은 연필의 본질이므로, 연필의 존재는 그 본질로부터 나온다. 즉 사물은 본질이 그 존재에 선행하는 것이다. 그러나 인간은 사물과 다르다. 사르트르는 인간이 신의 뜻에 따라 만들어진 존재라는 기존의 통념을 거부하면서, 인간은 우연히 이 세계에 내던져진 채 스스로를 만들어 가는 존재라고 보았다. 사르트르는 이 세계의 모든 존재를 '의식'의 유무를 기준으로 의식이 없는 '사물 존재'와 의식이 있는 '인간 존재'로 구분하였다. 그리고 '사물 존재'를 '즉자 존재 (Being in itself)'로, 인간 존재를 '대자 존재(Being for itself)'로 각각 명명하였다. 여기서 즉자 존재는 일상의 사물들처럼 자기의식이 없기 때문에, 그 자리에 계속 그것인 상태로 남아 있다. 반면에 대자 존재는 자기의식을 가진 존재이다. 따라서 자기 자신을 대상화하여 스스로를 바라볼 수도 있고, 매 순간 자유로운 선택을 통해 자신을 만들어 갈 수도 있다.

또한 사르트르는 인간의 자유로운 선택이 타자와 연관된다고 여겼다. 왜냐하면 내가 주체적 의식을 지니고 살아가듯이 타자도 주체적 의식을 지니고 있어서, 내가 아무리 주체성을 지닌 존재라 하더라도 나를 바라보는 다른 사람은 나를 즉자 존재처럼 객체화하여 파악할 수 있기 때문이다. 그래서 사르트르는 타인의 시선으로 규정되는 인간의 모습을 일컬어 '대타 존재(Being for others)'라고 명명하였다.

그러나 사르트르는 이렇게 자신이 타자의 시선에 노출되더라도 자신의 행위를 계속해 나가야 한다고 말한다. 자신의 선택에 따라 행동하며 그것을 타자가 받아들이도록 함으로써 타자를 자신의 선택 속에 끌어들일 수 있는 것이다. 따라서 인간은 참된 자아를 찾기 위해 타자의 시선을 두려워하거나 피할 것이 아니라 이를 극복하고 계속 자신의 행위를 선택하며 살아가야 한다.

[사] *사상 최대의 폭설로 완전히 마비되었던 도로와 거리가 경찰과 군부대, 시민들의 도움으로 조금씩 숨통을 터가고 있습니다.* (중략)

평소 걸음으로 십 분이면 왔을 곳을 한 시간이 지나서야 도착했다. 익숙하지 않은 노동에 남자는 금세 지쳤다. 집에서 회사까지는 대중교통으로 한 시간 남짓 걸리는 거리였다. 이런 속도로 언제쯤 회사에 도착할 수 있을지 가늠하기도 어려웠다. 몸을 움직이면서 흘린 땀 때문에 셔츠가, 허리까지 쌓인 눈 때문에 구두와 바지, 속옷이 다 젖었다. 남자의 삽은 점점 느려졌고 눈이 쌓인 길은 끝이 없어 보였다. (중략)

전화벨은 기막힌 타이밍에 울렸다. 발신 번호를 확인한 남자가 인상을 확 구겼다.

“네, 부장님, 새해 복 많이 받으십시오. 제가 먼저 안부 전화를 드렸어야 하는데 죄송합니다."

“김 대리, 내가 지금 그런 인사 받자고 전화했는지 알아? 너 지금 어디야? 우리 사업부에서 너만 출근 안 했어."

“네? ……아, 지금 가는 중입니다. 눈 때문에 현관문이 안 열려서……”

“야, 너 사는 데만 눈 왔냐? 지금 세상천지가 눈이야. 이 새끼가 빠져가지고, 며칠 시간을 줬으면 미리미리 눈도 치워 놓고 출근 준비를 해야 될 거 아니야. 넌 그러니까 안되는 거야. 새끼가 눈치도 없지, 근성도 없지, 네 나이에 대리 달고 있는 거 쪽팔리지도 않냐? 새해부터는 잘해 보겠다며. 이 새끼는 맨날 술 마실 때만 열심히 한다 그러지. 회사가 우습냐? 먹고사는 게 우스워?"

부장은 속사포처럼 퍼부어댔다. 아닙니다, 무섭습니다……라는 말 대신 남자의 입에서 흘러나온 건 거의 다 왔으며 무조건 빨리 가겠다는 거짓말이었다. 삽으로 눈이 아니라 머릿속을 퍼낸 것처럼 정신이 없었다. 전화를 끊고 나서 남자는 시간을 확인했다. 부장이 제시한 데드라인까지는 두 시간 정도 남아 있었다. (중략)

빨리 안 오고 뭐해. 과장의 문자가 도착했다. 어느새 두 시였다. 남자는 삽을 쥐고 기계적으로 움직였다. 눈을 치우는 속도가 점점 빨라졌다. 하지만 그만큼 빨리 지쳤다. 눈 속에 앉아서 쉬고 있으면 드러누워서 눈을 붙이고 싶은 마음이 간절해졌다. 그 순간에는 눈이 딱딱하고 차갑게 느껴지지 않고 그저 공원에 있는 나무 벤치 같았다. 심지어 솜이불처럼 포근하게 느껴져서 안으로 한없이 파고들어 가고 싶어지기까지 했다. 남자는 쭈그리고 앉아서 꾸벅꾸벅 졸다가 한기 때문에 경기하듯 깨어났다. (중략)

맞은편에 불 꺼진 편의점이 있었다. 편의점 간판을 보자 온장고에 든 따뜻한 캔

커피가 마시고 싶어졌다. 얼마 전까지 일상이었던 것들이 지금은 손이 닿지 않는 저 눈 밑에 파묻혀 버렸다. 누가 만들어 놓았는지 편의점 앞에는 남자의 키만 한 눈사람이 서 있었다. 동그란 눈과 웃는 입 모양을 한 눈사람이었다. 그 웃는 얼굴을 보고 남자는 잠시 멈춰 섰다. 눈이 재앙이 되고 눈 때문에 일상이 무너진 곳에 서 있는, 웃는 얼굴의 눈사람은 김새는 농담 같았다. 남자는 자기도 모르게 그 입 모양을 흉내 냈다. 말라붙어 있던 입술이 툭 터져서 피가 찔끔 새어나왔다.

한참 속도를 내고 있는데 삽 끝에 딱딱한 게 또 걸렸다. 시간은 촉박하고 마음은 급한 데 발로 눌러도 삽날이 더 이상 들어가지 않았다. 남자는 일 미터쯤 떨어진 곳에 다시 삽을 꽂았다. 한 삽 떠내고 나자 또 삽이 들어가지 않았다. 생활정보지함이나 자전거가 쓰러진게 아니라 공룡이라도 묻혀 있는 것 같았다. (중략) 해가 기울고 주위는 어느새 어둑어둑해졌다. 이대로 한 시간 정도만 파고 가면 회사에 도착할 수 있을 것 같은데 남자는 회사 쪽을 쳐다보았다. 그리고 자신이 파고 온 길을 돌아보았다. 앞으로 나아가기에도 다시 돌아가기에도 만만치 않은 거리였다. 게다가 남자는 너무 지쳐 있었다.

[문항 3]

(1) 제시문 [마]의 '진정한 나'와 제시문 [바]의 '참된 자아'에 이르는 길의 차이에 대해 논하시오. [20점]

(2) 제시문 [바]의 사르트르의 존재에 대한 설명을 바탕으로 제시문 [사]의 '남자'가 처한 상황에 대해 서술하시오. [20점]

이화여자대학교
EWHA WOMANS UNIVERSITY

논술답안지

※감독자 확인란

모집단위

성 명

수험번호									

생년월일 (예 : 050512)					

【유의사항】
1. 답안 작성 시 문제번호와 답안번호가 일치하도록 알맞은 칸에 작성하여야 한다.
2. 답안 작성 시 필요한 경우에 수식 및 그림을 사용할 수 있다.
3. 필기구는 반드시 검은색 필기구만을 사용하여야 한다. (검은색 이외의 필기구로 작성한 답안은 모두 최하점으로 처리함)
4. 문제와 관계없는 불필요한 내용이나, 지신의 신분을 드러내는 내용이 있는 답안 및 낙서 또는 표식이 있는 답안은 모두 최하점으로 처리한다.
5. 답안은 반드시 정해진 답안작성란 안에만 작성하여야 한다. (답안작성란 밖에 작성된 내용은 채점 대상에서 제외함)

문항 【1】 반드시 해당 문항의 답을 작성해야 함

이 줄 아래에 답안을 작성하거나 낙서할 경우 판독이 불가능하여 채점 불가

이 줄 위에 답안을 작성하거나 낙서할 경우 판독이 불가능하여 채점 불가

문항 【2】 반드시 해당 문항의 답을 작성해야 함

문항 【3】 반드시 해당 문항의 답을 작성해야 함

이 줄 아래에 답안을 작성하거나 낙서할 경우 판독이 불가능하여 채점 불가

2. 2024학년도 이화여대 수시 논술 (인문 II)

【문항 1】 다음 글을 읽고 물음에 답하시오.

[가] 사람은 자기를 고양하여 앞서 경험한 실망과 좌절을 극복하려 하는데, 이 경우 비교적 쉽게 고양시킬 수 있는 것은 물적 자기이다. 자신을 빛나게 해 주는 물건을 소유하면 자신의 물적 자기는 올라가기 때문에 사람들은 소비를 통해 자신이 더 나은 사람이라고 생각하고 싶어 한다. 사회적 자기 또한 마찬가지이다. 다른 사람에게는 없는 무언가를 손에 넣게 되면 다른 사람들로부터 인정을 받게 되는데, 이러한 인정은 스스로에게 더 나은 사람이라는 느낌을 주어 결국 스스로에 대해 내리는 평가인 자아 존중감이 상승한다. 그런데 인정을 받기 위해서는 자신이 가진 것을 외부에 보여 주어야 한다. 즉 과시를 통해 만족을 얻게 되는 것이다.

심리학에서는 인간을 기본적으로 지위 상승 욕구를 지니고 있는 동물로 본다. 사람들은 기본적으로 지금 현재의 상태에서 더 나아지기를 원하지, 더 나빠지기를 원하지는 않기 때문이다. 사람들은 비싸고 희귀한 제품, 즉 ㉠명품 소비를 통해 지위 상승 욕구를 충족하려 한다. (중략)

한국은 대체로 관계를 중요하게 생각한다. 어느 집단에 소속되어 있고 누구를 얼마나 아는지가 우리 사회에서는 대단히 중요하다. 물론 관계주의 문화의 좋은 점이 적지 않다. 그러나 사실 한국의 관계주의에 대해 단점을 더 쉽게 떠올리는데, 가장 큰 이유는 관계의 힘이 클수록 개인의 자유 의지가 집단의 주된 흐름으로부터 분리되기 어렵다는 것에서 비롯된다. 즉 동조(同調)가 쉽게 일어난다는 것이다.

동조 행위는 소비 현장에서 극명하게 나타난다. 대표적인 것이 바로 유행에 따른 소비이다. 무언가가 대중에게 많은 인기를 얻고 회자되기 시작하면 그것을 갖지 않은 사람은 유행에 뒤처진 것처럼 여겨지고, 유행하는 제품을 사고 나면 최소한 남들보다 뒤떨어지지 않았다는 안도감을 느끼게 된다. 그러나 문제는 이 유행이 지속되지 않는다는 것이다. 이러한 동조 소비가 만연하게 되면 소비자들은 스스로 내적 기준을 세우고 이에 따라 구매를 결정하는 것에 어려움을 느낀다. 자신이 내린 판단에 대한 확신을 외부에서 얻게 되는 것이다.

[나] 포그의 세계 일주는 순조롭게 진행되는 듯했다. 계획보다 이틀이나 빨리 인도 뭄바이에 도착한 것이다. 그러나 곧바로 첫 번째 위기에 처한다. 영국 신문에서는 인도 횡단 철도가 완전히 개통되었다고 보도했었는데, 실제로는 약 80km 구간에 철길이 놓여 있지 않았다.

일정을 지키기 위해 ㉡대체 교통수단을 찾던 포그와 파스파르투는 한 인도인에게 코끼리를 빌려 여정을 재촉하려 한다. 그러나 코끼리 주인은 시간당 40파운드라는 금액을 제시해도 꿈쩍도 하지 않는다. 그러자 포그는 1,000파운드를 주고 코끼리를 아예 사겠다고 제안한다. 포그 일행과 동행한 영국 육군 준장은 포그에게 신중히 고민하라고 충고한다. 포그는 이러한 충고에 대해 숙고한 뒤 자신에게 중요한 것은 2만 파운드를 건 내기이고, 내기에서 이기려면 코끼리가 꼭 필요하기 때문에 제값의 스무 배를 주고서라도 코끼리를 반드시 살 것이라고 대답한다. 내기 총상금을 고려할 때 코끼리 구매에 1,000파운드를 지불할 가치가 충분히 있다고 여겼기 때문이다. (중략)

이를 경제학 용어를 사용하여 표현하면 '포그의 대체 교통수단에 대한 지불 용의 가격은 다른 일반 여행객들보다 매우 높은 수준'이라고 말할 수 있다. 여기에서 지불 용의 가격이란 소비자가 상품 구입을 위해 지불하겠다고 마음먹은 금액 중 가장 높은 가격을 말한다.

[다] 내가 합리주의라 할 때는 철학적인 이론을 말하는 것이 아니다. 내가 이성이나 합리주의를 논할 때는 오직 우리가 우리 자신의 실수와 오류에 대한 타인의 비판을 통해, 나아가 자기비판을 통해 학습을 할 수 있다는 믿음을 이야기하는 것이다.

합리주의자는 한마디로 자신이 옳음을 증명하는 것보다 다른 이에게서 배우는 것을 더 중요하게 여기는 사람이다. 나아가 남의 의견을 무조건 받아들이는 게 아니라 자기 생각에 대한 남의 비판을 흔쾌히 받아들이고 남의 생각을 신중히 비판함으로써 타인에게서 기꺼이 배울 의향이 있어야 한다.

여기서 중요한 것은 비판, 더 정확히 말하면 '비판적 논의'이다. (중략) 인간의 관념에 한해서는, 오직 비판적 논의만이 찌꺼기에서 낟알을 가려낼 수 있다. 한 가지 관념을 다각도에서 검토하고 타당한 판단을 내리는 데 필요한 성숙함은 오직 비판적 논의를 통해서만 얻을 수 있다. (중략) 합리주의자는 비판적 논의의 근본이 되는 '주고 받기(give and take)' 태도가 철저히 인간적인 의미를 가지고 있다고 본다. 비판적 논의에 임하려면 이성을 가지고 다른 사람들을 대해야 하기 때문이다.

[문항 1]

(1) 위 ㉠과 ㉡의 소비에 대해 제시문 [나]의 '지불용의 가격' 측면에서 논하시오. [20점]

(2) 제시문 [다]의 관점에서 제시문 [가]의 동조 행위와 제시문 [나]의 코끼리 구매 행위를 평가하시오. [20점]

【문항 2】 다음 글을 읽고 물음에 답하시오.

[라] 최근 데이터 사이언스, 빅 데이터 같은 말들이 유행이다. 기술의 발달, 특별히 컴퓨터 네트워크와 통신 기술의 발달을 통해서 이전에는 불가능했던 분석이 가능해졌기 때문이다. (중략) 그러나 지식은 힘이되 얕은 지식은 독일 수 있듯이, 데이터 사이언스는 좋은 것일 수 있지만 어설픈 데이터 사이언스는 잘못된 해석을 가져다 줄 수도 있다. 예를 들어, 앨 고어와 조지 W. 부시가 맞붙었던 2000년 대선에서 미국은 일명 레드 스테이트(공화당을 지지한 주)와 블루 스테이트(민주당을 지지한 주)로 나뉜 것처럼 보였다. 흥미로운 사실은 선거 결과 민주당을 지지한 주 가운데 경제적으로 풍요한 주가 상당수 포함되어 있었다는 것이다. 대표적인 주가 미국에서 가장 부유한 주 중에 하나인 캘리포니아다. 반대로 미국 중부와 남부의 경제적으로 어려운 주 중에서 공화당을 지지한 주가 많았다. 그렇다면 이를 근거로 부자들이 민주당을 지지했고, 가난한 사람들이 공화당을 지지했다고 해석하는 것이 타당할까?

컬럼비아대학의 통계학자이자 정치학자인 앤드루 겔만을 비롯한 여러 학자가 지적했듯이 이는 대표적인 생태학적 오류의 사례이다. 미국의 대선 결과 분석에서 우리가 추론하고자 하는 분석의 기준은 개인이다. 개인의 경제적인 조건에 따라서 투표 패턴이 바뀌는 지가 궁금하다. 그러나 위 논의에서 따지고 있는 경제적 조건은 개인의 경제적인 조건이 아니라, 각 주의 경제적 조건이다. 만약 주별로 개인의 소득과 투표 성향의 관계를 분석했다면, 주의 평균소득과 평균 투표 성향 간 관계와는 다른 결과가 나왔을 수 있다.

[마] 생태학적 오류(ecological fallacy)란 개인 수준의 관계를 해석할 때 집단 수준에서 도출된 관계를 이용함으로써 범하게 되는 오류이다. 여기서 '생태'란 개인보다 큰 단위로서 집단이나 체제 등을 지칭하는 말이다. 생태학적 오류를 보여 주기 위한 간단한 예로서, 한 연구자가 개인의 교육수준과 소득 간의 관계를 파악하고자 한다고 가정하자. 연구자는 두 직업군(각 30명)에서 일하고 있는 60명의 직장인을 무작위로 선정하여 평생 받은 교육의 수준과 현재의 소득에 대한 정보를 수집하였다. [그림 a]와 [그림 b]는 동일한 자료에 나타나는 다른 관계의 산포도를 제공하고 있다. [그림 2]는 전체 집단의 교육수준과 소득 간 산포도를 보여주고 있으며(그림에 있는 두 개의 굵은 점은 각 집단의 교육수준 평균과 소득 평균이 만나는 점), [그림 b]는 직업군별 교육수준과 소득 간 산포도를 보여주고 있다. 두 그림에서 산포도 위에 표시된 직선은 교육수준과 소득 간 관계의 방향성을 나타낸다.

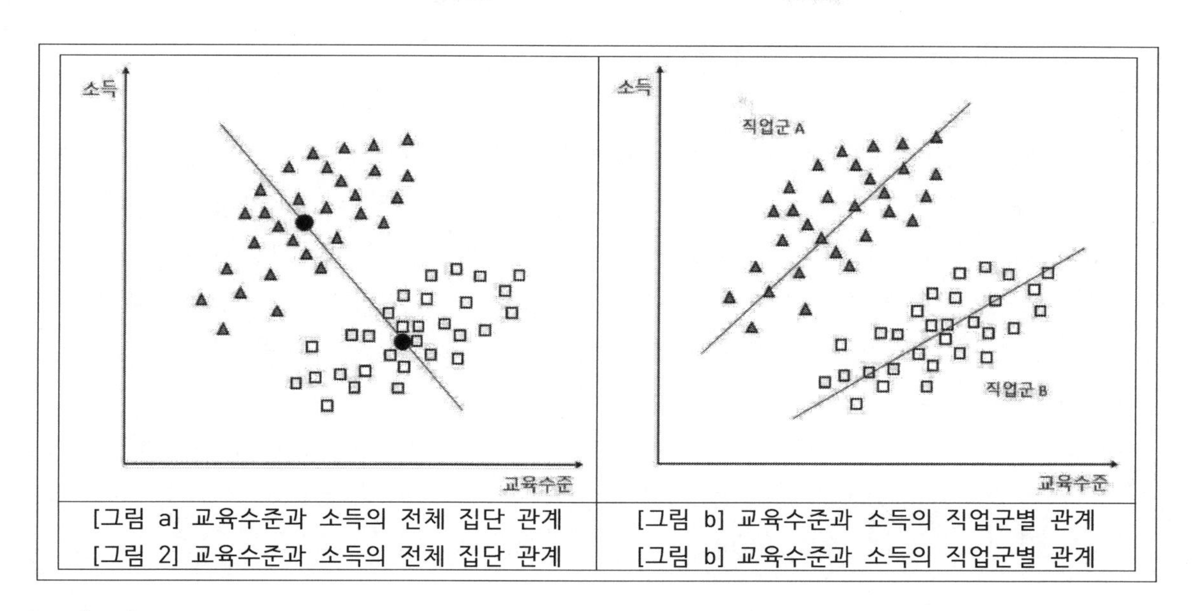

[그림 a] 교육수준과 소득의 전체 집단 관계	[그림 b] 교육수준과 소득의 직업군별 관계
[그림 2] 교육수준과 소득의 전체 집단 관계	[그림 b] 교육수준과 소득의 직업군별 관계

[문항 2]

제시문 [라]에 제공된 생태학적 오류의 사례를 참고하여 [그림 a]와 [그림 b]가 보여주는 변수 간의 관계를 각각 설명하시오. 또한 제시문 [마]의 두 그림 중 연구자의 목적에 부합하는 그림을 선택하고, 그 이유를 밝히시오. [30점]

【문항 3】 다음 글을 읽고 물음에 답하시오. [30점]

[Ⅰ] 물가는 시장에서 거래되는 상품들의 가격을 종합하여 평균한 가격 수준을 의미한다. 물가 수준을 측정하기 위해서 물가지수를 산출하는데, 물가지수를 이용하면 두 시점 간의 물가 변화, 즉 물가상승률을 측정할 수 있다. 예를 들어 2015년의 물가지수가 100이고 2016년의 물가지수가 105이면, 2016년 1년 간의 물가상승률은 5%이다. 물가가 오르면 같은 액수의 돈을 가졌더라도 장바구니에 담을 수 있는 상품의 양이 적어진다. 이처럼 물가상승률을 이용하면 화폐의 구매력이 어떻게 변화하는지를 측정할 수 있다.

대표적인 물가지수인 소비자물가지수는 소비자들이 일상생활에서 구입하는 대표적인 상품들의 기준년 대비 비교년 물가 비율의 가중 평균을 나타내는 지수이다. N개의 대표 상품들이 있고, 기준년이 2020년인 경우, t년도의 소비자물가지수는 $\sum_{i=1}^{N}\left(W_i^{2020} \times \frac{P_i^t}{P_i^{2020}}\right) \times 100$이다. 여기에서 각 상품의 가중치 W_i^{2020}은 기준년 2020년에 소비자들이 상품 i에 지출한 금액이 총지출액에서 차지하는 비중이며, P_i^t는 상품i의 t년도 가격이고, P_i^{2020}은 상품 i의 2020년도 가격이다. 계산식으로부터 기준년인 2020년의 소비자물가지수는 100이 됨을 알 수 있다. 한편, t년도의 물가상승률(%)은 다음과 같다.

$$t\text{년도 물가상승률}(\%) = \left[\frac{t\text{년도 소비자물가지수} - (t-1)\text{년도 소비자물가지수}}{(t-1)\text{년도 소비자물가지수}}\right] \times 100$$

[Ⅱ] 이자율은 물가 변동을 고려하는지에 따라 명목 이자율과 실질 이자율로 구분할 수 있다. 물가 변동을 고려하지 않은 이자율을 명목 이자율이라고 하며, 물가 변동을 고려한 이자율을 실질 이자율이라고 한다. 예를 들어, 지금 100만 원을 가진 사람이 있다고 하자. 이 사람은 가격이 100만 원인 상품을 살 수도 있고, 명목 이자율 3%의 1년 만기 예금을 선택할 수도 있다. 예금을 선택한 경우 1년 후에 받는 원금과 이자의 합은 103만 원이다. 만약 1년 후 해당 상품의 가격이 100만 원으로 일정하다면, 예금으로 얻게 된 금액으로 그 상품을 한 단위 사고도 3만 원이 남게 된다. 이는 예금에 투자되었던 100만 원의 구매력이 1년 후에 더 커진 것을 의미한다. 그러나 만약 그 상품의 가격이 1년 후에 105만 원이 되었다면 예금으로 얻게 된 103만 원으로는 해당 상품을 살 수 없게 된다. 이 경우에는 예금에 투자되었던 100만 원의 구매력이 1년 후에 더 작아진 것이다.

따라서 가계가 예금에 투자하는 경우에 궁극적으로 관심을 두어야 하는 것은 명목 이자율에서 예상 물가상승률을 뺀 예상되는 실질이자율이 되어야 한다. 예상되는 실질이자율로 얻어지는 수입이 우리가 예금에서 기대할 수 있는 실질적인 이득이기 때문이다.

(1) A국과 B국에서 국민들이 소비하는 상품은 쌀과 소고기뿐이고, A국과 B국 간에는 무역 및 노동 이동이 없다고 가정한다. 상품 가격 및 상품별 지출 비중은 아래의 표와 같다. 두 국가의 화폐 단위는 각각 α와 β이다. 2020년을 기준으로 하여 2021년 두 국가의 소비자물가지수를 각각 구하시오. [12점]

A국과 B국의 상품 가격 및 상품별 지출 비중

A국	쌀	소고기	B국	쌀	소고기
2020년 가격	1000α	$1,000\alpha$	2020년 가격	100β	$1,000\beta$
2021년 가격	102α	$1,030\alpha$	2021년 가격	130β	$1,200\beta$
2020년 지출 비중(단위: %)	60%	40%	2020년 지출 비중(단위: %)	40%	60%

(2) 두 국가의 2021년 물가상승률을 구하고, 두 국가의 화폐의 구매력 변화를 비교하시오. [8점]

(3) A국의 2022년 물가상승률이 앞서 구한 2021년 물가상승률과 동일하게 될 확률은 0.5이고, 2.6%가 될 확률은 0.5이다. 반면 B국의 경우, 2022년의 물가상승률이 앞서 구한 2021년 물가상승률과 동일하게 될 확률은 0.5이고, 25%가 될 확률은 0.5이다. A국의 1년 만기 명목 이자율 5% 예금과 B국의 1년 만기 명목 이자율 26% 예금 중에서 이익이 되는 쪽을 선택하고 그 이유를 설명하시오. (단, A국과 B국 간의 환율은 일정하고, 예금과 관련된 다른 추가 비용 및 예금 이외의 다른 투자 방식은 없으며, 2022년 물가상승률 이외에 다른 불확실성은 없다고 가정한다) [10점]

이화여자대학교
EWHA WOMANS UNIVERSITY

모집단위

논술답안지

※감독자 확인란

성 명

수 험 번 호									
0	0	0	0	0	0	0	0	0	0
1	1	1	1	1	1	1	1	1	1
2	2	2	2	2	2	2	2	2	2
3	3	3	3	3	3	3	3	3	3
4	4	4	4	4	4	4	4	4	4
5	5	5	5	5	5	5	5	5	5
6	6	6	6	6	6	6	6	6	6
7	7	7	7	7	7	7	7	7	7
8	8	8	8	8	8	8	8	8	8
9	9	9	9	9	9	9	9	9	9

생년월일 (예 : 050512)					
0	0	0	0	0	0
1	1	1	1	1	1
2	2	2	2	2	2
3	3	3	3	3	3
4	4	4	4	4	4
5	5	5	5	5	5
6	6	6	6	6	6
7	7	7	7	7	7
8	8	8	8	8	8
9	9	9	9	9	9

【유의사항】
1. 답안 작성 시 문제번호와 답안번호가 일치하도록 알맞은 칸에 작성하여야 한다.
2. 답안 작성 시 필요한 경우에 수식 및 그림을 사용할 수 있다.
3. 필기구는 반드시 검은색 필기구만을 사용하여야 한다. (검은색 이외의 필기구로 작성한 답안은 모두 최하점으로 처리함)
4. 문제와 관계없는 불필요한 내용이나, 자신의 신분을 드러내는 내용이 있는 답안 및 낙서 또는 표식이 있는 답안은 모두 최하점으로 처리한다.
5. 답안은 반드시 정해진 답안작성란 안에만 작성하여야 한다. (답안작성란 밖에 작성된 내용은 채점 대상에서 제외함)

문항 【1】 반드시 해당 문항의 답을 작성해야 함

이 줄 아래에 답안을 작성하거나 낙서할 경우 판독이 불가능하여 채점 불가

이 줄 위에 답안을 작성하거나 낙서할 경우 판독이 불가능하여 채점 불가

문항 【2】 반드시 해당 문항의 답을 작성해야 함

문항 【3】 반드시 해당 문항의 답을 작성해야 함

이 줄 아래에 답안을 작성하거나 낙서할 경우 판독이 불가능하여 채점 불가

3. 2024학년도 이화여대 모의 논술 (인문 Ⅰ)

[1-3] 다음 글을 읽고 물음에 답하시오.

[가] 한비자(韓非子)는 인간 행위의 주요 동기가 이기심이라는 전제하에, 유교의 인의(仁義)를 권장하는 것은 사실상 군주에게는 공자(孔子)의 수준을, 백성들에게는 공자의 제자 수준을 기대하는 것이라고 비판하였다. 또한 평화로울 때는 유교의 인의를 장려할 수 있지만 국가가 위험에 빠진 상황에서는 강력한 법을 마련하여 악행을 처벌함으로써 국가 질서를 바로잡아야 한다고 주장하였다. 한비자는 부국강병을 목표로 법치를 실현하는 것이 여러 나라들이 패권을 다투던 혼란기에 맞는 현실적 통치 방법이라고 생각한 것이다.

이러한 한비자의 통치론이 구체화된 책이 한비자이다. 이 책에서 한비자는 노자의 도덕경(道德經)을 자주 인용하고 있다. 노자는 세계를 근원적으로 포괄하는 자연 질서이자 만물의 근원인 도(道)에 따라 사는 것을 바람직한 삶이라고 여기고, 군주는 백성들이 자발적으로 여러 가지 일들을 하게 이끌 수 있어야 한다고 하였다. 한비자는 이러한 노자의 사상을 근거로 하여 자신의 통치론을 펼쳤다. 한비자는 누구나 부, 고귀함, 장수 등을 원하지만 현실에서는 빈곤, 비천함, 멸망 등을 피하기 어려우므로 미혹함에 빠지지 말고 노자의 도에서 벗어나지 말 것을 강조하였다. 또한 그는 인간은 이타심도 가지고 있어 전적으로 사악한 존재는 아니지만 이기적으로 행동할 수밖에 없는 존재라고 하였다. 이기적인 인간은 권력에 복종하고 처벌을 두려워하므로 군주는 소수의 사람에게만 효과가 있는 덕치를 버리고 다수의 사람에게 효과가 있는 방법을 마련해야 한다고 주장한 것이다.

한비자는 군주의 처신과 국사를 운영하는 방법에 대해서도 권고하였다. 그는 군주가 노자의 도 개념에 근거하여 자연적이면서 동시에 명시적인 법, 지위나 인맥과 상관없이 평등하게 적용되는 법을 마련하고 이 법을 통해 악행을 처벌하고 비효율적인 국가 운영을 막을 수 있도록 해야 한다고 역설하였다. 또한 군주는 큰일이 발생하기 전에 그 징조를 알아차리고 예방할 수 있어야 한다고 강조하였다. 군주는 신중해야 하고, 사소한 이익에 집착해서도 안 되고, 탐욕에 빠져서도 안 되며, 음악이나 유흥에 탐닉해 정신을 잃어서도 안 된다고 말한 것은 이와 관련된다.

[나] 사람을 세상에서 가장 귀하게 여김은 인륜(人倫)이 있기 때문이며, 군신과 부자를 가장 큰 인륜으로 꼽는다. 군주가 어질고 신하가 충직하며 어버이가 인자하고 자식이 효도한 뒤에야 국가를 이루어 끝없는 복을 누릴 수 있다. 지금 '우리' 군주는 어질고 효성스러우며 지혜롭고 총명하시다. 현량하고 정직한 신하가 잘 보좌하여 다스린다면 요순(堯舜)의 교화와 문경(文景)*의 통치를 손꼽아 바랄 수 있을 것이다.

그러나 지금 신하 된 자들은 국가에 보답할 생각을 아니 하고 한갓 녹봉과 지위를 훔치며 군주의 총명을 가려서 아부하고 뜻만 맞추면서, 충성스러운 선비의 간언을 요망한 말이라 하고, 정직한 사람을 비도(匪徒)라 한다. 안으로는 국가를 보좌할 인재가 없고 밖으로는 백성을 학대하는 벼슬아치만 득실거린다. 백성들의 마음은 날로 더욱 흐트러져 들어와서는 생업(生業)을 즐길 수 없고 나와서는 몸을 보존할 방도가 없다. 학정(虐政)이 날로 심하여 원성(怨聲)이 그치지 아니하니, 군신의 의리와 부자의 윤리와 상하의 구분이 어긋나고 무너져 남은 것이 없게 되었다.

관자(管子)가 말하기를 "사유(四維)**가 펼쳐지지 못하면 국가는 곧 멸망한다"라고 하였으니, 지금의 형세는 예전보다 더욱 심하도다. 위로는 공경(公卿), 아래로는 방백(方伯) 수령(守令)에 이르기까지 국가의 위태로움은 생각지 아니하고 그저 자기 배를 불리고 집을 윤택하게 할 계책에만 몰두하고, 벼슬아치를 뽑는 문을 재물 모으는 길로 여겨 과거 시험을 보는 장소는 물건을 사고파는 장터가 되었다. 수많은 재화와 선물이 군주의 창고로 들어가지 않고 도리어 개인의 호주머니만 채워 국가의 빚이 쌓여만 가고 있다. 아무도 국가에 보답할 생각은 하지 않고 그저 교만하고 사치하며 음란하고 방탕함에 거리낌이 없다. 온 나라가 어육(魚肉)이 되고 만백성은 도탄에 빠졌는데도 수령들의 탐학은 실로 그대로이니, 어찌 백성이 궁핍해지고 빈곤해지지 않겠는가. 백성은 국가의 근본이다. 근본이 쇠약해지면 국가도 쇠잔해진다. 그런데도 보국안민(輔國安民)의 방책은 염두에 두지 않고 고향에 저택을 화려하게 지어 오직 혼자만 온전할 방법을 찾으며 녹봉과 지위를 훔치니, 어찌 도리라 하겠는가.

'우리'는 비록 초야(草野)의 유민(遺民)이지만 군주의 땅에서 먹고 군주가 준 옷을 입고 사니 어찌 국가의 위태로움을 좌시할 수 있겠는가. 온 나라가 마음을 함께하고 수많은 백성이 뜻을 모아 지금 의로운 깃발을 내걸어 보국안민을 생사의 맹세로 삼노라. 오늘의 광경이 비록 놀랄 일이겠으나 결코 두려워하거나 동요하지 말라. 각자 생업에 편안히 종사하면서 모두 태평한 세월이 오기를 기원하며 함께 군주의 교화를 누리면 천만다행이겠노라.

* 문경(文景): 어진 군주로 알려진 중국 한나라 문제(文帝)와 그 아들 경제(景帝).
** 사유(四維): 국가를 다스리는 데 지켜야 할 네 가지 원칙. 예(禮)·의(義)·염(廉)·치(恥).

[다] 현대 철학에서 자유 지상주의자들은 자유를 어떤 외부적 강제나 강압도 없는 상태라고 정의하였다. 현대 사회의 개인은 각자의 신념을 인정하고 자신의 신념을 타자에게 강요하지 않아야 하며, 국가는 기본적으로 개인에게 간섭하지 않아야 한다는 것이다. 이는 개인의 자유에 대한 독점적 소유권을 강조한 것이다. 한편, 자유 지상주의자들과 차별화되어 자유주의적 평등주의자라고 불리는 학자들이 있다. 롤스는 그 대표적 학자로, '정의'에 대한 담론을 본격적으로 들고나와 정치 철학의 지형을 바꾸어 놓았다는 평가를 받았다. 롤스는 사상 체계의 제1의 덕목이 진리라면 사회 제도의 제1의 덕목은 정의라고 주장하였다. 그가 특히 강조하였던 것은 모든 개인은 자유롭고 평등한 존재이며, 소수 혹은 사회적 약자가 강자의 권력 때문에 자신들에게 주어진 정치적 권리를 희생당해서는 안 된다는 것이다. 또한 어떠한 제도가 아무리 효율적인 것이라고 할지라도 그것이 정의에 부합하지 않으면 개혁되거나 폐기되어야 한다고 주장하였다.

롤스는 정의의 핵심이 절차적 공정성에 있다고 보았다. 한 사회 내에서 사회 구성원들이 자신의 사회를 운영해 나갈 법과 제도를 합의한다고 할 때, 이 법과 제도가 정의로운 것인지 아닌지는 그것이 정해지는 절차적 공정성에 달려 있다는 것이다. 롤스는 절차적 공정성에 대해 설명하기 위해 사회 구성원들이 법과 제도의 토대가 되는 사회 운영 원리를 합의하는 이른바 원초적 상황을 가정한다. 원초적 상황에서는 무지의 장막이라는 특수한 정보 차단 장치가 있어서 이 상황에 참여한 사람들은 자신이 처한 사회적 지위나 자신의 선호에 관한 정보를 알 수 없다. 이때 참여자들이 합리적이라면 자신이 어떤 사회적 조건에 처해 있는지를 모르기 때문에 자신이 최악의 상황에 빠지게 될 수 있음을 고려하게 될 것이고, 타고난 능력이나 처해진 환경, 계층적 조건 등에 의해 좌우되지 않는, 불편부당한 정의의 원칙을 마련하게 될 것이다. 이 때문에 원초적 상황에서는 자연스럽게 절차적 공정성이 확보된 원칙이 마련되고 최악의 상황에 처한 사람들에게 가장 유리한 사회 제도를 선택하게 됨으로써 사회적 안전망이 생기게 된다.

[라] 그날 편반이 끝나고 키 크기에 따른 각자의 번호와 교실 좌석까지 다 정해졌을 때 새 담임이 된 김선생이 입을 열었다.

"이제부터 66명이 운명을 함께 하는 역사적 출항을 선언한다. 목적지에 이를 때까지 단 한 사람의 낙오자나 이탈자가 없기를 진심으로 기원한다. 아울러 이 시간 분명히 밝혀 둘 것은 우리들의 항해를 방해하는 자, 배의 순탄한 진로를 헛갈리게 하는 놈은 용서하지 않을 것이다. 우리가 나무를 전정할 때 역행 가지를 잘라 버려야 하듯 여러분의 항해에 역행하는 놈은 여러분 스스로가 엄단할 수 있어야 한다. 더 중요한 것은 1년간의 일사불란한 항해를 위해서는 서로 사랑과 신뢰로써 반을 하나로 결속하는 슬기를 보이는 일이다."

새 담임선생은 과학교사답지 않게 적절한 비유로써 자기가 맡은 반 아이들에게 뭔가 불어넣으려 애쓰고 있는 것 같았다. 그에게 중요한 것은 무사안일 속의 1년이었던 것이다.

"고삐는 여러분 손에 쥐어져 있다. 필요하다고 생각할 때 그 고삐를 당겨 여러분 스스로를 제어해 주기 바란다. 내가 가장 우려하는 바는 여러분 스스로가 내 손에 그 고삐를 쥐어 주는 일이다. 나는 자율이라는 낱말을 좋아한다."

담임선생님은 자율이라는 낱말로 요술을 부려 우리들을 묶고 있었다. 어느 연극잡지에서 완숙한 연출가는 배우 스스로가 연출하도록 유도하는 비결을 가지고 있다는 것을 읽은 것이 생각났다. (중략)

"어떤가, 우리 반에 크게 문제가 될 만한 애는 없겠지?"

첫 만남에서 담임이 말한 우리들의 항해에 방해가 될 만한 그런 역행 가지를 귀띔해 달라는 것일 게다. 나는 불현듯 담뱃불에 지짐질당해 아직도 진물이 줄줄 흐르는 내 허벅지를 내보이고 싶은 충동을 받았다. 어쩌면 담임도 내 입에서 기표에 대한 얘기가 나오길 기대하고 있었는지 모른다. 1학년 때의 기표 담임이 기표가 1학년 때 한 번 유급한 경력을 가지고 있다는 얘길 전하지 않았을 리가 없기 때문이다. 그러나 나는 입을 열 수가 없었다. (중략)
담임선생은 우리집 방문을 끝내고 다른 집으로 가는 도중에 내게 말했다.
"유대, 네 도움이 필요하다."
"뭘 말입니까?"
"우리 반을 위해서 네 협조를 받고 싶다는 얘기다. 물론 나는 네가 반에서 일어나는 일들을 일일이 고자질하는 그런 사람이라곤 생각하지 않는다. 다만 내가 원하는 것은 반 전체를 위한 너의 조언이다. 어때 협조해 줄 수 있겠지?"
나는 얼굴에 열기가 끼쳤다. 이것은 치욕이었다. 담임은 나를 자신의 첩자로 삼으려는 것이다. 1학년 때도 그랬다. 나는 담임선생이 원하는 대로 반에서 일어나는 일들을 하나도 빼놓지 않고 담임에게 알렸다. 그것은 즐거운 일이었다. 역사를 만든다고 생각하는 사람들이 바로 그런 즐거움을 느낄 것이다. 내 입에서 전해진 말이 요술을 부려 아이들이 일사불란하게 움직이고 있는 것을 시치미떼고 바라볼 수 있다는 것은 통쾌한 일이었다. 아이들 자신을 위해서 내가 이바지했다고 하는 자부였다. '우리'를 위해서 내 힘이 쓰여지고 있다는 기꺼움 때문에 나는 그러한 고자질을 해낼 수 있었던 것이다. 그러나 나는 내가 어수룩하다고 생각했던 많은 아이들에게 따돌림받았다. 나는 한낱 '우리'의 힘을 해치는 담임의 첩자였을 뿐이다. 나를 이용해 먹은 담임이 그 사실을 새 담임에게 인계하는 배신을 했다는 것을 안다는 것은 울화통이 터질 일이었다.

[마] 세계는 신을 찬미하도록 정해져 있으며, 선택된 기독교인은 자신이 맡은 바 본분을 다해 신의 계명을 집행함으로써 이 세상에서 신의 영광을 드높이기 위하여 오로지 존재한다. 그러나 신은 기독교인의 사회적 활동과 성취를 요구한다. 다시 말해 신은 기독교인의 삶이 자신의 계명에 따라 사회적으로 형성되어 자신의 영광을 드높이는 목적에 이바지하기를 원한다. 칼뱅주의자들이 세상에서 행하는 사회적 노동은 어디까지나 "신의 영광을 드높이기 위한" 노동일 뿐이다. 그러므로 사회 전체의 현세적 삶에 이바지하는 직업노동도 역시 그러한 성격을 띤다. (중략) 생각건대 이 사회질서의 구성 및 편제는 놀라우리만큼 합목적적이며 성서의 계시나 우리의 타고난 직관에 비춰 보아도, 그것이 인류의 '유익함'에 봉사하도록 신에 의해 기획된 것임에 분명하다. 그러므로 이 비인격적인 사회적 실익에 기여하는 노동이야말로, 신의 영광을 더함으로써 신의 뜻을 따르는 행위로 생각될 수 있다.

[바] 홉스는 『리바이어던』을 출간하며 사회 계약론에 대해 본격적으로 논의하기 시작하였다. 홉스는 인간 행위의 모든 원천을 신의 의지와 속성으로부터 추론하는 종교와 단절하면서 인간 중심주의를 주장하였고 인간의 본성을 철저히 개인의 자발적인 운동에서 찾아야 한다고 하였다. 홉스는 인간은 본래 이기적인 존재로 태어나며, 자기 보존을 위한 이익 추구의 욕구, 자발적으로 자기 보존을 도모하는 자유의지, 그리고 다양한 방법 중에서 자신에게 가장 유리한 방안을 선택하는 합리적

행동의 근거인 이성이 본성에 내재되어 있다고 보았다. 인간의 삶의 터전인 자연은 항상 한정적이고, 인간은 자기 보존을 위해 자신의 힘을 사용하는 권리인 자연권을 가지고 있다. 이러한 배경 속에서 인간들은 서로의 권리를 침해하면서 끝없는 갈등의 상황에 놓이게 된다. 홉스는 이를 '만인의 만인에 대한 투쟁' 이라고 표현하며 자연 상태는 결과적으로 개인이 자기 보전을 장담할 수 없는 살벌한 전쟁 상태가 된다고 하였다. 홉스는 개인의 평화와 안전을 보장하는 동시에 개인 간의 갈등 상황을 잠재우기 위해서는 사회 계약을 통해 개인의 자연권을 국가에 양도하여 전쟁 상태로부터 보호받아야 한다고 보았다. 이는 자연권의 양도가 자신에게 더 이로울 것이라는 이성적인 판단에 의해서 가능하며 개인은 계약을 통해 혼란에서 벗어나 안정적으로 살아갈 수 있다. 사회 계약의 결과는 모든 구성원을 대표하는 인위적 인격인 국가가 형성되는 것으로, 계약의 주체인 개인들은 각자의 자연권을 결합하여 이를 인위적 인격에 양도하게 된다. 이 모든 권력을 양도받는 인위적 인격인 국가의 통치자를 주권자라고 하고 그가 가지는 절대 권력을 주권이라고 하였다. 홉스는 주권은 양도되거나 분리될 수 없으며 절대 군주에게 독점되는 권한이어야 한다고 하였다.

[사] Aristotle conceived of democracy as a ruling partnership among relative equals. The ancient approach was to look for one, all-purpose epistemic* virtue for the political domain. We lack a word in our vocabulary that picks out a distinctive political expertise—a techne** for modern democracy. This is no accident. The model of an agency relationship gets its purchase from its ability to divide up cognitive labor—to permit knowledge specialization by political actors. You could spend all your life informing yourself about any given subdomain of the modern bureaucratic state. To avoid this overload, democratic citizens take out periodic loans. They transfer their decision- making authority to agents who bear their decisional costs, by contracting out some of their obligations. This drastically reduces the political reasoning that they must engage in on a daily basis. The freedom that in this form of agency offers should not be downplayed.

*epistemic: 인식론적인, **techne: (지식체계로서의) 기술

1. 제시문 [가]의 관점에서 제시문 [나]에 나타난 '우리'의 주장을 비판하시오. [30점]

2. 제시문 [다]에 나타난 롤스의 관점에서 제시문 [라]에 나타난 '학급'이라는 사회의 운영 방식을 비판하시오. [30점]

3. (1) 제시문 [마]와 제시문 [바]에 나타난 인간관을 대비하시오. [20점]
(2) 제시문 [사]를 요약하고, 권리 양도라는 관점에서 제시문 [바]와 제시문 [사]를 비교하시오. [20점]

이화여자대학교
EWHA WOMANS UNIVERSITY

논술답안지

※감독자 확인란

모집단위

성 명

수 험 번 호

생년월일 (예 : 050512)

【유의사항】
1. 답안 작성 시 문제번호와 답안번호가 일치하도록 알맞은 칸에 작성하여야 한다.
2. 답안 작성 시 필요한 경우에 수식 및 그림을 사용할 수 있다.
3. 필기구는 반드시 검은색 필기구만을 사용하여야 한다. (검은색 이외의 필기구로 작성한 답안은 모두 최하점으로 처리함)
4. 문제와 관계없는 불필요한 내용이나, 자신의 신분을 드러내는 내용이 있는 답안 및 낙서 또는 표식이 있는 답안은 모두 최하점으로 처리한다.
5. 답안은 반드시 정해진 답안작성란 안에만 작성하여야 한다. (답안작성란 밖에 작성된 내용은 채점 대상에서 제외함)

문항【1】 반드시 해당 문항의 답을 작성해야 함

이 줄 아래에 답안을 작성하거나 낙서할 경우 판독이 불가능하여 채점 불가

이 줄 위에 답안을 작성하거나 낙서할 경우 판독이 불가능하여 채점 불가

문항【2】 반드시 해당 문항의 답을 작성해야 함

문항【3】 반드시 해당 문항의 답을 작성해야 함

이 줄 아래에 답안을 작성하거나 낙서할 경우 판독이 불가능하여 채점 불가

4. 2024학년도 이화여대 모의 논술 (인문 II)

[1-2] 다음 글을 읽고 물음에 답하시오.

[가] 시민들은 결국 항복하게 되었다는 굴욕감과 그럼에도 대다수가 목숨을 부지할 수 있게 되었다는 안도감, 그리고 시민 여섯 명이 스스로 목숨을 내놓아야 한다는 자괴감 등으로 피 같은 눈물을 흘렸다. 패자의 운명은 이렇듯 야속하고 수치스럽기 그지없는 것이었다. 모두가 절망감에 빠져 어쩔 줄 몰라 하는 그 순간, 외스타슈라는 노인이 앞으로 나섰다.

"내가 죽으러 가겠소. 자, 우리 자원해서 희생합시다. 우리는 싸움에 져서 항복했을 뿐이지 우리의 얼과 넋마저 내어 준 것은 아니오. 제비뽑기 같은 것을 해서 희생자를 뽑는다면 그 구차함에 후손들에게도 부끄러울 것이오. 우리 당당하게 죽읍시다. 자원할 사람은 앞으로 나오시오."

외스타슈는 칼레에서 가장 부유하고 영향력이 있는 사람이었다. 그가 이렇듯 제일 먼저 자신이 희생하겠다고 나서자, 다른 지도층 인사들도 다투어 나섰다. 그렇게 여섯 명이 채워졌고 이들은 눈물을 흘리며 송별하는 시민들을 뒤로한 채, 시장 광장에서 에드워드의 진지를 향해 나아갔다. 광장에 모인 사람들은 슬픔과 절망감에 싸여 통곡하며 그들의 이름을 불렀다.

[나] 어느 사회에나 불평등은 존재한다. 심지어 가장 단순한 수렵·채집 무리에도 덩치가 더 크거나, 힘이 더 세거나 또는 더 똑똑한 사람들이 있기 마련이다. 또 한 가지 사실은 어떤 사람은 다른 사람들보다 더 큰 권력을 지닌다는 것이다. 이들은 권력이 약한 사람들보다 남의 행동에 더 큰 권력을 행사한다. 일부는 다른 사람보다 더 많은 부(富)를 축적하고 일부는 남보다 더 높은 지위와 존경을 누린다. 그러나 그 불평등을 받아들이는 사람들의 의식이 사회마다 같은 것은 아니다. 어떤 사회에서는 권력의 불평등을 당연시하는가 하면, 어떤 사회에서는 인간적인 평등을 소중히 여긴다. (중략)

1809년 스웨덴 귀족들은 평화 혁명을 통해 국왕을 교체하였다. 이후 새로 취임한 국왕은 프랑스의 나폴레옹 아래에서 복무했던 베르나도트 장군이었다. 베르나도트는 스웨덴 국회에서 스웨덴 말로 취임 연설을 하였는데, 그가 스웨덴 말을 더듬거리는 것을 보고 청중들은 크게 웃으며 떠들어 댔다. (중략)

이전까지 베르나도트가 살아왔던 프랑스, 특히 프랑스의 군대에서는 상관의 실수에 부하가 웃는 일은 상상조차 할 수 없었다. 그러나 스웨덴에서는 한 나라의 최고 권력자라고 할 수 있는 국왕에 대해서 그다지 두려움을 느끼지 않는 것처럼 보였다. 그는 스웨덴과 노르웨이의 평등주의적인 사고방식에 적응하는 데 어려움을 겪었으나 이후 1844년까지 아주 존경받는 입헌 군주로 스웨덴을 잘 다스렸다. (중략)

일반적으로 '리더십'을 다루는 책들은 리더십이 '복종 정신'이 있어야 발휘될 수 있다는 사실을 종종 잊고 리더십을 지도자의 관점에서만 바라보려고 한다. 그러나 권위는 복종이 따라 주어야 유지되는 것이다. 베르나도트의 문화 충격은 그에게 리더십이 없어서 생긴 문제가 아니었다. 베르나도트는 프랑스인이었으나 그가 다스려야 할 백성은 스웨덴 국민이었기 때문에 문제가 생긴 것이다. 스웨덴 국민들의 존대 개념은 프랑스인의 존대 개념과는 달랐다. 리더십 가치에 관한 국가 간 비교 연구는 국가 간의 차이가 지도자와 추종자 양자의 마음에 존재하는 것임을 보여준다.

[다] 미국에서는 노예 제도가 폐지된 후에도 흑인에 대한 차별을 지속하였다. 특히 남부 지역에서 인종 차별 문제가 심각했는데, 이러한 차별은 1870년대부터 1960년대 초까지 시행된 소위 「짐 크로(Jim Crow)법」이라고 불리는 법들에 의해 정당화되었다. 「짐 크로법」은 공공 기관 등에서 인종을 분리하여 흑인을 합법적으로 차별할 수 있게 한 여러 가지 법들을 가리킨다. '짐 크로'는 어리숙한 흑인을 희화화한 쇼에 등장하는 인물의 이름으로부터 유래했다. 인종 분리와 차별을 제도화한 법들로 인해 흑인은 백인과 동등하게 교육을 받을 수 없었고, 선거에 참여하지 못했을 뿐만 아니라 버스나 화장실 등 일상생활 공간에서 조차 차별을 받았다.

흑인들은 「짐 크로법」에 따른 통치에 저항하였다. 1896년 호머 플래시(Plessy, H.)는 열차의 백인 차량에 탑승하여 흑인 차량으로 이동하라는 명령을 거부하였다. 이 사건이 계기가 되어 인종을 분리하고 차별하는 법이 연방 대법원의 심사를 받게 되었지만, 연방 대법원은 '분리하되, 평등하면' 합헌이라는 판결을 내림으로써 차별을 정당화하였다.

하지만 흑인들뿐 아니라 다수의 백인들도 미국의 관할권에 속한 모든 사람은 미국의 시민이며, 피부색에 의해 투표권이 제한되어서는 안 된다고 규정한 헌법의 정신이 구현되기를 바라며 지속해서 인종 차별 반대 운동을 벌였다. 이러한 노력을 바탕으로 미국에서는 1964년 「시민권법」, 1965년 「투표권법」이 제정되었고, 「짐 크로법」은 역사 속으로 사라졌다. 그리고 인종 차별을 금지하는 법은 흑인의 정치 참여를 활성화함으로써 미국의 민주주의가 한층 발달하는 데 이바지하였다.

[라] 아래의 그림은 중국과 미국의 GDP 규모 변화에 대한 예측과 실제를 보여준다. 그림 a는 세계적인 시사·경제 주간지인 「이코노미스트(The Economist)」가 2010년에 예측한 미국과 중국의 GDP이다. 「이코노미스트」는 미·중의 GDP가 과거 10년간의 연평균 성장률, 즉 중국 10.5%, 미국 1.75%로 성장해간다면 중국은 2019년 미국을 제치고 세계 경제의 리더로 급부상할 것으로 예측했다. 그러나 2021년 세계은행(World Bank)이 제공한 2020년까지의 실제 GDP 규모는 그림 b처럼 여전히 미·중 사이에 상당한 격차가 존재한다.

1. **제시문 [가] ~ [다]를 읽고 다음 물음에 답하시오. [40점]**

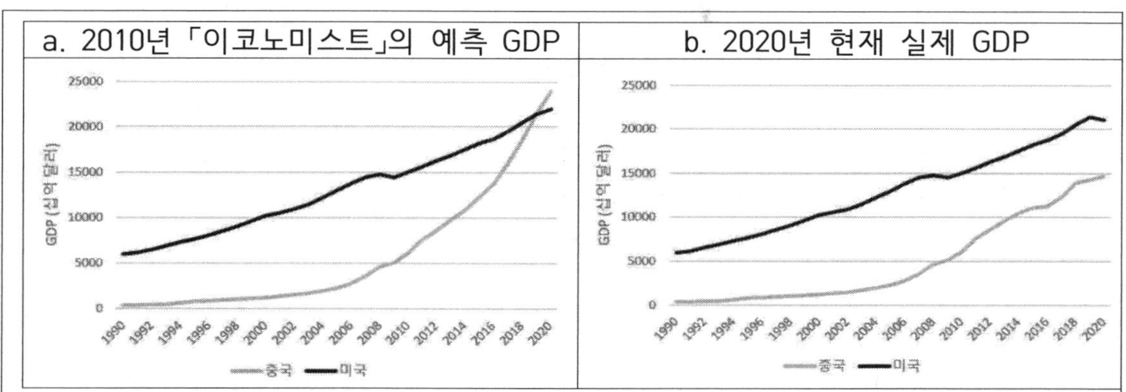

[그림] 1990년부터 2020년까지의 GDP 예측과 실제(출처: 「이코노미스트」, 세계은행)

[마] 투자의 세계 자체가 끊임없이 변화하는데 과거 데이터에서 찾아낸 패턴에 의존하는 것은 사실 신뢰성이 떨어질 수밖에 없다. 그런 점에서 아무리 뛰어난 주가 예측 모델도 태생적으로 한계가 있기 마련이다. 이를 잘 보여주는 게 바로 '귀뚜라미의 한계' 다. 귀뚜라미의 울음소리와 대기 온도 간에는 거의 완벽한 상관관계가 존재한다. 밤이 되어 기온이 떨어지면 귀뚜라미의 울음소리는 느려진다. 20도에서 18도로, 다시 16도, 14도로 떨어질수록 울음소리는 점점 느려지는데, 그렇다면 이런 식으로 계속 느려지는가 하면 그건 아니다. 밤 기온이 더 떨어져 섭씨 10도 아래로 내려가면 귀뚜라미는 날개를 접어버리고 아예 울음소리를 내지 않는다. 어느 순간 상관관계가 갑자기 사라져 버리는 것이다. (중략)

『작지만 강한 기업에 투자하라』는 저서로 잘 알려진 랄프 웬저는 자신이 운용하는 에이콘 펀드 산하에 '은유검증위원회'를 만들었다. 이곳에서 하는 일이란 "지금 주식시장은 1995년 페소화 위기 때와 똑같다"든가 "이 종목은 제2의 인텔이 될 만한 주식"처럼 은유적 표현을 찾아내 피도 눈물도 없이 보고서에서 삭제해버리는 것이다. 오늘 죽는 사람들 모두는 어제까지 한 번도 죽지 않은 사람들이다. 지금까지 단 한 번도 틀리지 않은 패턴이라 해도 얼마든지 변할 수 있다.

(1) 제시문 [가]와 제시문 [나]에 나타난 지도자가 가져야 할 태도를 비교하시오. [20점]

(2) 제시문 [나]의 불평등에 대한 관점에서 제시문 [다]의 「짐 크로법」에 대해 논하시오. [20점]

2. **제시문 [마]의 두 가지 사례를 바탕으로 제시문 [라]에 나타난 예측과 실제의 차이를 설명하시오. [30점]**

3. 다음 글을 읽고 물음에 답하시오. [30점]

[I] 15세 이상의 인구를 노동가능인구로 간주하는데, 노동가능인구는 일할 의사에 따라 경제활동인구와 비경제활동인구로 구분된다. 경제활동인구는 다시 취업자와 실업자로 구분되는데 일할 능력과 의사가 있음에도 불구하고 일자리를 가지지 못한 사람을 실업자라고 한다. 따라서 경제적 의미에서 실업자란 단순히 일하지 않고 있는 사람을 의미하는 것이 아니라 일할 능력과 의사가 있는데도 일자리를 구하지 못한 15세 이상의 사람을 말한다. 비경제활동인구는 일할 능력이나 일할 의사가 없는 사람으로 학생이나 전업주부 등이 포함된다.

노동시장 상황을 파악하기 위해 다양한 고용지표가 활용된다. 경제활동참가율은 노동가능인구 중에서 경제활동인구가 차지하는 비율을 의미한다. 이는 노동시장의 상황을 파악하고 정부가 고용과 관련된 정책을 수립하는 데 도움을 주는 지표이다. 실업률은 경제활동인구 중에서 실업자가 차지하는 비율로 현재 경제 상황을 판단할 수 있는 중요한 지표이다. 예를 들어 경기가 호황일 때는 실업률이 낮아지고 불황일 때는 실업률이 높아지므로, 실업률을 통해 경기 상황을 파악할 수 있다. 하지만 반복된 구직 실패나 학업 지속 등으로 일자리를 구하려고 노력하지 않으면 경제활동인구가 줄어 실업률이 낮아지게 되므로 경기 상황을 정확하게 반영하지 못할 수도 있다. 이 때문에 정부는 노동가능인구 대비 취업자 수의 비율인 고용률을 실업률과 함께 발표한다. 고용률은 경제활동인구 변동에 따른 실업률의 경제 상황 왜곡을 보완하는 데 사용된다.

[II] 허생(許生)은 묵적동(墨積洞)에 살았다. 남산 밑으로 곧바로 가다 보면 우물이 하나 있는데, 그 곁에는 오래된 은행나무가 한 그루 서 있다. 허생의 집 싸리문은 그 은행나무를 향하여 열려 있다. 집이라야 비바람을 채 가리지 못할 작은 초가집에 불과했다. 그러나 허생은 오직 책 읽기만 좋아할 뿐이어서, 그 아내가 삯바느질을 함으로써 간신히 입에 풀칠을 하는 지경이었다. 어느 날 허생의 아내는 너무 배가 고파서 울면서 말했다. “당신은 평생에 과거도 보지 않으면서, 책을 읽어 무엇에 쓰시려오?” 허생이 웃으며 말하기를, “나의 독서는 아직 미숙하오.” 아내가 묻기를, “공장(工匠) 노릇도 못한단 말입니까?” 허생이 말하기를, “공장 일은 배우지도 않았는데 어찌 할 수 있겠소.” 아내가 다시 묻기를, “그럼 장사치 노릇도 할 수 없단 말입니까?” 허생이 대답하기를, “장사치 노릇도 밑천이 없으니 어찌 할 수 있겠소.” 부인이 화를 내며 내쏘았다. “밤낮으로 글만 읽었어도 배운 것이라곤 오직 ‘어찌 할 수 있겠소’ 뿐이구려. 공장 노릇도 못한다, 장사치 노릇도 못한다, 그러면 도둑질도 못한단 말이오?” 허생이 어쩔 수 없이 책을 덮고 일어섰다. “애석하구나! 내 본디 십 년 기한으로 책을 읽으려 했지만, 이제 겨우 칠 년에 이르렀을 뿐이구나.”

(1) [I]을 읽고 2020년 A국의 경제활동참가율, 실업률, 고용률을 구하시오. [12점]

2020년 A국의 경제 상황

연령	15세 미만	15세 이상 20세 미만	20세 이상 65세 미만	65세 이상	총합
인구수	200	200	500	300	1200
경제활동인구	N.A.	150	400	170	720
비경제활동인구	N.A.	50	100	130	280
취업자	N.A.	135	373	140	648
실업자	N.A.	15	30	27	72

주: N.A.는 해당 수치가 없음을 의미한다.

(2) 2021년의 경제 상황에 대하여 경제학자 B씨는 "2020년에 비하여 고용 상황은 개선되었다."라고 주장하였다. 경제학자 B씨의 주장에 대하여 [I]에서 설명한 실업률과 고용률에 기초하여 평가하시오. [12점]

2021년 A국의 경제 상황

연령	15세 미만	15세 이상 20세 미만	20세 이상 65세 미만	65세 이상	총합
인구수	200	200	500	300	1200
경제활동인구	N.A.	100	350	150	400
비경제활동인구	N.A.	100	150	150	400
취업자	N.A.	90	330	130	550
실업자	N.A.	10	20	20	50

주: N.A.는 해당 수치가 없음을 의미한다.

(3) [II]에 등장하는 허생의 고용 상황을 [I]에서 소개한 개념을 이용하여 설명하시오. [6점]

이화여자대학교
EWHA WOMANS UNIVERSITY

논술답안지

※감독자 확인란

모집단위

성 명

수	험	번	호						
0	0	0	0	0	0	0	0	0	0
1	1	1	1	1	1	1	1	1	1
2	2	2	2	2	2	2	2	2	2
3	3	3	3	3	3	3	3	3	3
4	4	4	4	4	4	4	4	4	4
5	5	5	5	5	5	5	5	5	5
6	6	6	6	6	6	6	6	6	6
7	7	7	7	7	7	7	7	7	7
8	8	8	8	8	8	8	8	8	8
9	9	9	9	9	9	9	9	9	9

생년월일 (예 : 050512)					
0	0	0	0	0	0
1	1	1	1	1	1
2	2	2	2	2	2
3	3	3	3	3	3
4	4	4	4	4	4
5	5	5	5	5	5
6	6	6	6	6	6
7	7	7	7	7	7
8	8	8	8	8	8
9	9	9	9	9	9

【유의사항】

1. 답안 작성 시 문제번호와 답안번호가 일치하도록 알맞은 칸에 작성하여야 한다.
2. 답안 작성 시 필요한 경우에 수식 및 그림을 사용할 수 있다.
3. 필기구는 반드시 검은색 필기구만을 사용하여야 한다. (검은색 이외의 필기구로 작성한 답안은 모두 최하점으로 처리함)
4. 문제와 관계없는 불필요한 내용이나, 지신의 신분을 드러내는 내용이 있는 답안 및 낙서 또는 표식이 있는 답안은 모두 최하점으로 처리한다.
5. 답안은 반드시 정해진 답안작성란 안에만 작성하여야 한다. (답안작성란 밖에 작성된 내용은 채점 대상에서 제외함)

문항 【1】 반드시 해당 문항의 답을 작성해야 함

이 줄 아래에 답안을 작성하거나 낙서할 경우 판독이 불가능하여 채점 불가

이 줄 위에 답안을 작성하거나 낙서할 경우 판독이 불가능하여 채점 불가

문항 【2】 반드시 해당 문항의 답을 작성해야 함

문항 【3】 반드시 해당 문항의 답을 작성해야 함

이 줄 아래에 답안을 작성하거나 낙서할 경우 판독이 불가능하여 채점 불가

5. 2023학년도 이화여대 수시 논술 (인문 Ⅰ)

[1 ~ 3] 다음 글을 읽고 물음에 답하시오

[가] 1910년대 이탈리아를 중심으로 활동한 미래파는 움직이는 대상의 한순간을 묘사하는 것이 아니라 대상의 움직임 그 자체를 화폭에 담아내고자 하였다. 특히 미래파는 새롭게 열리는 20세기를 과학 문명의 발달로 인한 초고속 사회로 파악하고, 인간의 육체적 한계를 뛰어넘는 기계나 통신의 '속도의 미'를 이전의 형식과 다르게 표현하려 하였다. 이들은 대상의 진정한 본질을 움직임, 속도, 에너지 등으로 이해하였으며, 그것들을 표현하기 위해 회화에 시간적 요소를 도입하는 시도를 하였다. 자코모 발라의 「발코니를 뛰어가는 소녀」는 대상의 움직임을 반복적으로 그려 속도와 시간을 표현하면서 대상의 외곽과 색채를 분명하지 않게 나타내어 움직이는 물체는 흔들린다는 것을 드러냈다.

그러나 미래파의 작품 역시 움직이는 대상을 회화적으로 재현한 것에 불과하다는 한계를 드러냈다. 그들의 작품 구성에는 여전히 움직임 그 자체가 직접 들어가지 않았다는 것이다. 이러한 한계를 극복하고자 작품 자체가 움직여서 어떤 공간의 특정한 영역을 윤곽 짓거나, 그 움직임의 결과로 어떤 형태나 영상을 나타내는 방법이 시도되었다. 예를 들어 끝에 추를 단 줄을 빠른 속력으로 돌리면 원 모양과 같은 형태가 보이기 시작하는데, 이는 움직이는 선이 어떤 공간 속에서 특별한 형태를 창조하여 본질적인 생김새를 띠게 되는 것이라 할 수 있다. 이러한 움직임을 조형 예술로 탄생시킨 것이 키네틱 아트(Kinetic Art)이다.

키네틱 아트 작품들은 고정되지 않고 움직이는 특성을 띤다. 이러한 특성을 **'비물질화'** 라고 하는데, 정지된 물체는 고정되어 있기 때문에 물질화되어 있다고 한다면 움직이는 물체는 형체가 고정되지 않기 때문에 비물질화되어 있다고 할 수 있다. 나움 가보와 같은 작가들은 작품이 이동하거나 움직이도록 하기 위해 전기 모터 장치를 동력원으로 활용하였다. 반면 알렉산더 칼더는 전기 장치 대신 공기의 흐름으로 작품의 움직임을 유도하였다. 그는 원색으로 칠해진 금속판으로 '모빌(mobile)'을 만들기 시작하였는데 이 금속판들은 막대에 매달려 있으며 어떤 방향으로든지 자유롭게 움직일 수 있도록 마디마디가 나누어져 있다. 따라서 공기의 흐름에 따라 다양한 속도로 부드럽게 흔들리거나 자연스럽게 회전하게 된다.

[나] Certainty, like permanence and immortality, is one of those conditions we long for despite a great deal of evidence to the contrary. Certainty often confers* control. And we badly want control in this strange cosmos we find ourselves in. In his classic study The Golden Bough, anthropologist James George Frazer discusses how primitive people developed magic so that they could control a world filled with the uncertainties of lightning, storms and vicious** animals. The Bantus in Botswana burn the stomach of an ox in the evening because they think the black smoke will gather the clouds and cause the rain to come.

Certainty offers us safety, stability, reliability, predictability, rules for behavior. If I am completely certain that it is unethical to harm other people's careers in order to advance my own, that certainty provides a clear and constant guide for how to conduct my professional life. Augustine's absolute certainty about theological*** and ethical matters may well have been an extension of a psychological and physical desire for certainty.

*confer: 부여하다 **vicious: 사나운 ***theological: 신학의

[다] 기독교가 지배한 사회였던 서양 중세에서는 누구나 당연히 신을 믿어야 했고, 신은 언제나 정의롭고 완전한 존재로 간주 되었다. 서양의 중세 신학에서 전지전능한 신이 모든 것을 창조했다고 여기고 신의 특성을 언급하거나 정의할 때 긍정적인 용어를 사용한 신학을 긍정 신학이라고 한다. 하지만 일부 신학자들은 신의 전지전능함은 인정할 수 있으나, 신은 인간의 이해와 지성을 완전히 초월한 존재이기 때문에 인간이 신을 정당하게 규정할 수 있는 유일한 방식은 '하느님은 시간과 공간에 제한되지 않는다.' 처럼 '~않는다 (아니다)' 라는 방식이라고 보았다. 이를 부정 신학이라고 한다. 이러한 두 입장 중 어느 것이 타당한지에 대한 논란이 있지만, 긍정 신학자들과 부정 신학자들이 공통적으로 확답을 내놓지 못한 문제가 있었다. 그것은 바로 '전지전능하고 완전하며 선한 신이 이 세계를 창조하였는데, 어째서 이 세계에는 악이 존재할까?' 라는 문제이다. 악의 존재를 인정하지 않는다면, 현실에서 경험하는 모든 종류의 악을 부정해야 하는데, 이는 분명 모순이 된다. 반대로 악의 존재를 인정한다면, 완전한 신의 능력에 어떤 결함이 있음을 인정해야 하는 데, 이 역시 용납할 수 없는 문제가 된다.

이러한 어려움으로부터 신을 변호해야 할 사명이 기독교 철학자들에게 주어졌고, 스콜라 철학의 대표자인 토마스 아퀴나스는 이 문제를 체계적으로 논증하였다. 그는 신이 창조한 이 세계에 존재와 작용이 실재한다고 생각하였고, 이와 관련해 악을 크게 두 가지로 구분하였다. 예를 들어 '사과' 가 존재한다면, 사과를 존재하게 한 과정이 있을 텐데, 여기서 사과가 존재이고, 사과를 존재하게 한 과정이 작용인 것이다. 아퀴나스는 바로 이 존재와 작용의 결핍을 악이라고 설명한다. 말하자면 사과라는 존재가 썩은 상태의 사과라면, 존재의 관점에서 썩은 사과는 온전한 사과에 대한 결핍이므로 악이 되는 것이다. 그리고 사과를 존재하게 하는 과정에서 양분이 부족하여 사과가 존재하지 못하게 되었다면, 양분의 부족은 작용의 관점에서 사과에 대한 악이 되는 것이다.

[라] 함께 산다는 것은 속도를 맞추어 사는 것이다. 걸음걸이의 속도를 맞추지 않고서는 함께 걸을 수 없는 것처럼, 속도를 맞추지 않고서는 함께 행동할 수 없고, 함께 대화할 수 없으며, 함께 생활할 수 없다. 물론 속도를 맞춘다는 것이 숫자로 표시되는 어떤 크기를 같은 값이 되게 만드는 것은 아니다. 각자의 신체와 영혼마다 각기 다른 속도가 있기에, 그것을 어느 하나에 일치시키려 한다면 '일치' 는 자기 속도에 대한 억압이 된다. (중략)

시간이 돈이기에 같은 시간이면 최대한 일을 빨리 처리하는 것 또한 그대로 돈이 된다. 생산도, 유통도, 소비도 모두 빠를수록 돈이 된다. 속도가 돈인 것이다. 점점 빨라져 가는 벨트 컨베이어의 속도를 따라가다 미쳐 버린 「모던 타임스」 속 찰리 채플린의 곤경이 결코 과장이 아님을 우리는 잘 알고 있다. (중략)

한 철학자가 지금 우리가 사는 시대에 '속도의 파시즘'이라는 이름을 붙인 것은 이런 맥락에서 충분히 이해할 수 있는 일이다. 빠른 속도 그 자체는 미덕도 악덕도 아니지만, 그것이 누구나 따라가야 할 강제와 강박이 되어 한결같이 빠름을 추구하는 사회는 파시즘적 사회라고 해야 하니까. 그러나 이런 속도의 경쟁을 단지 세상이 내게 강요하는 것이라고만 생각한다면 가장 중요한 것을 잊게 될지도 모른다. 무엇에 의해 시작되었든 간에 지금 속도란 우리 스스로 얻고자 하는 것이고, 우리 스스로 추구하는 미덕이란 점에서 속도의 강박은 바로 우리 자신의 삶에, 우리 자신의 내면에 속해 있기 때문이다. 세상만이 아니라 우리의 신체, 우리의 영혼도 미친 속도를 향해 치달리고 있는 것이다. (중략)

세상의 실에 매달려 그 세상이 움직이는 속도로 춤추는 인형에게 그 춤은 자신의 춤이 아닐 것이다. 자기 속도를 가질 때, 우리의 삶은 춤이 된다. 자신의 삶이 된다. 중력이 작용하는 허공에서 빠르게 낙하하는 것은 자신의 속도를 가졌다고 할 수 없다. 그것은 그저 중력에 끌려 추락하는 것에 불과하다. 반대로 그 허공에서는, 정지한 듯 멈추어 선 매야말로 자신의 속도를 갖고 있다고 해야 할 것이다. 세상의 속도에 그저 따라가고 끌려가는 것이 아니라, 때로는 그 속도에 따라가기도 하지만 때로는 정지해서 그렇게 달려가는 세상이나 자신에게 눈을 돌릴 줄 알 때, 우리는 자신의 속도로 춤출 수 있다. 결정적인 것은 관성적인 속도에서 벗어나는 아주 작은 이탈의 성분, 강요되는 속도에서 벗어나는 데 필요한 최소치의 변속 능력일 것이다.

[마] "단장, 이거 네 목소리 아냐? 모두 멈추고 단장 혼자 불러 봐."

엇박자 D의 노래는 들어 줄 만했다. 부드러운 느낌도 잘 살아 있었고, 박자도 이상하지 않았다. 음악선생은 고개를 갸웃거렸다. 뭔가 이상하긴 한데 어느 부분이 어느 정도로 이상한지, 고치려면 어떻게 해야 하는 것인지, 답을 말해 줄 수가 없었던 것이다.

다시 합창을 시도해 봤지만 결과는 마찬가지였다. 엇박자 D의 목소리만 들리면 아이들은 갈피를 잡지 못했고, 음은 뒤죽박죽이 됐으며 박자는 제멋대로 변했다. 그의 목소리는 전파력이 강한 바이러스였다. 음악선생은 엇박자 D에게 자진 사퇴를 권했지만 그는 받아들이지 않았다. 축제 때 합창단에서 노래를 부를 것이라는 광고를 여러 곳에 해 두었다는 것이 이유였다.

"좋아, 대신 넌 절대 소리 내지 마. 그냥 입만 벙긋벙긋하는 거야 알았지?" (중략)

1절까지는 엇박자 D도 열심히 립싱크를 해주었다. 간주가 시작되고 2절이 시작되려고 할 때 갑자기 엇박자 D의 목소리가 들렸다. 그가 노래를 부르기 시작한 것이다. 그것도 반 박자 빨리. 그 순간부터 모든 게 헝클어졌다. 아이들은 우왕좌왕했고, 지휘를 하던 음악선생은 눈을 크게 뜨고 엇박자를 바라보면서 노래를 그만 부르라는 신호를 보냈다. 하지만 엇박자 D는 눈을 꼭 감은 채 열심히 노래를 불렀다. 합창에 관심 없던 주위 사람들이 공연장 앞으로 몰려들었고 엉망진창 노래를 들은 관객들은 우리의 노랫소리보다 더 크게 웃었다. 화가 난 음악선생은 반주를 멈추게 했다. 아이들도 노래를 멈췄다. 하지만 눈을 감은 엇박자는 멈추지 않았다. 음악선생이 그에게 다가가 뺨을 후려쳤다. (중략)

엇박자 D의 이야기를 들을수록 마음이 불편했다. 너무 오래된 이야기이기 때문인지, 아니면 엇박자 D의 인생역정 출연진에 내가 포함돼 있기 때문인지 알 수 없었다. 듣고 싶지 않은 이야기였다. 많은 시간이 지났다. 그때 엇박자 D를 때렸던 음악선생은 대가를 톡톡히 치렀지만, 어쩌면 옆에 있던 우리들도 그의 뺨을 함께 때렸던 것인지도 모르겠다. 그랬다면 미안한 일이다. 기억이 잘 나지 않는다. 미안한 마음을 느끼기엔 시간이 너무 많이 지났다.

"공연기획을 하고 싶어 하는 이유는 뭐야?" / "짧게 말하자면, 내가 음치가 아니란 걸 보여주고 싶은 거야."

"음치가 아니란 걸 보여주면 뭐가 달라지는데? 숙제가 해결되기라도 해?" / "글쎄 그건 해봐야 알겠지." (중략)

총괄 프로듀서는 엇박자 D였고, 나는 무대 매니저 겸 보조 프로듀서 역할을 했다. (중략)

어디선가 들어 본 노래였다. 그제야 노래의 제목이 생각났다. 「오늘 나는 고백을 하고」라는 노래였다. 20년 전 축제 때 우리가 함께 불렀던 바로 그 노래였다. 노래를 부르는 사람이 누군지는 알 수 없었다. 나나 친구들의 목소리는 아니었다. 엇박자 D의 목소리도 아니었다. 한 사람의 목소리가 두 사람의 목소리로 바뀌었다. 두 사람의 목소리가 세 사람의 목소리로 바뀌었고, 네 사람, 다섯 사람의 목소리로 바뀌었다. 합창을 하고 있었다. 하지만 합창이라고 하기에는 서로의 음이 맞질 않았다. 박자도 일치하지 않았다.

" 22명의 음치들이 부르는 20년 전 바로 그 노래야. 내가 제일 좋아하는 음치들의 목소리로만 믹싱한 거니까 즐겁게 감상해 줘."

무선 헤드셋에서 다시 엇박자 D의 목소리가 들렸다. 조명은 하나도 켜지질 않았다. 완전한 어둠 속에서 노래가 흘러나오고 있었다. 어둠 속이어서 그런 것일까. 노래는 아름다웠다. 서로의 음이 달랐지만 잘못 부르고 있다는 느낌은 들지 않았다. 마치 화음 같았다. 어둠 속이어서 그럴지도 모른다. 음치들의 노래는 어두운 방에서 전원 스위치를 찾는 왼손처럼 더듬더듬 어디론가 내려앉았다. 아무도 웃지 않았다. 몇몇 관객은 후렴을 따라 부르기까지 했다. 1절이 끝나자 피아노 소리가 들렸다. 그리고 조명이 켜졌다. 더블더빙이 「오늘 나는 고백을 하고」의 간주를 연주했고, 관객들의 박수가 터져 나왔다. 몇몇은 휘파람을 불었고, 누군가 브라보를 외쳤다

[바] 무술년은 내가 예순여섯 살이 되던 해이다. 갑자기 앞니 하나가 빠져 버렸다. 그러자 입술도 일그러지고, 말도 새고, 얼굴까지도 한쪽으로 삐뚤어진 것 같았다. 거울에 얼굴을 비춰 보니 놀랍게도 딴사람을 보는 것 같아 눈물이 나려 하였다. 그렇게 한참을 바라보다가 다시 곰곰이 생각해 보니, 사람은 짚자리에 떨어지고 나서부터 늙은이가 되는 동안에 참으로 많은 절차를 밟게 된다는 것을 알게 되었다. (중략) 옛날 선인들의 예법에, 사람이 예순 살이 되면 마을에서 지팡이를 짚고 다니고, 군대에 나가지 않으며, 또 학문을 하려고 덤비지 말아야 한다고 했다. 나는 일찍이 『예기』를 읽었으나 이와 같은 예법에는 동의하지 않고, 계속해서 잘못을 저지르곤 했는데, 지금에 와서야 그동안 내가 한 행동이 잘못되었음을 크게 깨달았다. 앞으로는 조용한 가운데 휴식을 찾아야 할까 보다. 결국 빠진 이가 나에게 경고해 준 바가 참으로 적지 않다 하겠다. 옛날 성리학의 대가인 주자(朱子)도 눈이 어두워진 것이 계기가 되어, 본심을 잃지 않고 타고난 착한 성품을 기르는 데 전심하게 되었으며, 그렇게 되자 더 일찍 눈이 어두워지지 않은 것을 한탄했다고 한다. 그렇다면 나의 이가 빠진 것도 또한 너무 늦었다고 해야 하지 않을까. 얼굴이 일그러졌으니 조용히 들어앉아 있어야 하고, 말소리가 새니 침묵을 지키는 것이 좋고, 고기를 씹기 어려우니 부드러운 음식을 먹어야 하고, 글 읽는 소리가 낭랑하지 못하니 그냥 마음속으로나 읽어야 할 것 같다. 조용히 들어앉아 있으면 정신이 안정되고 말을 함부로 하지 않으면 허물이 적을 것이며, 부드러운 음식만 먹으면 수복(壽福)을 온전히 누릴 것이다. 그리고 마음속으로 글을 읽으면 조용한 가운데 인생의 도를 터득할 수 있을 터이니, 그 손익을 따져 본다면 그 이로움이 도리어 많지 않겠는가? 그러니 늙음을 잊고 함부로 행동하는 자는 경망스러운 사람이다. 그렇다고 늙음을 한탄하며 슬퍼하는 자는 속된 사람이다. 경망스럽지도 않고 속되지도 않으려면 늙음을 편하게 받아들여야 한다. 늙음을 편하게 여긴다는 말은 여유를 가지고 쉬면서 마음 내키는 대로 자유롭게 사는 것이다. 이리하여 담담한 마음으로 세상을 조화롭게 살다가, 아무 미련 없이 죽음을 맞이해야 한다. 그리고 눈으로 보는 감각의 세계에서 벗어나, 일찍 죽는 것과 오래 사는 것이 서로 다르지 않다는 생각을 가지게 된다면, 그것이 곧 인생을 즐겁게 사는 길이며, 근심을 떨쳐 버리는 방법이 될 것이다.

[사] 빅터 프랭클은 우리 인간에게는 어떤 상황 속에서도 의미를 찾으려는 의지, 즉 '의미에의 의지'가 있음을 증명해 내었다. 프랭클은 아우슈비츠 수용소에서 부모와 아내, 두 자식을 모두 잃었다. 인생에 이보다 더한 고통이 있을까. 그러나 프랭클은 그 말로 다할 수 없는 고통과 슬픔 속에서도 '의미에의 의지'를 발동하여 '의미'를 찾고 인생을 견디어 내었다.

하루는 아우슈비츠 수용소 전체가 정전되어 사람들이 배고픔과 추위 속에 불안에 떨며 누워 있을 때, 프랭클이 어둠 속에서 일어나 그들을 격려하는 연설을 했다. 드디어 수용소 막사 전등에 불이 켜지고 그는 그에게 감사를 표하려고 눈물을 흘리면서 비틀거리며 몰려오는 동료들의 모습을 보았다. 나를 찾고, 나를 지켜보고, 나에게 무엇인가 기대하는 그 한 사람이 바로 나에게 '의미'가 되는 셈이다. 프랭클은 인생으로부터 기대할 것이 아무것도 없다고 절망하는 사람들에게 이렇게 대답했다. "인생에서 우리는 무엇을 더 기대할 수 있는가가 문제가 아니고, 도리어 인생이 무엇을 우리에게서 기대하고 있는가가 문제인 것입니다." 그러므로 인생의 의미는 책임과 직결되는 셈이다.
프랭클은 또한 인간이 마지막으로 가질 수 있는 자유에 주목한다. 아무리 상황이 어렵더라도 이 자유만은 그 누구도 빼앗아 갈 수 없고 건드릴 수 없다. 상황이 나아지지 않는다 하더라도 그 상황에 대한 태도를 결정할 수 있는 자유는 마지막까지 남아 있다. 아우슈비츠 수용소의 가스실로 가야 하는 운명과 상황은 전혀 변하지 않는다 하더라도 그 상황에 대해 어떠한 태도를 취할 것인가 하는 문제는 마지막 자유로 남아 있다. 그 마지막 남은 자유로 인하여 인간은 끝까지 품위를 지킬 수 있는 법이다. 이 자유에 의해 의지는 완성된다.

1. 제시문 [가] ~ [다]를 읽고 다음 물음에 답하시오. [40점]

(1) 제시문 [나]를 요약하고 'certainty' 관점에서 제시문 [가]의 비물질화를 설명하시오. [20점]

(2) 제시문 [나]의 관점에서 제시문 [다]의 '선과 악에 대한 논증'을 설명하시오. [20점]

2. 제시문 [라]의 관점과 제시문 [마]의 '엇박자 D'의 공연 기획 의도를 각각 설명하고, 공통적으로 의미하는 바를 서술하시오. [30점]

3. 제시문 [바] 와 제시문 [사]에 나타난 삶에 대한 태도를 비교하시오. [30점]

6. 2023학년도 이화여대 수시 논술 (인문 II)

[1 ~ 2] 다음 글을 읽고 물음에 답하시오.

[가] 순자는 인간의 본성을 악하다고 했습니다. 그러면 무슨 근거로 인간의 본성을 악하다고 한 것일까요? 순자도 맹자와 마찬가지로 인간의 본성을 선천적인 것으로 규정합니다. 본성이란 배우거나 노력해서 만들어지는 것이 아니라는 것입니다. 그렇지만 인간의 도덕적인 측면에 주목한 맹자와 달리 순자는 배고프면 먹고 싶고, 추우면 따뜻하게 하고 싶고, 피곤하면 쉬고 싶은 인간의 자연적이고 생리적인 욕구에 주목했습니다. 이 욕구는 귀가 좋은 소리를 듣고 싶어 하고 눈이 좋은 빛깔을 보고 싶어 하는 것 같은, 감각 기관의 이기적 욕구와도 통합니다. 순자는 이러한 생리적 욕구를 바탕으로 한 이기심이 누구에게나 있다고 생각했습니다. 그리고 이 욕구대로 간다면 다툼이 생길 수밖에 없다는 것입니다. 순자가 볼 때 이러한 인간의 본성이 그대로 나타난 것이 춘추 전국 시대의 혼란이었습니다. (중략)

순자가 인간의 본성을 악하다고 보았다고 해서 본성대로 살자고 한 것은 아닙니다. 그에게는 의지적 실천을 통해 본성이 가져올 악한 결과를 어떻게 변화시켜 나갈 것인가가 문제였습니다. 그런 점에서 순자의 철학은 의지에 기초한 실천 철학이라고 할 수 있습니다. 순자는, 인간의 본성을 착하다고 한 맹자의 주장은 본성을 제대로 알지 못한 것이라고 비판합니다. 사람의 타고난 본성과 후천적인 의지에 따른 노력을 구분하지 못한 것이라는 지적입니다. 그리고 맹자의 말대로 본성이 본래 착한 것이라면, 현실의 인간은 대부분 태어나면서 바로 자신의 착한 본성을 잃어버리게 되는 셈이라고 비판합니다. (중략)

순자는 어떤 사람인가를 구분하지 않고 모든 사람의 본성이 악하다고 합니다. 가장 훌륭한 사람의 표본이었던 요순의 본성과 가장 악한 사람의 표본이었던 걸 임금이나 도척의 본성이 같다고 보았습니다. 순자가 같다고 본 본성은 당연히 생리적 감각적인 본성입니다. 그렇다면 도덕성은 본성 자체에서 나오는 것이 아니므로 현실에서 이루어지는 노력의 결과인 셈입니다.

[나] 세력 균형 전략은 외부 세력이 침략 의도를 갖지 못하도록 힘의 균형이 존재해야 국가 안보가 가능하다는 입장에서 군사력 증강을 중시하는 전략이다. 이러한 전략은 국제 사회에 대한 현실주의를 반영하고 있다. 현실주의는 인간과 국가는 이기적인 존재이며, 국제 사회는 만인의 '만인에 대한 투쟁 상태'라고 본다. 냉전 시대 군사 동맹이 만들어진 것과 세계 각국이 핵무기를 개발하는 것 등은 세력 균형 전략의 대표적인 사례이다. 한편, 이 전략은 '안보 딜레마', 즉 자국의 안보를 위한 군사력 증강이 타국의 군사력 증강을 자극함으로써 자국의 안보를 위한 노력이 거꾸로 자국의 안보를 위협하는 상황을 초래한다는 비판을 받는다.

집단 안보 전략은 국제 규범과 국제기구를 통해 개별 국가의 안보와 국제 사회의 평화를 확보하고자 하는 전략으로서, 국제 사회에 대한 자유주의를 반영하고 있다.

자유주의는 인간과 국가가 도덕적 판단이 가능한 존재라는 점에서 국제 사회에서 보편적인 규범에 따른 행동이 가능하다고 믿는다. 이러한 인식에 따라 국제 규범을 집행할 국제기구를 설립하고 공동으로 침략국을 응징함으로써 세계 평화를 실현할 수 있다고 본다. 제 2차 세계 대전 이후 국제 연합(UN)을 설립한 것은 집단 안보 전략의 대표적인 사례이다. 한편, 이 전략은 현실 세계에서 국가들이 규범보다 이익을 추구하는 경향이 강하다는 점을 경시하고 있다는 비판을 받는다.

[다] 1967년 이스라엘은 이른바 '6일 전쟁'을 통해 이집트 영토인 시나이반도를 점령했다. 이후 두 나라는 10년이 넘게 날 선 대립을 보이다가 1978년 마침내 협상 탁자에 마주 앉았다. 시나이반도를 돌려 달라는 이집트와 이를 거부하는 이스라엘의 주장이 팽팽히 맞섰다. 자칫 협상이 결렬될 위기에 놓이기도 했지만, 이스라엘이 이집트에 시나이반도를 돌려주되 그곳을 비무장 지대로 설정하는 것으로 협상이 타결되었다. 이 협상의 핵심은 두 나라 모두 시나이반도를 원했지만 그곳을 원한 이유가 달랐던 데에 있었다. 이집트는 빼앗긴 영토를 되찾음으로써 명예를 회복
하길 바랐고, 이스라엘은 다른 나라들의 공격에 대비할 수 있는 완충 지대로 시나이반도를 원했던 것이다. 따라서 시나이반도를 소유권과 사용권으로 나누어 이집트가 시나이반도의 소유권을 갖되 사용권은 포기하는 것으로, 양측 모두가 만족하는 타협안을 이끌어 낼 수 있었다. (중략)

서로가 만족하는 타협안을 이끌어 내기 위해서는 상대방을 '적'이 아니라 해결 방안을 함께 모색하는 동료로 바라보아야 한다. 또한 승리 아니면 패배라는 적대적 태도보다는 모두가 승리할 수 있다는 협력적 태도로 협상에 임하는 것이 바람직하다. 자신이 원하는 것을 얻으려면 상대방이 필요로 하는 것을 주어야 한다. 자신에게 아무런 이익이 없는 제안을 받아들일 사람은 없기 때문이다. 이를 위해서 상대방의 주장과 요구를 경청하고 역지사지(易地思之)의 태도로 상대방을 이해하려고 노력해야 한다.

[라] 아래의 표는 대학교 대학원의 지원자 대비 합격자의 비율에 관한 정보이다. A 대학교의 대학원에는 사회과학대학원, 공학대학원, 인문대학원만 있으며, 대학원 입학전형은 각 단과대학별로 진행된다.

<표 1> 대학원 전체

	남학생	여학생
지원자	1,900명	1,950명
합격자	390명	190명
합격률	20.5%	9.7%

<표 2> 사회과학대학원

	남학생	여학생
지원자	190명	1,300명
합격자	10명	70
합격률	5.3%	5.4%

<표 3> 공학대학원

	남학생	여학생
지원자	1,230명	120명
합격자	300명	30명
합격률	24.4%	25.0%

<표 4> 인문대학원

	남학생	여학생
지원자	480명	530명
합격자	80명	90명
합격률	16.7%	17.0%

[마] 우리는 매일 엄청난 양의 데이터가 생산 수집되는 세상에 살고 있으며, 이 데이터에서 가치 있는 정보를 발견하고 이를 체계적인 지식으로 변환하기 위해 데이터를 분석하는 것이 매우 중요해졌다. 바위나 모래에서 금을 채굴하듯이 데이터에 내포된 지식을 채굴하는 것을 '데이터 마이닝(data mining)' 이라고 하는데 이를 위해서 다양한 분석 도구가 필요하게 되었다. 데이터 마이닝은 대용량 데이터로부터 유용한 패턴이나 관계를 발견하는 과정으로, 일반적으로 데이터 마이닝 패턴들은 요구 사항과 문제의 성격에 따라 예측, 연관, 군집으로 구분한다. 데이터 마이닝은 데이터 집합에 존재하는 속성들 간의 패턴을 확인하는 모형을 만드는데, 이때 모형은 속성들 간에 존재하는 관계를 밝히는 수리적 표현을 이른다. 데이터 마이닝의 방법 중에서 군집 분석은 항목, 사건, 개념 등을 군집이라고 하는 공통된 집단들로 분류하는 것으로, 인간의 자연스러운 추론 과정을 반영한 분석법이다.

군집 분석은 범주에 관한 정보가 주어지지 않으므로 객체들 사이의 유사성에만 의존하여 비슷한 객체들끼리 군집화하는 방법이다. 군집화(clustering)는 데이터 분석에서 물리적 혹은 추상적 객체들을 서로 비슷한 객체끼리 군집을 형성하여 그룹화하는 것이다. 군집은 같은 군집 내의 객체들과는 유사하고, 다른 군집의 객체들과는 상이한 객체들의 집합이다. 또한 군집은 여러 응용에서 집합적으로 하나의 그룹으로 여겨지거나 객체들의 요약으로 간주 되기도 한다. 군집은 대규모 데이터 집합을 유사성에 따라서 그룹들로 분할한 것이기 때문에 데이터 분할이라고도 한다. 이때 유사성 정도는 대상을 정의하는 속성값을 통해 계산하는데, 주로 거리가 가까운 객체들끼리 묶는 거리 측정법을 사용한다. 이러한 군집 분석은 데이터의 분포에 대한 지식을 얻고, 각각의 군집의 특징을 관찰하거나, 추가적인 분석을 위해 특정 군집 집합에 초점을 맞추기 위한 도구로 사용된다.

제시문 [가] ~ [다] 를 읽고 다음 물음에 답하시오. [40점]

(1) 제시문 [가]에 나타난 맹자와 순자의 관점에서 제시문 [나]의 현실주의의 타당성을 각각 평가하시오. [20점]

(2) 국제 평화를 이루는 방법과 관련하여 제시문 [나]의 집단 안보 전략과 제시문 [다]의 주장을 대조하시오. [20점]

2. 제시문 [라]~ [마]를 읽고 다음 물음에 답하시오. [30점]

(1) 제시문 [라]에서 <표 1>의 대학원 전체 합격률을 보면 남녀 간 현격한 차이가 있음을 알 수 있다. 그러나 대학 당국은 <표 2>, <표 3>, <표 4>를 근거로 대학원 입학전형 과정에서 남녀 차별은 없었다고 판단하였다. 그와 같이 판단한 이유를 제공된 숫자를 이용하여 분석하시오. [15점]

(2) 제시문 [라]의 불일치 현상을 해석하는 방법에 근거하여 제시문 [마]에 기술된 '군집 분석'의 유용성을 설명하시오. [15점]

3. 다음 글을 읽고 물음에 답하시오. [30점]

[I] 국가의 밀가루 시장에서 수요 곡선은 $Q_d = 12 - P$이고 공급 곡선은 $Q_s = P$이며, 아래의 〈그림 1〉과 같다. Q_d와 Q_s는 각각 가격 P에서의 시장의 수요량과 공급량을 의미한다. 현재 A국 정부는 밀가루에 대하여 자급자족 정책을 시행하고 있으며, 균형 가격과 균형 거래량은 점 (P*,Q*)이다. 수요 곡선 및 공급 곡선에는 변동이 없으며, 국제 밀가루 가격은 단위당 4원으로 일정하다고 가정한다.

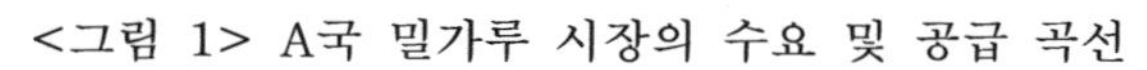
<그림 1> A국 밀가루 시장의 수요 및 공급 곡선

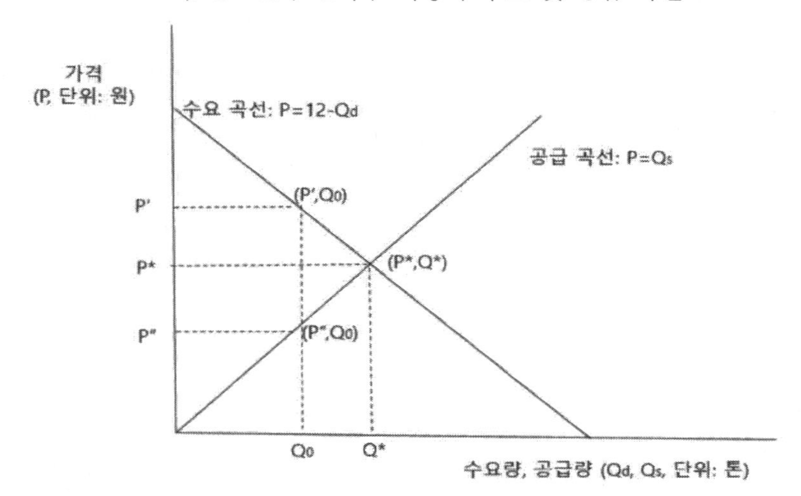

[II] 소비자는 누구나 어떤 재화나 서비스를 구입함으로써 얻는 효용만큼의 금액을 지불할 용의가 있다. 소비자가 어떤 재화나 서비스를 구입하기 위해 지불할 용의가 있는 최고 금액에서 실제로 지불한 가격을 뺀 나머지 금액을 소비자 잉여라고 한다. 예를 들어, 〈그림 1〉의 수요 곡선 위의 점 (P', Q_0)에서 소비자 잉여는 지불할 용의가 있는 최고 금액 P'과 균형 가격 P^*의 차액이다. 수요 곡선은 소비자의 효용을 반영하므로, 수요 곡선 상의 가격은 소비자가 어떤 재화를 구입하기 위해 지불할 용의가 있는 최고 금액을 나타낸다. 시장에 참여한 소비자 전체가 얻는 소비자 잉여는 수요량 Q_0가 0에서 Q^*까지 변할 때 각 수요량에서의 소비자 잉여를 모두 더한 것이므로 수요 곡선과 시장 균형 가격 사이의 면적이 된다.

생산자들은 누구나 어떤 재화나 서비스를 판매할 때 최소한 받고자 하는 금액이 있다. 그 재화를 생산하기 위하여 들어간 생산비 때문이다. 생산자가 어떤 재화나 서비스를 공급하면서 실제로 받은 가격에서 최소한 받고자 하는 금액을 뺀 나머지를 생산자 잉여라고 한다. 예를 들어, 〈그림 1〉의 공급 곡선 위의 점 (P'', Q_0)에서 생산자 잉여는 균형 가격 P*에서 최소한 받고자 하는 금액 P''의 차액이다. 시장 공급 곡선은 생산자의 생산비를 반영하므로, 공급 곡선상의 가격은 생산자가 어떤 재화를 공급하면서 최소한 받고자 하는 금액을 나타낸다. 시장에 참여한 생산자 전체가 얻는 생산자 잉여는 공급량 Q_0가 0에서 Q^*까지 변할 때 각 공급량에서의 생산자 잉여를 모두 더한 것이므로 시장 균형 가격과 공급 곡선 사이의 면적이 된다. 소비자 잉여와 생산자 잉여의 합을 사회적 잉여라고 한다.

(1) 자급자족 정책 하에서 A국의 밀가루 균형 가격(P^*)과 균형 거래량(Q^*)을 구하시오. [8점]

(2) 자급자족 정책을 고수하던 A국 정부는 특별한 무역장벽 없이 밀가루를 국제 가격으로 수입하기로 결정하였다. 자유 무역 정책 하에서의 균형 가격, 균형 거래량, 생산자 잉여, 소비자 잉여 및 사회적 잉여를 구하시오. [12점]

(3) 자급자족 정책을 고수하던 A국 정부는 국내 밀가루 가격을 낮추기 위하여 최고가격제 시행을 결정하고 최고 가격을 단위당 4원으로 설정하였다. 최고 가격제 하에서의 소비자 잉여, 생산자 잉여 및 사회적 잉여를 구하고, 자유 무역 정책 하의 결과와 비교하시오. [10점]

이화여자대학교
EWHA WOMANS UNIVERSITY

모집단위

수험번호									
0	0	0	0	0	0	0	0	0	0
1	1	1	1	1	1	1	1	1	1
2	2	2	2	2	2	2	2	2	2
3	3	3	3	3	3	3	3	3	3
4	4	4	4	4	4	4	4	4	4
5	5	5	5	5	5	5	5	5	5
6	6	6	6	6	6	6	6	6	6
7	7	7	7	7	7	7	7	7	7
8	8	8	8	8	8	8	8	8	8
9	9	9	9	9	9	9	9	9	9

생년월일 (예 : 050512)					
0	0	0	0	0	0
1	1	1	1	1	1
2	2	2	2	2	2
3	3	3	3	3	3
4	4	4	4	4	4
5	5	5	5	5	5
6	6	6	6	6	6
7	7	7	7	7	7
8	8	8	8	8	8
9	9	9	9	9	9

논술답안지

※감독자 확인란

성명

【유의사항】
1. 답안 작성 시 문제번호와 답안번호가 일치하도록 알맞은 칸에 작성하여야 한다.
2. 답안 작성 시 필요한 경우에 수식 및 그림을 사용할 수 있다.
3. 필기구는 반드시 검은색 필기구만을 사용하여야 한다. (검은색 이외의 필기구로 작성한 답안은 모두 최하점으로 처리함)
4. 문제와 관계없는 불필요한 내용이나, 자신의 신분을 드러내는 내용이 있는 답안 및 낙서 또는 표식이 있는 답안은 모두 최하점으로 처리한다.
5. 답안은 반드시 정해진 답안작성란 안에만 작성하여야 한다. (답안작성란 밖에 작성된 내용은 채점 대상에서 제외함)

문항 【1】 **반드시 해당 문항의 답을 작성해야 함**

이 줄 아래에 답안을 작성하거나 낙서할 경우 판독이 불가능하여 채점 불가

이 줄 위에 답안을 작성하거나 낙서할 경우 판독이 불가능하여 채점 불가

문항 【2】 반드시 해당 문항의 답을 작성해야 함

문항 【3】 반드시 해당 문항의 답을 작성해야 함

이 줄 아래에 답안을 작성하거나 낙서할 경우 판독이 불가능하여 채점 불가

7. 2023학년도 이화여대 모의 논술 (인문 Ⅰ)

[1~3] 다음 글을 읽고 물음에 답하시오.

[가] 사람들은 타인을 특정 집단의 성원으로 여기는 사회 범주화를 하게 되면 그 사람에 대한 판단을 할 때 그 집단에 대한 고정관념이나 도식, 정서 등을 적용하고, 자신을 특정 집단의 성원으로 범주화하게 되면 그 집단의 특성을 자기에 적용한다. 어떤 식으로든 편이 갈리면 사람들은 어느 편이냐에 따라 차별적인 태도를 보인다. 사회 심리학자 타지펠은 이러한 차별 현상에 대해 연구하여 '사회 정체감 이론'을 정립하였다. (중략)

내집단은 자기 자신이 소속해 있으면서 그 집단의 구성원과 자신을 동일시하는 집단이다. 이러한 내집단을 외집단과 구분하는 것은 내집단에 대한 차별적 편애 현상을 초래한다. 이는 타지펠의 최소 집단 상황 실험을 통해 확인할 수 있다. 실험에서는 피실험자들을 점의 숫자를 많이 추정한 사람과 적게 추정한 사람으로 구분한다고 하고 자막에 찍힌 점의 숫자를 세는 과제를 주었다. 그런데 실제로는 과제 수행 결과와 관계없이 임의로 피실험자들을 집단에 배정했다. 같은 집단에 속한 사람들은 만난 적이 없고, 만날 기대도 하지 않는 관계이다. 이른바 '최소 집단 상황'이라고 불리는 이 상황에서 피실험자들로 하여금 자기 집단의 성원 한 명과 상대 집단 성원 한 명에게 돈으로 환산되는 점수를 부여하도록 했다. 이 결과 피실험자들 중 84%가 자기 집단 성원에게 상대 집단 성원보다 많은 점수를 부여했다. 이에 대해 내집단 성원과는 교류 가능성이 높고 우호적인 행위가 관계 증진에 도움이 될 것이기 때문에 내집단 선호 경향이 나타난다는 설명이 있을 수 있는데, 이와 같은 설명은 최소 집단 상황에는 적용하기가 곤란하다.

타지펠은 사람들이 자신의 개인적 모습에 자긍심을 갖고 싶어 하는 것과 마찬가지로 자신의 사회적 모습에서도 자긍심을 얻고자 하기 때문에 교류 가능성이 없는 최소 집단 상황에서도 내집단에 대한 차별적 편애 현상이 일어난다고 설명한다.

[나] 먼젓번 한국 슈퍼에 들러 액젓이며 마른 고사리를 사던 날, 연주는 지겨운 한식 대신 마라탕을 즐기자며 나를 이 가게로 끌고 왔다. 어느새 연주는 아주 그 살벌하게 얼얼한 산초의 마니아가 되어 있었다.

-언니, 나 정말이지. 나중에 중국 뜨게 된다면 이 마라탕 맛이 제일 그리울 것 같애.

콧물을 훌쩍거리면서도 열심히 면발을 감아 입에 넣는 연주는 그 환상적인 맛의 지경 속에 푹 빠져서 몹시나 행복해했다.

-참, 너도 한국스럽다............

나보다도 먼저 그릇을 뚝딱 비우는 연주를 보고 있자면 나는 그녀 앞에서 넝이 된 것 같은 느낌이었다. 하고많은 중국요리들 중에서도 유난히 강하고 자극적인 매운 맛의 사천요리를 선호하는 한국인들. 어른들만 그런가? 이제 겨우 유치원생인 연주의 딸내미도 준표가 물에 씻어 먹는 김치를 그냥 밥에 얹어 먹곤 했으니.

-넌 참 좋겠다............
외할머니가 보내준 학습지로 받침 없는 한글을 거의 뗐다는 연주네 딸내미, 그 어린것이 발음하는 '표준 한국어' 억양을 들을 때마다 소위 한국어 선생님이라는 나 자신이 슬그머니 무색해지곤 했다.
-그러지 말고 준표는 한족(漢族) 유치원으로 보내지 그래? 초등학교 입학할 때는 어떡하려고?
또래 한국 애들보다는 한국말이 처지고, 동갑내기 중국 애들보다는 중국어 표현력이 부족한 준표를 놓고 내가 걱정하는 걸 지켜보더니, 남편이 한 소리 했다.
-특히 남자들이란 '빤썰(事, 일을 처리하다)'해야 할 때가 얼마나 많니? 중국 사람들이랑 같이 자라지 않으면, 중국말이 어디서 티가 나도 나는 거잖아, 에잇.
한동네 살던 친구가 우리 집에서 술을 마실 때 잠깐 흘리던 푸념에 남편도 많이 공감했던 모양이었다.
-왜? 난 언니가 부러운걸?
연주는 택배 기사가 주소를 확인하는 전화를 걸어올 때마다 한참을 버벅거리다가 나한테 휴대폰을 넘겨주며 투덜댔다.
-아, 답답해. 룽리루 후퉁(골목)…… 이봐, 나도 언니처럼 하잖아. 근데 왜 내 말은 못 알아듣는 거냐고?
닝도 가끔 내게 그런 말을 하곤 했다. 어느 금요일 저녁 우리 집에서 샤부샤부를 해먹던 날, 위성으로 한국방송을 보며 그 분위기를 깊이 즐기는 나를 신기하게 바라보면서, 어쨌든 두 나라 말을 다 하니 넌 참 좋겠다고 부러워했다.
그러나 그들이 모르고 있는 것이 하나 있었다. 나는 때로 차라리 그들처럼 한가지 말만 '제대로' 했으면 좋겠다고 생각한다는 것. 만약 그랬더라면 나는 그 둘 중의 한사람이 되었을 것이고, 준표의 학교 문제 따위를 가지고 머리를 썩일 일은 절대로 없었을 것이었다.
나는 연주와 본능적으로 많이, 아주 많이 닮아 있었지만, 같은 배경 속에서 살고 있지 않은, 곧 분화의 위기에 놓인 두 마리의 도롱뇽 같아서 도무지 같은 시각으로 함께 현실을 해석할 수 없었다. 반면 닝과 나는 애초부터 한 배경 속에서 살고 있는 오리와 닭이었다. 우리는 우리의 시대와 배경을 충분히 공감할 수 있었지만, 그럼에도 불구하고 가장 개인적인 습관과 취향을 송두리째 공유할 수는 없었다.
매번 그들과 만나고 돌아올 때면, 나는 어느 누구하고도 같지 않은 나 자신을 더 또렷이 느끼곤 했다.

[다] 묵자는 자신이 살던 당시의 중국을 마치 만인의 만인에 대한 투쟁 상태처럼 묘사하였다. 당시 중국은 전국 시대의 혼란기로, 계속되는 전쟁으로 인해 도덕 질서는 문란하고 경제 기반은 파탄이 나서 일반 백성들의 고통이 가중되는 상황이었다. 그는 사회 혼란의 원인을 사람들이 서로 사랑하지 않고 다른 사람을 해치면서 자신만 이로우면 된다는 생각을 하기 때문이라고 보고, 해결책으로 '흥리제해(興利

除害)', '겸애'(兼愛)' 를 주장했다.

'흥리재해'는 모든 사람들에게 이익을 가져오게 하는 것을 일으키고, 해로운 것을 제거해 나가는 것이었다. 여기서 '이'와 '해'는 행위의 결과로, 어떤 행위의 결과가 사람들에게 편안함 또는 경제적 부와 같이 이로움을 주면 '이'이고, 반대로 해로움을 주면 '해'인 것이다. 따라서 법과 행정이 질서 있게 운용되는 것도 '이'이고, 근검절약하며 간소히 장례를 치르는 것도 '이'가 될 수 있는 것이다. 묵자는 '이'란 의로운 것이고 사람들에게 기쁨을 주는 것이라고 보면서, '흥리제해'의 근본이 되는 가치 혹은 덕목으로 '겸애'를 제시했다.

그가 제시한 '겸애'는 사회 질서의 확립을 위한 인간 윤리 규범이면서 실천해야 할 덕목이었다. '겸애'는 자기 가족에 대한 사랑을 그 밖의 사람들에 대한 사랑보다 우선시하면서 자신과 얼마나 가까운 사람인지에 따라 사랑의 질을 달리하는 차별애(差別愛), 즉 '별애(別愛)'의 상대적 개념으로, 사람이 누구냐에 따라 차등을 두지 않고 모든 사람들을 동등하게 사랑하는 것이다. 묵자는 '겸애'에서 '애'의 의미를 더 구체화했는데, 그가 '애'가 '이'를 보장하는 데 있다고 하면서 이롭게 해 주지 못하는 것, 또는 사람들에게 이익을 주지 못하는 것은 사랑이 아니라고 하였다. 결국 묵자의 '겸애'는 천하 백성을 대상으로 한 보편적 인류애이면서, 혈연과 지연 등의 친소와는 무관한 사랑이었다.

[라] Classifying things together into groups is something we do all the time, and it isn't hard to see why. Imagine trying to shop in a supermarket where the food was arranged in random order on the shelves: tomato soup next to the white bread in one aisle, chicken soup in the back next to the 60-watt light bulbs, one brand of cream cheese in front and another in aisle 8 near the cookies. The task of finding what you want would be time consuming and extremely difficult, if not impossible.

In the case of a supermarket, someone had to design the system of classification, But there is also a ready-made system of classification embodied in our language. The word "dog." for example, groups together a certain class of animals and distinguishes them from other animals. Such a grouping may seem too obvious to be called a classification, but this is only because you have mastered the word. As a child learning to speak, you had to work hard to learn the system of classification your parents were trying to teach you. Before you got the hang of it, you probably made mistakes, like calling the cat a dog. If you hadn't learn to speak, the whole world would seem like the unorganized supermarket: you would be in the position of an infant, for whom every object is new and unfamiliar. In learning the principles of classification, therefore, we'll be learning about the structure that lies at the core of our language.

[마] 세계는 불연속적인 자극들이 끊임없이 충돌하고 상호 침투하는 혼돈의 장이지만, 우리가 이런 자극과 혼돈을 경험하는 경우는 드물다. 우리는 견고한 질서를 갖춘 일상 세계를 위협하는 것들을 감지하지 않아야 삶을 유지할 수 있기 때문이다. 그래서 인간은 삶을 지속하기 위해, 변화하는 것을 고정된 것으로, 동체를 부동체로 바꾸어 수용한다. 베르그송은 이러한 태도를 낳는 정신의 성향을 가리켜 '삶에의 주의'라 표현한다. '주의'란 분산된 정신을 한데 모아 균형을 제공하는 것으로, '삶에의 주의'는 환경에 적응하고자 정신을 집중하여 신체에 유입되는 정보를 토대로 적절한 행위를 선택하는 경향을 가리킨다. 베르그송에 따르면 '삶에의 주의'를 통해 정신이 조밀하게 응집되어야 하는데, 그렇지 않으면 무언가를 명료하게 지각하거나 위협에 대처하는 등 현재 상황의 요구에 알맞게 대응하는 것은 불가능하다. '삶에의 주의'는 인간과 같은 고등 생명체는 물론이고 아메바와 같은 하등 생명체에 이르기까지 모든 유기체들이 가진 생존 본능이다.

인간의 존재가 '삶에의 주의'에 의거하여 전체가 아닌 필요한 부분만을 취사선택하는 면모는 여러 영역에서 확인된다. 그 대표적인 예는 지각과 인식이다. 먼저 감각 기관을 통해 대상을 파악하는 지각에 대해 살펴보자. 우리는 무언가를 보고 그것이 붉은색이라거나 노란색이라고 지각하지만, 사실상 색조들은 분리 불가능하게 얽혀 변화무쌍하게 달라진다. 또한 우리는 사물을 보통 범주화하여 지각한다. 서로 다른 대상을 같은 부류나 범위로 묶어 내는 것이다. 눈앞의 컵은 다른 컵과는 다른 그 컵만의 미묘한 뉘앙스와 질감을 가지고 있음에도, 우리는 그것을 개별자가 아닌 컵이라는 일반적 대상으로 받아들인다. 이렇게 우리의 지각은 생존 및 삶의 편의를 위해 대상의 고유한 질적인 측면들을 무시해 버린다. 이성적 사유를 통해 대상을 파악하는 인식에서도 마찬가지이다. 우리는 추상화와 일반화를 통해 개념을 만들어 내며, 그렇게 만들어진 개념을 토대로 무언가를 사유하고 추론하며 판단한다. 추상화란 여러 개체들 사이에서 공통 속성을 추려내는 작업을 일컫는 것으로, 이 과정에서 개체들의 차이와 특이성은 배제되고 만다. 일반화란 추상화를 통해 추려낸 공통 속성을 공유하는 유개념을 만든 후 대상들을 그 유개념에 끼워 맞추는 작업을 일컫는 것으로서, 이때 유개념에 맞게 그 속성이 임의로 보태지기도 하고 제거되기도 하는 식으로 변형이 이루어진다. 즉, 추상화와 일반화 등 보편 법칙을 발견하는 수단으로 여겨져 온 논증 체계가 절대적인 지식을 제공하지는 못하는 것이다. 베르그송은 인간의 지각과 인식이 유용성의 논리에 복속되어 보다 용이하게 사물들을 분류하고 관리하고자 왜곡을 감행하고 있는 것뿐이라고 지적한다.

[바] 유세차(維歲次) 모년모일에 미망인 모씨는 두어 자 글로써 침자(針子)에게 고하노니, 인간 부녀의 손 가운데 종요로운 것이 바늘이로되 세상 사람이 귀히 아니 여기는 것은 도처에 흔한 바이로되, 이 바늘은 한낱 작은 물건이나 이렇듯이 슬퍼함은 나의 정회가 남과 다름이라. 오호통재(嗚呼痛哉)라, 아깝고 불쌍하다. 너를 얻어 손 가운데 지닌 지 우금(于今) 이십칠 년이라 어이 인정이 그렇지 아니하리오. 슬프

다. 눈물을 잠깐 거두고 심신을 겨우 진정하여 너의 행장(行狀)과 나의 회포를 총총히 적어 영결(永訣)하노라. (중략)

아깝다 바늘이여, 불쌍하다 바늘이여, 너는 미묘한 품질과 특별한 재질을 가졌으니, 물중의 명물이요, 철중의 쟁쟁(錚錚)이라. 민첩하고 날래기는 백대의 협객이요, 굳세고 곧기는 만고의 충절이라. 추호(秋毫) 같은 부리는 말하는 듯하고, 뚜렷한 귀는 소리를 듣는 듯한지라, 능라(綾羅)와 비단에 난봉(鸞鳳)과 공작(孔雀) 수놓을 제, 그 민첩하고 신기함은 귀신이 돕는 듯하니, 어찌 인력이 미칠 바리오. 오호통재라. 자식이 귀하나 손에서 놓일 때가 있고 비복(婢僕)이 순하나 명을 거스를 때 있나니, 너의 미묘한 재질이 나의 전후(前後)에 수응(酬應)함을 생각하면, 자식에게 지나고 비복에게 지나는지라. 천은(天銀)으로 집을 하고 오색으로 파란을 놓아 곁고름에 채였으니 부녀의 노리개라. 밥 먹을 적 만져 보고 잠잘 적 만져 보아 널로 더불어 벗이 되어, 여름낮에 주렴(珠簾)이며 겨울밤에 등잔을 상대하여, 누비며 호며 감치며 박으며 공그릴 때에 겹실을 꿰었으니 봉미(鳳尾)를 두르는 듯, 땀땀이 떠 갈 적에 수미가 상응하고, 솔솔이 붙여 내매 조화가 무궁하다. 이생에 백년 동거하렸더니, 오호애재(嗚呼哀哉)라, 바늘이여.

금년 초십일 술시(戌時)에, 희미한 등잔 아래서 관대(冠帶) 깃을 달다가 무심중간(無心中間)에 자끈동 부러지니 깜짝 놀라와라, 아야 아야, 바늘이여, 두 동강이 났구나. 정신이 아득하고 혼백이 산란하여, 마음을 빻아 내는 듯, 두골(頭)을 깨쳐 내는 듯 이윽도록 기색혼절(氣塞昏絶)하였다가 겨우 정신을 차려, 만져 보고 이어 본들 속절없고 하릴없다. 편작(扁鵲)의 신술(術術)로도 장생불사 못하였네. 동네 장인(匠人)에게 때이련들 어찌 능히 때일쏜가? 한 팔을 떼어낸 듯, 한 다리를 베어낸 듯, 아깝다 바늘이여, 옷섶을 만져 보니 꽂혔던 자리 없네. 오호통재라, 내 삼가지 못한 탓이로다.

[사] 현대 사회에서의 소비는 과거와는 달리 단지 부족함을 채우기 위한 물질적인 소비 그 이상의 의미를 지닌다. 즉 사회적 이미지나 상징 등과 같은 비물질적인 요소를 포함하게 되면서 유행을 따르거나 상품 구매를 통해 자신을 차별화시키는 역할을 하기도 한다. 이로 인한 현대 사회의 대표적인 소비문화의 특징은 소비주의, 과시 소비, 상징 소비, 물질주의 등으로 설명할 수 있다. (중략)

상징 소비, 과시 소비 등 현대 소비문화의 영향으로 필요 이상으로 소비가 많아지면서 자원의 고갈, 환경 파괴, 상대적 빈곤 등 다양한 소비 관련 문제가 발생하게 되었다. 오늘날 이러한 소비문화에 대한 비판이 제기되면서 각지에서 건전하고 바람직한 소비문화를 형성하기 위한 노력을 하고 있다. 특히 개인과 가족의 소비가 사회 및 환경에 미치는 영향을 이해하고 올바른 소비자 태도와 가치관을 형성하는 것이 더욱 중요해졌다. 왜냐하면, 개인의 소비 행동은 자신뿐만 아니라 사회, 문화, 환경과 밀접하게 연결되어 지역 사회와 국가에까지 영향을 미치기 때문이다. (중략)

패스트 패션이란 유행에 따라 신상품을 빠르게 생산하여 싼 가격에 판매하는 옷이다. 소비자 입장에서는 옷을 값싸게 살 수 있으니 쉽게 사고 버리면서 과소비의 원인이 되고 있으며, 이는 자원의 낭비와 환경 오염으로까지 이어지고 있다. 그렇다면 어떻게 싼 가격의 옷 생산이 가능할까? 패스트 패션의 낮은 가격은 개발 도상국의 어린 소녀가 열악한 작업 환경에서 노동 착취에 가까운 저임금의 노동을 한 덕에 가능하다. 또한 많은 물의 사용, 이산화탄소 발생 등 환경 오염을 일으키고 있지만 이에 대한 환경 분담금을 제대로 지급하지 않기에 가능한 것이다. 즉 옷의 낮은 가격은 생산성 향상으로 인해 책정된 것이 아니라 다국적 기업과 생산지인 개발 도상국 간의 불공정 거래에서 기인한다.

1. (1) 제시문 [가]의 '사회 정체감 이론'으로 제시문 [나]의 서술자가 느끼는 갈등을 서술하시오. [20점]

(2) 제시문 [다]의 나타난 묵자의 입장을 요약하고, 그 관점에서 제시문 [가]의 실험 결과에 대해 비판 하시오. [20점]

2. 제시문 [라]의 'classification'과 제시문 [마]의 '삶에의 주의'를 비교하시오. [30점]

3. 제시문 [바]와 제시문 [사]에 나타난 물건에 대한 태도를 대비하시오. [30점]

이화여자대학교
EWHA WOMANS UNIVERSITY

모집단위

수험번호									

생년월일 (예 : 050512)					

논술답안지

※감독자 확인란

성 명

【유의사항】
1. 답안 작성 시 문제번호와 답안번호가 일치하도록 알맞은 칸에 작성하여야 한다.
2. 답안 작성 시 필요한 경우에 수식 및 그림을 사용할 수 있다.
3. 필기구는 반드시 검은색 필기구만을 사용하여야 한다. (검은색 이외의 필기구로 작성한 답안은 모두 최하점으로 처리함)
4. 문제와 관계없는 불필요한 내용이나, 자신의 신분을 드러내는 내용이 있는 답안 및 낙서 또는 표식이 있는 답안은 모두 최하점으로 처리한다.
5. 답안은 반드시 정해진 답안작성란 안에만 작성하여야 한다. (답안작성란 밖에 작성된 내용은 채점 대상에서 제외함)

문항【1】 반드시 해당 문항의 답을 작성해야 함

이 줄 아래에 답안을 작성하거나 낙서할 경우 판독이 불가능하여 채점 불가

이 줄 위에 답안을 작성하거나 낙서할 경우 판독이 불가능하여 채점 불가

문항 【2】 반드시 해당 문항의 답을 작성해야 함

문항 【3】 반드시 해당 문항의 답을 작성해야 함

이 줄 아래에 답안을 작성하거나 낙서할 경우 판독이 불가능하여 채점 불가

8. 2023학년도 이화여대 모의 논술 (인문 II)

[1-2] 다음 글을 읽고 물음에 답하시오.

[가] 1950년대, 링컨의 노예 해방 선언이 나온 지 1세기가 지났지만, 미국 사회에서 흑인들의 처지는 크게 나아진 것이 없었다. 물론 경제적 형편은 전반적으로 조금 나아졌으나 사회적 차별은 여전했다. 특히 남부에서 흑인은 거의 모든 생활 영역에서 백인들에게서 완벽하게 격리되어 있었다. 백인들과는 다른 학교에 다녀야 했고, 공공장소에서도 백인들과 분리되어 따로 서 있어야 했다. 버스를 탈 때는 뒷문을 이용해야 했고, 공원의 수도꼭지는 백인과 흑인용이 구별되어 있었다. (중략)

1954년 대법원은 공립 학교 내 인종 차별 문제가 얽힌 '브라운 대 토피카 교육 위원회 사건'을 심리하게 되었다. 1950년대 흑인 민권 운동의 가장 큰 사건으로 간주되는 이 사건은 캔자스주 토피카의 초등학교 3학년이었던 흑인 소녀 린다 브라운의 아버지 올리버가 토피카 교육 위원회를 상대로 캔자스 지방 법원에 소송을 제기한 것으로, 집 앞의 백인 초등학교를 두고도 딸이 흑인이라는 까닭만으로 집에서 약 1.6킬로미터 떨어진 먼로 흑인 초등학교에 다녀야 한다는 것이 부당하다는 내용의 소송이었다. 소송이 기각될 것이라는 예상과 달리, 이 사안에 대해 판사들은 만장일치로 공립 학교 내 흑백 차별이 헌법에 어긋난다는 판결을 내렸다. (중략)

브라운 대 토피카 교육 위원회 사건에 대한 대법원의 판결은 흑인 인권 신장의 중요한 전기를 마련했다. 이런 분위기 속에서 흑인들 사이에도 정당한 대접을 받으려고 스스로 나서고 수백 년 된 흑백 차별의 사회적 관습에 용기 있게 도전해 보려는 움직임이 일기 시작했다. 그 가운데서도 로자 파크스라는 한 여인의 용기 있는 행동은 1960년대에 절정을 이룬 흑인 민권 운동의 선구와도 같았다.

로자 파크스가 살던 앨라배마주 몽고메리에서는 오랫동안 버스 좌석이 인종별로 나뉘어 있었다. 1955년 12월 1일, 한 버스에 올라탄 로자 파크스는 백인만 앉을 수 있는 맨 앞 좌석에 자리를 잡았다. 운전사와 승객들이 자리를 옮기라고 말했으나 움직이지 않았다. 로자 파크스는 곧 경찰에 체포되었다. 이 사건은 전국적으로 큰 파장을 몰고 왔다. 곳곳에서 로자 파크스의 행동을 지지하고 흑백 차별 철폐를 외치는 시위와 항의가 잇따랐다. 몽고메리에 거주하던 흑인들은 젊은 목사 마틴 루서 킹의 지도로 시내버스 안 타기 운동을 조직적으로 전개하기 시작했다. 흑인들이 시내버스 타기를 거부하고 삼삼오오 짝을 지어 시내와 교외의 길을 걸어가는 모습이 텔레비전으로 전국에 방영되었다.

미국 흑인 지위 향상 협회[NAACP]와 흑인 민권 운동가들은 로자 파크스 사건을 법의 심판대로 끌고 갔다. 그리고 1년 후 연방 대법원은 버스 내에서의 흑백 구별이 위헌이라고 선고했다. (중략)이 모든 것이 로자 파크스라는 한 여인에게서 비롯한 것이니, 개인의 작은 용기가 때로는 역사의 거대한 물줄기를 뒤바꿀 수 있는 위대한 힘이 될 수도 있는 것이다.

[나] 한 국가를 다스리는 것이 한 가정을 다스리는 것과 마찬가지인데, 하물며 한 고을에 있어서랴. 그렇다면 어찌 가정 다스리는 것을 살펴보지 않겠는가? 예를 들어 보자. 가장이 날마다 꾸짖고 성내어 자제를 매질하고 종아리 치며, 노비를 묶어 놓고 두드린다. 돈 1전을 훔치고 국 한 그릇을 엎질러도 용서하지 않으며, 심하면 쇠망치로 어깨를 치고 다듬잇방망이로 볼기를 친다. 그러나 자제들의 눈속임은 더욱 심하고 노비들의 도둑질도 더욱 늘어 간다. 온 집안이 모여 비방하여 오직 잡힐까 겁내어 상하가 서로 농간질하면서 가장을 속인다. 불쌍하게도 이 가장은 그만 외톨이가 되고, 가도(家道) 또한 어그러져 크게 어지러운 지경에 이르러 마침내 법도(法度)있는 집안의 꼴을 이루지 못하고 만다.

그런데 여기에 다른 한 가장이 있다. 그는 새벽에 일어나 세수를 마치고 의관을 정제한 다음 엄숙하고 단정히 앉아서 아침 문안을 받은 후, 그날의 할 일을 분담시켜 각자 처리하게 한다. 제대로 못하는 일이 있으면 순순히 잘 가르쳐서 깨닫게 하고, 수치가 될 만한 일이 있으면 숨겨서 드러내지 않다가 한가히 있을 때 하나씩 불러서 차근차근 경고하고 꾸짖는다. 가장이 부지런함으로 솔선하니 여러 사람들이 부지런하지 않을 수 없고, 가장이 검소함으로 솔선하니 여러 사람들이 검소하지 않을 수 없다. 가장이 공손함으로 솔선하고 청렴함으로 솔선하여 표준이 이미 바르니, 다른 사람들이 순종하지 않을 수 없다. 자제들은 모두 예쁘면서도 스스로 삼가며, 노복들은 순박하고 선량하기 그지없다. 그리하여 속이는 것이 어떻게 하는 일인지 알지 못하고, 도둑질은 어떻게 하는 짓인지도 알지 못한다. 1년이 지나도록 마당에 매질하는 소리가 없고 화목한 분위기가 문에 가득하여, 그 집에 들어가는 자는 마치 봄바람이 스치는 기분을 느끼게 된다. 거문고와 비파, 서책이 맑고 아름답지 않은 것이 없고 화초나 가축들이 모두 살지고 윤택해 보이니, 묻지 않더라도 법도 있는 군자의 집이 여기에 있음을 알 것이다.

이러한 일로 미루어 보건대, 말소리와 얼굴빛은 백성을 교화하는 일에 있어 말단이며, 형벌도 사람을 바로 잡는 일에 있어 말단이다. 수령 자신이 바르면 백성도 바르지 않을 수 없고, 수령이 스스로 바르지 않으면 비록 형벌을 내리더라도 바르지 않게 되는 것이다. 천지가 생긴 이래로 이 이치는 항상 변함이 없었으니, 어찌 잡설(說)로써 어지럽힐 수 있겠는가?

[다] 한 사회의 정치·경제와 관련된 문제는 정치적으로 접근하느냐 경제적으로 접근하느냐에 따라 보는 시각이 달라진다. 정치 논리에서는 공평성을 중시하고 경제 논리에서는 효율성을 중시하는데, 두 기준 가운데 어느 것을 더 중요시하느냐에 따라 문제 인식과 해법이 크게 달라진다.

정치 논리는 '누구에게 얼마를'이라는 식의 자원 배분의 논리로서 주로 분배 측면을 중시한다. 반면에 경제 논리는 효율성 혹은 '최소의 비용으로 최대의 효과'를 얻고자 하는 경제 원칙에 입각한 자원 배분의 논리이다.

정치 논리와 경제 논리는 일반적으로 정치인과 경제인에게서 잘 드러난다. 여기서 정치인은 사회적 의사 결정에 합법적인 권한을 갖고 있는 공직자를 말하고, 경제인은 공공 정책의 분석・진단・수립 및 평가 등을 담당하는 경제 전문가를 의미한다. 물론 사회적 쟁점에 대해 모든 정치인이 정치 논리만을 주장하거나 모든 경제인이 경제 논리만을 주장하는 것은 아니며, 경제 논리를 내세우는 정치인이나 정치 논리에 좌우되는 경제인도 있을 수 있다. (중략)

정치인은 정책을 투입의 관점에서 보는 반면, 경제인은 효과의 측면에서 본다. 경제인은 효율성 원칙에 따라 여러 가지 정책을 수립하고 예상되는 정책 효과를 기준으로 하여 그 정책의 우선순위를 정한다. 그러나 정치인의 입장에서 보자면 정책이 미래에 가져올 효과는 정확히 측정하기 어려운 반면, 어느 지역에 어떤 정책을 시행했고 어느 정도의 자원(예산)을 투입했는지는 정확히 파악할 수 있다. 따라서 정치인은 유권자에게 제시하기 쉬운 투입을 기준으로 하여 정책을 결정하는 경향이 있다.

[라] 1940년대 미국 공군에서는 전투기 운항 사고가 잦았는데, 그 원인은 전투기 조종석의 디자인이었다. 당시 전투기 조종석은 수천 명의 공군 조종사들의 신체 치수를 측정한 후 이들의 평균값을 참고하여 설계되었다. 그런데 실제 조종사들의 신체 치수와 이 평균값을 비교해 보니 평균에 딱 들어맞는 조종사들이 한 명도 없다는 사실을 발견했다. 조종사들은 자신의 몸에 맞지 않는 불편한 조종석에서 비행을 해야 했고, 이로 인한 조종 실수 때문에 사고가 빈번했던 것이다. 조종사들의 신체 치수를 보면, 키가 크고 몸무게가 많이 나가는 그룹, 키가 작고 몸무게가 많이 나가는 그룹, 키가 크고 몸무게가 적게 나가는 그룹, 키가 작고 몸무게가 적게 나가는 그룹으로 나누어졌으며, 전체 평균은 각 객체의 실제 값과는 큰 차이가 있었다.

[마]

<그림> 연령별 코로나-19 사망률

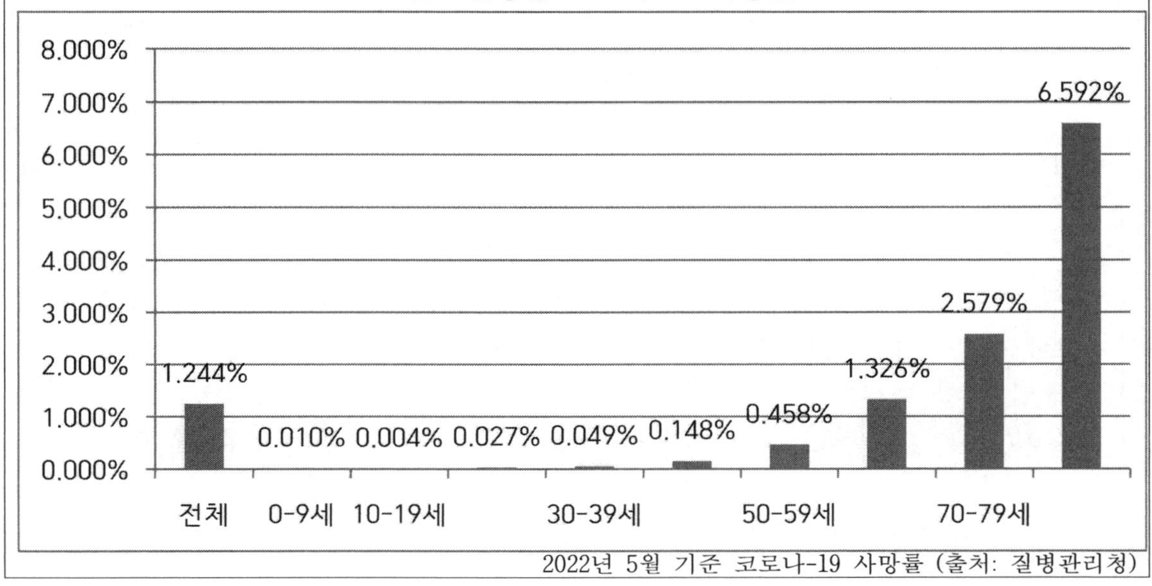

2022년 5월 기준 코로나-19 사망률 (출처: 질병관리청)

<표> 코로나-19 이후 소득 5분위별 소득 및 소비지출 증가(단위: 천원)

	소득 증가	소비지출 증가	소득 증가-소비지출 증가
전체	4,729	2,544	2,185
1분위	1,142	1,178	-36
2분위	2,647	1,736	911
3분위	4,018	2,355	1,663
4분위	5,792	3,088	2,704
5분위	10,037	4,361	5,676

전년 동기 대비 2021년 3/4분기 통계 (출처: 통계청)

1. (1) 제시문 [가]와 [나]에 나타난 사회 변화의 동인을 비교하시오. [20점]

(2) 제시문 [다]에 나타난 정치 논리와 경제 논리를 바탕으로, 제시문 [가]의 '브라운 대 토피카 교육위원회 사건'에 대한 판결을 평가하시오. [20점]

2 제시문 [라]에 나타난 문제의식에 입각하여, 제시문 [마]의 그림과 표에 제공된 통계치를 해석하여 서술하시오. [30점]

3. 다음 글을 읽고 물음에 답하시오. [30점]

총수요는 일정 기간 동안 모든 경제 주체들이 구입하고자 하는 한 나라에서 생산된 재화와 서비스의 시장가치의 합을 말한다. 총수요는 국내 총생산을 구성하는 지출항목인 소비, 투자, 정부지출 및 순수출을 합한 것이다. 총수요는 시장의 수요 곡선처럼 물가 수준과 반대방향으로 움직인다. 그러나 총수요는 시장의 수요와는 성격이 다르다. 시장의 수요는 하나의 상품에 대해 일정한 가격에서 각각 소비자가 구입하고자 하는 수요량의 관계를 나타낸다. 하지만 총수요는 하나의 상품이 아니라 한 나라에 공급된 전체 상품에 대한 것이다. 이에 따라 가격도 하나의 상품에 대한 가격이 아니라 한 나라의 물가 수준을 의미한다. 총수요 곡선은 가계, 기업, 정부, 외국 부문의 국내 총생산물에 대한 수요량과 물가 수준 간의 관계를 나타낸다. 총수요 곡선은 우하향하는데, 이는 물가 수준과 총생산물에 대한 수요량이 반대 방향으로 움직이는 관계를 나타낸다. 물가 수준이 하락하면 총수요가 증가하며, 반대로 물가 수준이 상승하면 총수요는 줄어드는데, 이는 물가 수준의 변화에 따른 총수요 곡선 상에서의 변화이다. 한편, 총수요는 물가 이외의 요인에 의해서도 변한다. 총수요의 구성 항목인 소비, 투자, 정부지출, 순수출이 증가하면, 주어진 물가수준에서 총수요가 증가하므로 총수요 곡선이 오른쪽으로 이동하게 되며, 반대의 경우에는 총수요 곡선이 왼쪽으로 이동하게 된다.

총공급은 한 나라에서 일정 기간 동안 팔려고 하는 재화와 서비스의 시장 가치의 합을 말한다. 총공급은 그 나라가 보유한 기술 수준과 생산 비용 및 생산 요소의 양에 의해 결정된다. 따라서 총공급은 기술 수준의 발달에 따라 증가하기도 하고 노동, 자본, 자연자원이 늘어남에 따라 증가하기도 한다. 때로는 총공급이 감소하기도 한다. 예를 들어 1970년대 초에서 1980년대 초까지 두 차례 발생한 석유 파동은 생산 원가의 상승에 따른 총공급의 감소로 이어졌다. 총공급곡선은 모든 기업이 판매하고자 하는 국내 총생산물의 공급량과 물가 수준 간의 관계를 나타낸다. 총공급곡선은 우상향하는데, 이는 물가 수준과 총생산물에 대한 공급량이 같은 방향으로 움직이는 관계임을 보여준다. 물가 수준의 변화에 따른 총공급의 변화는 총공급 곡선 상에서의 이동을 의미한다. 물가 이외의 요인, 즉 기술 발전, 노동 투입의 증가, 자본의 축적, 자연 자원의 발견 등으로 생산 요소가 늘어나거나 생산 요소의 가격이 하락하여 총공급이 증가하면 총공급 곡선은 오른쪽으로 이동한다.

총수요가 총공급보다 작으면 물가 하락 압력이 발생하고, 총수요가 총공급보다 크면 물가 상승 압력이 발생한다. 결국, 총수요 곡선과 총공급곡선이 만나는 점에서 균형 국내 총생산량과 물가 수준이 결정된다.

(1) A국에서는 t년도에 전염성이 매우 강한 1급 감염병이 발생하였다. 그에 대한 대응으로 보건당국은 감염병 발생률이 일정 수준 이하가 될 때까지 긴급한 상황을 제외하고는 전 국민의 외출 금지 조치를 결정하였다. 이러한 결정이 t년도 A국의 총공급 곡선에 미칠 영향에 대하여 기술하시오. [15점]

(2) B국의 총수요를 구성하는 소비(C), 투자(I), 정부지출(G) 및 순수출(NX)은 아래와 같으며, Y는 총공급인 국내 총생산량이라고 가정하자. B국의 균형 국내 총생산량을 구하시오. [10점]

(소비) $C = 0.8Y$, (투자) $I = 90$, (정부지출) $G = 20$, (순수출) $NX = 100-0.5Y$

(3) B국의 총수요를 구성하는 소비(C), 투자(I), 정부지출(G) 및 순수출(NX)은 문항(2)와 동일하다. 만약 총공급이 200이라면, 물가 수준에는 어떤 영향을 줄 것인지 기술하시오. [5점]

이화여자대학교
EWHA WOMANS UNIVERSITY

모집단위

수험번호

생년월일 (예 : 050512)

논술답안지

※감독자 확인란

성 명

【유의사항】
1. 답안 작성 시 문제번호와 답안번호가 일치하도록 알맞은 칸에 작성하여야 한다.
2. 답안 작성 시 필요한 경우에 수식 및 그림을 사용할 수 있다.
3. 필기구는 반드시 검은색 필기구만을 사용하여야 한다. (검은색 이외의 필기구로 작성한 답안은 모두 최하점으로 처리함)
4. 문제와 관계없는 불필요한 내용이나, 자신의 신분을 드러내는 내용이 있는 답안 및 낙서 또는 표식이 있는 답안은 모두 최하점으로 처리한다.
5. 답안은 반드시 정해진 답안작성란 안에만 작성하여야 한다. (답안작성란 밖에 작성된 내용은 채점 대상에서 제외함)

문항 【1】 반드시 해당 문항의 답을 작성해야 함

이 줄 아래에 답안을 작성하거나 낙서할 경우 판독이 불가능하여 채점 불가

이 줄 위에 답안을 작성하거나 낙서할 경우 판독이 불가능하여 채점 불가

문항 【2】 반드시 해당 문항의 답을 작성해야 함

문항 【3】 반드시 해당 문항의 답을 작성해야 함

이 줄 아래에 답안을 작성하거나 낙서할 경우 판독이 불가능하여 채점 불가

9. 2022학년도 이화여대 수시 논술 (인문 Ⅰ)

[1 ~ 3] **다음 글을 읽고 물음에 답하시오.**

[가] 세잔은 대상 표면의 색이 변한다 하더라도 입체적인 구조는 변하지 않는다는 생각에서 감각적 경험과 지적 원리가 결합된 미술을 만들어 냄으로써 견고하고 영구적인 모습으로 물체들을 나타내고자 하였다. 그림이란 선·면·색의 구성으로 이루어진 조형 세계라는 관점에서 지적이며 합리주의적인 세계를 만들어 내려 한 것이다. 이런 관점에서 세잔은 "모든 자연 속의 대상은 원동, 원뿔, 구로 환원하여 나타내야 한다."라는 유명한 말을 남겼으며, 그 나름대로의 독특한 공간 구성법을 실현하였다.

그의 그림 「사과와 오렌지가 있는 정물」은 (중략) 전체적으로 안정감이 있고 화면이 꽉 찬 느낌을 준다. 그것은 세잔이 사과, 오렌지, 꽃병, 식탁보 등의 물체를 원통, 원뿔, 구 같은 기하학적 형태를 염두에 두고 그리면서 공간을 구성했기 때문이다. 한편 그림 안에서 이상하게 왜곡된 표현들도 많이 발견할 수 있다. 꽃병은 살짝 기울어져 있고, 꽃병 왼쪽의 오렌지를 담은 접시는 꽃병이나 식탁보와의 관계에서 볼 때 홀로 떠 있는 듯이 보인다. 그 밑에 있는 사과를 담은 접시는 비스듬히 세워져 있어 금방이라도 사과들이 굴러떨어질 것만 같다. 그리고 식탁보 밑 왼쪽 탁자 면과 오른쪽 탁자 면의 높이가 맞지 않아 마치 두 개의 탁자가 있는 것처럼 보이기도 한다. 이러한 이상한 점들은 모두 종전의 원근법적 그림들이 지켜온 규칙으로부터 벗어났기 때문이다. 세잔은 원근법적 그림에서처럼 어떤 하나의 대상에 중심을 두고 다른 대상들을 통일하여 나타내지 않았다. 대신 각각의 물체를 충실하게 묘사해서 전체적으로 견고하고 안정감 있으며 꽉 찬 느낌을 주었다. 그렇기 때문에 이 그림에서는 어떤 하나의 물체가 두드러지지 않는다. 원근법이 우리의 시점과 시선을 중심으로 화면 안의 통일성을 나타내는 방법이라면, 세잔의 그림은 대상이 되는 물체를 중심으로 공간을 구성하는 방법을 사용했다.

[나] 어떤 관상가가 장님을 보고서는 다음과 같이 말하였다. "눈이 밝겠소." 민첩하여 잘 달리는 자를 보고서는 다음과 같이 말하였다. "절뚝거리며 제대로 걸을 수도 없겠소." 아름다운 여인을 보고서는 다음과 같이 말하였다. "아름답기도 하고 추하기도 할 것이오." 세상 사람들이 너그럽고 인자하다고 하는 사람을 보고서는 다음과 같이 말하였다. "많은 사람을 아프게 할 사람이군요." 당시 사람들이 잔혹하기 이를 데 없다고 하는 사람을 보고서는 다음과 같이 말하였다. "많은 사람의 마음을 기쁘게 할 사람이군요."

그가 관상을 보는 것이 모두 이와 같았다. 재앙이나 복이 생겨나는 까닭을 말할 수 없을 뿐만 아니라 상대방의 얼굴과 행동거지를 살피는 것이 모두 반대였다. 그래서 대중들은 사기꾼이라 시끄럽게 떠들며 그를 잡아다가 심문하여 그의 거짓말을 취조하려 하였다. (중략) "요염한 자태와 아름다운 얼굴을 엿보아 만지게 하고,

진기하고 좋은 물건을 보고서 그것을 탐하게 하며, 사람을 의혹되게 하고 사람을 왜곡되게 하는 것은 눈입니다. 이 때문에 뜻밖의 치욕을 당하게 된다면 눈이 밝지 않은 사람이 아니겠습니까? 오직 장님만이 담박하여 탐내지도 않고 만지지 않아 온몸에서 치욕을 멀리하는 것이 현각자(賢覺者)보다 뛰어나기에 '눈이 밝다.'라고 하였습니다. 민첩하면 용기를 숭상하고 용기가 있으면 대중을 능멸하여 끝내 자객이 되거나 간악한 우두머리가 됩니다. 이렇게 되면 정위(廷尉)*가 체포하고 옥졸이 가두어서 발에는 족쇄를 차고 목에는 칼을 쓰게 되니, 비록 달아나려 한들 가능하겠습니까? 그래서 '절뚝거리며 제대로 걸을 수 없겠다.'라고 하였습니다. 무릇 색이라는 것은 음탕하고 사치한 사람이 보면 보석처럼 아름답게 여기고, 단정하고 순박한 사람이 보면 진흙처럼 추하게 여기기 때문에 '아름답기도 하고 추하기도 하다.'라고 하였습니다. 이른바 인자한 사람이 죽었을 때에는 수많은 백성들이 그를 사모하여 어머니를 잃은 아이처럼 슬프게 울기 때문에 '많은 사람을 아프게 할 사람이다.'라고 하였습니다. 잔혹한 사람이 죽으면 거리마다 노래를 부르고 양고기와 술을 먹으며 축하하면서 연신 웃느라 입을 닫지 못하는 사람도 있고, 손이 아프도록 손뼉을 치는 사람도 있기에 '많은 사람을 기쁘게 할 사람이다.'라고 하였습니다."

*정위(廷尉): 중국 진(秦)나라 때부터 형벌을 맡아보던 벼슬

[다] 미학에서 '닮음'을 뜻하는 단어인 '유사성(resemblance)'과 '상사성(similitude)'의 구별에는 중요한 철학적 함의가 깔려 있다. 철학자 푸코는 유사성과 상사성을 구분해서 설명하였는데 유사성은 원본을 전제로 하는 한에서 그 원본과의 가까움을 말하고 상사성은 원본이 존재하지 않고 각 존재들 사이의 같음과 다름이 있을 뿐이라고 말한다. 즉 유사성이 현 전의 형이상학 - 원본과 복제, 대상과 표상, 실재와 사유의 일치-을 전제한다면, 원본이 없는 복제인 상사성은 근대적 형이상학의 붕괴를 함축한다. 원본이 없다면, 그것을 증언해야 할 인식론적 의무도 사라진다. 그래서 유사성의 개념이 세계에 대해 유일하게 올바른 객관적 기술이 존재한다는 믿음을 전제한다면, 상사성의 개념은 그런 절대적 기술이란 존재하지 않으며, 존재하는 것은 오직 조금씩 차이를 내는 다양한 해석들의 놀이뿐이라는 믿음 위에 서 있다.

유사성이 19세기까지 이어져 온 근대 의식 철학의 주된 원리라면, 상사성은 그것을 대체한 현대 언어 철학의 원리라 할 수 있다. 하지만 유사성과 상사성은 이렇게 두 시대 사유의 이미지에 그치는 것이 아니라, 동시에 서로 다른 두 시대 회화의 이미지이기도 하다. 르네상스에서 19세기까지 유럽의 전통 회화는 자연의 모방을 추구해 왔다. (중략) 하지만 오늘날의 회화는 그림 밖의 원본을 재현할 의무를 지지 않는다. 형과 색은 닮음에서 벗어나 자유로이 유희하고, 설사 닮음이 있어도 그 닮음은 유사성, 즉 모델과 복제 사이의 닮음이 아니라, 원본 없는 복제들 사이의 닮음이 된다.

[라] Smart farming, which uses ICT in agriculture, includes things like drones, robots, and big data. It is revolutionizing how farmers do their jobs. (중략) Sensors attached to cows check their temperature, movement, behavior, and so on. When changes are observed, the sensors send a message to the farmer's phone or computer. For example, these sensors are being used to detect if an animal's back legs begin to lower, which is one of the first signs of illness. They can also sense if a cow is pregnant. This technology saves farmers dozens of hours a week that would otherwise be spent closely monitoring each cow. It also saves money for vets' bills by allowing farmers to deal with cows' illnesses before they get too serious. It goes without saying that using sensors to monitor the health of individual cows lets them live longer, healthier lives, and also improves milk production.

Smart farms take all the information from drones and animal sensors and collect it in the cloud. The information can be analyzed and then presented to farmers in a practical way. Based on the analyzed data, the farmers make informed decisions about an animal, a field, or the entire farm. The farmers' decisions are programmed into agribots and smart tractors immediately. The more data there are about conditions on the farm, the more accurate the decisions will be, making the farm more efficient and profitable.

[마] 지속 가능한 발전이란 현세대의 필요를 충족시키기 위하여 미래 세대가 사용할 경제·사회·환경 등의 자원을 낭비하거나 여건을 저해하지 않으면서 조화와 균형을 이루는 것을 말한다. 따라서 현재의 세대가 풍요로울 수 있으면서도 미래 세대가 보존된 환경 속에서 그들의 욕구를 충족시키며 발전을 지속할 수 있는 방안을 모색해야 한다. 지속 가능한 발전은 초기에는 경제와 환경 문제에 초점을 맞추었으나 점차 경제 성장, 환경 보전, 사회 안정과 통합이 균형을 이루는 발전을 뜻하는 총체적인 의미로 확장하였다. 이러한 지속 가능한 발전이 가능하려면 인구 증가와 경제 성장이 인류가 지구상에서 안전하고 지속하여 살 수 있는 환경 영역을 의미하는 지구 위험 한계선을 넘지 않아야 하며, 이를 위해서는 경제 성장, 환경 보전, 사회 안정 및 통합이 균형을 이루어야 한다. 그렇다면 지속 가능한 발전을 위해 어떤 노력이 필요할까?

먼저 경제적 측면에서는 지속할 수 있고 안전한 에너지 체계 구축을 위한 신·재생 에너지의 보급 확대를 위한 제도를 들 수 있다. 신·재생 에너지란 기존의 화석 연료를 변환하여 이용하거나 햇빛, 물, 바람, 지열 등 재생 가능한 에너지를 변환하여 이용하는 에너지를 말한다. 오늘날 세계 각국은 화석 연료를 대체할 신·재생 에너지를 개발하고 공급하기 위한 다양한 제도적 장치를 마련하고 있다. 우리나라도 신·재생 에너지 공급 의무화 제도, 신·재생 에너지의 설비 생산 및 설치를 위한 금융 지원 제도 등을 시행하고 있다. 환경적 측면에서 온실가스를 감축하기 위한 제도를 들 수 있다. 온실가스로 야기된 기후 변화에 대응하기 위해 세계 각국은 국제 협약을 체결하고 온실가스의 배출량을 감축하기 위해 노력하고 있다. 우리 정부도 세계적 흐름에 따라 온실가스 배출권 거래제를 시행하고 있다. 사회적 측면에서는 사회 계층 간 통합을 위한 사회 취약 계층 지원 제도를 들 수 있다. 지속 가능한 발전은 경제 성장 및 환경 보존과 더불어 사회가 균형 있게 성장하는 포괄적이고 총체적인 성장이라는 점에서 사회 발전과 통합을 위한 노력이 필요하다. 이를 위해 우리 정부는 기초 생활 보장 제도, 주거 및 보건 의료 등에서 다양한 사회 복지 서비스를 시행하고 있다.

[바] 예술 작품의 의미를 어떻게 보는지에 따라 다양한 예술 해석의 방법이 존재한다. 먼저 일원론은 예술 작품이 지니고 있는 의미에 대해 참인 해석이 다수일 수 없으며, 그 의미가 고정되어 있다는 입장이다. 일원론을 주장하는 대표 학자인 비어즐리는 예술 작품 속에 내재되어 있지만 드러나지 않는 의미를 발견하여 전달하는 작업을 해석이라고 말한다. 그에 의하면 예술 작품의 의미는 작가의 의도가 아니라 작품 자체가 지닌 의미이다. 또 해석이란 작품에서 발견되는 의미를 객관적으로 전달하는 것이지 해석자 자신이 무언가를 그 작품에 투사하는 것이 아니다. 그는 예술 작품의 내부와 외부에 엄격한 구분이 있다고 전제하면서 작품 외부에 있는 것을 그 작품에 연관시켜 설명하는 것을 '해석'이 아니라 '부과'라고 주장했다. 예컨대 「잭과 콩나무」를 사회 반영론적 우화로 읽는 것이나, 「이상한 나라의 앨리스」를 심리학적 우화로 읽는 것을 해석이 아니라 부과라고 하였다. 이처럼 부과는 작품의 내용이 어떻게 취급되어야 하는가에 대해 외부에서 연상되는 의미를 첨가한 것이다.

해석의 절대적 고정성을 부인하는 다원론에서는 예술 작품의 해석에 대한 비어즐리의 견해가 실상 단순히 예술 작품에서 발견한 것을 '보고'하는 기술에 불과하다며 비판했다. 다원론자들은 예술 작품의 의미는 다양하므로 목적에 따라, 또는 어떠한 해석적 배경이나 개념 틀을 가지느냐에 따라 상대적으로 다수의 수용 가능한 해석이 가능하다는 입장을 지녔다. 다원론자인 스테커에 따르면 하나의 예술 작품은 다양한 목적에 의해 다르게 해석될 수 있다. 때로는 역사적 관점으로 작품이 해석되기도 하고, 작품에 대한 수용자의 감상 차원, 혹은 전체적인 가치를 극대화하는 관점으로 해석될 수도 있다.

[사] 오 년 전 그가 처음 오브제로 선택한 뿌리는 단풍나무 뿌리였다. 그즈음 우리는 사 년째 진전 없는 연인 관계를 이어오고 있었다. (중략)

뿌리가 손을 떠오르게 한다고 나는 언젠가 그에게 고백한 적이 있다. 한 여인의 손을 떠오르게 한다고, 실은 모든 뿌리가 다 그녀의 손을 떠오르게 한다고. 어릴 때 고모할머니가 서너 해 우리 집에 들어와 살았던 적이 있었다. 그녀에게 따로 내어줄 만큼 방이 넉넉하지 않아서 나는 그녀와 한방을 써야 했다. 할아버지를 비롯해 가족들이 그녀의 존재를 썩 달가워하지 않는다는 걸 눈치챈 데다. 그녀가 살러 들어오던 날 저녁 밥상에 올라온 감자탕에서 시래기만 가만가만 건져 먹던 그녀의 모습이 어린 내 눈에 궁상스럽게 보여서였을까. 나는 그녀와 한방을 쓰는 것이 싫었다. (중략)

그녀가 슬그머니 내 손을 잡아온 것은, 한방을 쓴 지 보름쯤 지나서였다. 팥죽을 먹은 날 밤이었다. 그녀의 손이 이불을 들추고 몰래 파고들어오는 것을 나는 고스란히 느끼고 있었다. 내가 깔고 누운 요가 사방이 트인 허허벌판이라도 되는 듯 그녀의 손이 주저하는 것을. 달걀 삶는 시간쯤 뜸을 들인 뒤에야 뜨문뜨문 템포를 고르면서 요 바닥을 더듬어오던 것을, 막상 내 손에 이르자 움찔 경직되던 것을, 냉기가 돌던 그녀의 손가락들이 내 손등을 덮어오던 것을, 깍지를 껴 오던 것을......

"깍지를 껴 올 때 내 손가락마다 뿌리가 감겨오는 것 같았어. 끈덕지게......." 탄식하는 내게 그는 포도나무 뿌리의 이미지가 떠오른다고 중얼거렸다. 그래서였을 것이다. 그가 충북 영동 쪽 포도밭으로 뿌리를 찾아 떠나면서 나와 동행한 것은, (중략)

그가 오브제로 선택하는 뿌리에는 한 가지 공통점이 있었다. 천재지변의 화를 입었거나, 개발이라는 명목하에 살던 곳에서 내쫓긴 철거민들처럼 하루아침에 굴삭기에 파헤쳐진 뿌리라는 것이었다. 하루아침에 제자리에서 들려 내쫓긴 뿌리라는 것이었다. (중략)

포도나무 뿌리를 실은 그의 왜건을 타고 영동을 벗어나, 한밤의 경부 고속 도로를 달리면서 나는 그에게 미처 못한 이야기를 해 주었다. 시간이 한참 흘러서야 고모할머니가 일본군 '위안부'였다는 사실을 알게 되었다는 걸. 그때는 그녀가 이미 세상을 떠나 그 어디에도 없었다는 것을. (중략)

남귀덕............ 중얼거리는 소리를 들었는지 그가 나를 흘끔 바라보았다. "고모할머니 이름이 남귀덕이었어." 한 번도 불러 본 적 없는 이름을 부를 일 없을 것 같던 이름을 나는 그렇게 부르고 있었다. 영동 황간면 포도밭에 다녀온 뒤로 나는 고모할머니의 손이 내 손을 슬그머니 그러잡는 착각에 사로잡히고는 했다. (중략)

며칠 전 나는 우연히 위안부 피해자에 대한 기사를 읽었다. 정부에 등록한 위안부 피해자 237명 중 182명이 사망하고 55명밖에 남지 않았다고 했다. 그 55명도 평균 나이가 88세가 넘어 머지않아 하나둘 세상을 뜰 것이라고 했다. 고모할머니가 죽은 뒤에도 가족들은 그녀가 위안부였다는 사실을 쉬쉬하는 듯했다. 할아버지를 비롯해 그녀의 일곱 형제들이 차례로 세상을 뜬 뒤로 친척들은 아무도 그녀를 애써 기억해 내려 하지 않았다. (중략)

영동에서 구해 온 포도나무 뿌리, 그 뿌리를 나는 며칠 전 다시 보았다. 경복궁 근처 백 년도 더 된 한옥을 개조해 만든 갤러리에서였다. (중략) 부엌을 개조해 만든 전시실, 공중 곡예를 하듯 허공에 위태롭게 매달려 있는 그 뿌리가 영동에서 구해 온 뿌리라는 것을, 나는 단박에 알아차렸다. 말리고, 방부제 처리를 하고, 오공

본드를 바르고, 옷을 입히는 동안 형태가 달라졌음에도 불구하고, 두 평 남짓한 전시실 입구 옆 명조체로 '남귀덕'이라고 적힌 작품명을 보았던 것이다.

나는 선뜻 전시실 안으로 발을 내딛지 못했다. 포도나무 뿌리가 드리우는 흰색으로 넘쳐나는 전시실 천장과 벽과 바닥에 포도나무 그림자가 드리워져 있었기 때문이었다. 귀기가 감도는 그 그림자 속으로 들어서면서 나는 깨달았다. 고모할머니가 이불 속을 더듬어 찾던 것은 단순히 내 손이 아니었다는 걸…… 그녀가 그토록 찾던 것은 흙이었다는 걸. 태어나고 자란 자리에서 파헤쳐져 내팽겨쳐진 뿌리와도 같은 자신의 존재……잎 한 장, 꽃 한 송이, 열매 한 알 맺지 못하고 철사처럼 메말라 가던 자신의 존재를 받아 줄 흙이었다고…… 뿌리 뽑혀 떠돌던 그녀의 존재를 그나마 내치지 않고 품어 줄 한 줌의 흙.

1. 제시문 [가] - [다]를 읽고 다음 물음에 답하시오. [40점]

(1) 제시문 [가]의 '세잔'과 제시문 [나]의 '관상가'가 보여 주는 사고의 공통점을 설명하시오. [20점]

(2) 제시문 [다]의 주요 개념을 정리하고, '유사성'의 시각에서 제시문 [가]의 '세잔'의 작품 세계를 설명하시오. [20점]

2. 제시문 [라]를 요약하고, 제시문 [라]와 제시문 [마]의 발전에 대한 관점을 대비하시오. [30점]

3. 제시문 [바]의 비어즐리와 스테커의 관점에서 제시문 [사]의 미술 작품 「남귀덕」에 대한 '나'의 생각을 각각 평가하시오. [3점]

이화여자대학교
EWHA WOMANS UNIVERSITY

논술답안지

※감독자 확인란

모집단위

성 명

수 험 번 호									
⓪	⓪	⓪	⓪	⓪	⓪	⓪	⓪	⓪	⓪
①	①	①	①	①	①	①	①	①	①
②	②	②	②	②	②	②	②	②	②
③	③	③	③	③	③	③	③	③	③
④	④	④	④	④	④	④	④	④	④
⑤	⑤	⑤	⑤	⑤	⑤	⑤	⑤	⑤	⑤
⑥	⑥	⑥	⑥	⑥	⑥	⑥	⑥	⑥	⑥
⑦	⑦	⑦	⑦	⑦	⑦	⑦	⑦	⑦	⑦
⑧	⑧	⑧	⑧	⑧	⑧	⑧	⑧	⑧	⑧
⑨	⑨	⑨	⑨	⑨	⑨	⑨	⑨	⑨	⑨

생년월일 (예 : 050512)					
⓪	⓪	⓪	⓪	⓪	⓪
①	①	①	①	①	①
②	②	②	②	②	②
③	③	③	③	③	③
④	④	④	④	④	④
⑤	⑤	⑤	⑤	⑤	⑤
⑥	⑥	⑥	⑥	⑥	⑥
⑦	⑦	⑦	⑦	⑦	⑦
⑧	⑧	⑧	⑧	⑧	⑧
⑨	⑨	⑨	⑨	⑨	⑨

【유의사항】
1. 답안 작성 시 문제번호와 답안번호가 일치하도록 알맞은 칸에 작성하여야 한다.
2. 답안 작성 시 필요한 경우에 수식 및 그림을 사용할 수 있다.
3. 필기구는 반드시 검은색 필기구만을 사용하여야 한다. (검은색 이외의 필기구로 작성한 답안은 모두 최하점으로 처리함)
4. 문제와 관계없는 불필요한 내용이나, 자신의 신분을 드러내는 내용이 있는 답안 및 낙서 또는 표식이 있는 답안은 모두 최하점으로 처리한다.
5. 답안은 반드시 정해진 답안작성란 안에만 작성하여야 한다. (답안작성란 밖에 작성된 내용은 채점 대상에서 제외함)

문항 【1】 반드시 해당 문항의 답을 작성해야 함

이 줄 아래에 답안을 작성하거나 낙서할 경우 판독이 불가능하여 채점 불가

이 줄 위에 답안을 작성하거나 낙서할 경우 판독이 불가능하여 채점 불가

문항 【2】 반드시 해당 문항의 답을 작성해야 함

문항 【3】 반드시 해당 문항의 답을 작성해야 함

이 줄 아래에 답안을 작성하거나 낙서할 경우 판독이 불가능하여 채점 불가

10. 2022학년도 이화여대 수시 논술 (인문 II)

[1 ~ 2] 다음 글을 읽고 물음에 답하시오.

[가] 사람은 다른 동물과 달리 두 개의 경쟁적인 이미지 면을 동시에 갖고 있다. 고대 이집트의 벽화가 이를 잘 보여 준다. 영국 박물관이 소장한 「늪지로 사냥을 나간 네바문」의 주인공은 지금으로부터 3,400여 년 전에 살았던 이집트의 귀족이다. 얼굴과 다리는 측면에서 본 모습을, 가슴과 눈은 정면에서 본 모습을 그린 것이다. 해부학적으로 불가능한 구성 혹은 자세지만, 이 그림뿐 아니라 고대 이집트의 벽화 대부분이 이런 식으로 그려졌다.

그 까닭은 무엇일까? 고대 이집트인들에게 인체의 일부를 작게 그려 넣는 것은 원근법에 따른 불가피한 시각적 표현이 아니라 실제의 크기를 줄여 버리는 것으로 느껴졌다. 그것은 불균형이요 파괴였다. 그들의 그림은 기본적으로 시각 상이 아니라 개념 상에 바탕을 둔 것이었기 때문이다. 시각 상이란 시각적 경험이 가져다주는 이미지다. 같은 사물이라도 보는 위치에 따라 실제보다 더 크거나 작아 보이듯 주체가 본 그대로 상을 나타낸 것이다. 반면 개념 상은 시각적으로는 모순되더라도 알고 있는 사실을 명확하게 전달하는 데 중점을 둔 이미지다. (중략)

우리나라 민화의 책거리 그림을 보면 책장이나 탁자의 앞부분과 뒷부분의 길이가 같은 것이 많다. 건물을 그린 그림도 마찬가지다. 보이는 대로 그린다면 뒷부분의 길이가 짧게 그려져야 한다. 하지만 그렇게 그리지 않은 것이 더 많았다. 이런 사례는 사람이 사는 곳이면 어디든 쉽게 볼 수 있는 현상이다. (중략) 이로부터 우리는 보이는 것을 재현하는 것이 전에 아는 것을 전달하는 데 미술의 일차적인 기능이 있음을 알 수 있다. 말이나 글처럼 말이다. 미술의 보편적인 기능은 무엇보다도 시각적 사실의 재현이 아니라 세계에 대한 앎과 이해, 느낌을 전달하는 데 있다. 이를 시각적 사실성에 의지해 표현하는 것은 그 전달을 위한 수많은 방법 가운데 하나에 불과한 것이다.

[나] 1933년에 해리 벡(Harry Beck)이 제작한 런던의 지하철 노선도는 공간의 새로운 재현을 보여 준다. 이것은 현재 통용되는 지하철 노선도의 원형으로 지도 제작의 역사에서 매우 독창적인 것으로 간주된다. 노선도의 이미지들이 이전에는 상상조차 할 수 없었던 방식으로 공간을 재현하고 있음에도 당시 사람들에게 명료하며 합리적인 것으로 인식되고 즉각 수용되었다는 것은 사람들이 경험한 특수한 시·공간 질서가 지하철 노선의 내적 논리와 공명하고 있었기 때문이다. 이것은 지도가 지리적 시·공간뿐만 아니라 사회적 시·공간을 상상하는 하나의 방식이라는 점을 생각하게 한다.

해리 벡의 런던 지하철 노선도는 그것이 재현한 지역의 실제 지리와는 무관하다는 점에서 이전의 지하철 노선도와 확연하게 구별되어 다이어그램이라고 불린다. 기하학적 형태로 구성된 템스강은 연결이라는 핵심적 역할을 하며, 작도법에 의해 존속되던 현실의 모습이 사라진 자리에는 구별하기 쉽게 배색된 노선들이 펼쳐지고 겹쳐진다. 중심은 부풀어 오르고 주변은 중심으로 쇄도한다. 백은 노선에서 지리적 요인을 완전히 무시하고 연결을 중요한 요소로 삼았다. 벡의 지도에서 공간의 물리적 거리가 완전히 무시된 것은 현대 자본주의의 시간관념을 정확하게 포착한 결과이다. 지하철역 간의 거리가 일정한 간격으로 배치된 것은 시간의 재현 논리에 따른 것이다. 중요한 것은 생산과 소비의 장소로 탑승객을 이동시키는 지하철의 속도였다. 백의 지하철 노선도는 그것이 만들어진 역사적 순간에 새롭게 부상하던 공간 관계를 정확하게 포착해 낸 것이다.

초기의 지하철 노선도들은 호수와 숲 같은 지역적 특성을 고려하여 공간에 표시했다. 즉 지리적 요인은 강조되었고 시간적 요인은 무시되었다. 반면에 벡의 지도는 지리적 공간을 재구성했다. 역들 간의 물리적 거리의 재현은 실제 장소의 지리적 공간보다는 그래픽 공간에 주목했고, 시간의 관습적 개념들, 특히 장소들 간의 시간적 관계를 무시했다. ㉠그것은 시·공간이 고정된 범주라는 관념에서 벗어나 자유롭게 시·공간을 변형해서 표현한 것이다. 장소와 장소가 연결되는 대신에 이제 점과 점이 연결되었다. (중략) 벡의 지도는 이러한 공간 구분에서 탈피하여 역(눈금)과 환승역(다이아몬드)만을 구분함으로써 지역 간의 차이들은 시간적 분명함과 균형을 위해 '표준화'되었던 것이다. 다양한 노선이 지나가는 장소들은 더 이상 지도에서 서로 구분되지 않았다. 과거에는 지하철이 지나가는 장소들의 고유한 특성이 중요했다면, 이제는 기차와 사람, 그리고 무엇보다도 자본의 흐름을 원활하게 하는 통로라는 관념이 중요해진 것이다.

[다] 과학자들은 보다 더 정확한 주기 간격을 찾기 위해 물질의 고유 진동수에 주목했다. 모든 물질은 고유의 진동수가 있는데 이는 변하지 않기 때문이다. 이러한 원리를 바탕으로 과학자들은 세슘 원자가 가진 고유의 진동수를 이용해 시간을 측정하려 하였다. 진공 상태에서 지구나 주변 물질이 만드는 자기장, 전자파 등을 차단한 뒤 세슘 원자가 91억 9,263만 1,770회 진동할 때 걸리는 시간을 시간의 기초 단위로 정의하였다. 그리고 이 정의에 맞춰 만든 시계가 '세슘 원자시계'다. 세슘 원자는 원자의 고유 진동수가 일정하면서도 빠르기 때문에 태양이나 진자의 움직임을 기준으로 한 것보다 훨씬 더 정확하게 시간을 잴 수 있다.

시계를 통해 측정되는 시간은 또 하나의 중요한 개념을 낳았다. 노동이 시간에 의해 그 대가를 지불받고, 기업가들이 분모가 시간인 공식에서 계산되어 나오는 생산성에 대해 민감해지면서, 사람들은 시간을 하나의 자원으로 인식하기 시작했다. 특히 기업가들은 기업 경영에서 시간을 '조직의 효율성과 효과성을 위해서 측정되고 조작'되어야 하는 하나의 자원으로 생각하였다. 한 조직이 주어진 양의 과업을 짧은 시간 내에 완수할수록 생산성과 효율성이 높은 조직으로 인정받기 때문에 기업가들에게 시간은 노동과 생산을 효율적으로 제어하기 위한 수단으로써 적극적으로 활용된다.

사실 기업을 경영하는 경영자는 노동자의 시간을 구매하여 생산 활동과 판매 활동에 사용함으로써 이익을 극대화한다. 따라서 경영자는 노동자로부터 구매한 시간을 효율적으로 관리하기 위해 다양한 방안을 고민하게 된다. 이에 테일러는 정밀한 작업 시간 관리의 방법으로 스톱워치법을 창안하였다. 표준화된 작업을 모범적인 노동자가 실제로 수행하게 하여 그 시간을 스톱워치로 측정하고 일정한 보정을 하여 표준 작업 시간을 설정하는 방법이다. 이를 위해 그는 하나의 작업을 위해 필요한 기본 동작을 세부적으로 나눈 후, 각각의 기본 동작에 드는 요소 시간을 측정하여 모든 노동자가 동일한 시간 동안 동일한 작업 과정을 수행하도록 하였다. 테일러에게 시간은 '돈' 그 자체였기에, 경영자가 노동자에게 사들인 시간에 합당한 가치를 얻을 수 있는 방법을 고안해 낸 것이다.

[라] 정의(情誼)는 친애와 동정의 결합입니다. 친애란 부모가 자식을 보고 귀여워서 정으로써 사랑함이요, 동정이란 자식이 당하는 고와 낙을 자기가 당하는 것같이 여김입니다. 그리고 돈수(敦壽)란 있는 정의를 더 커지게 더 많아지게, 더 두터워지게 한다 함입니다. 그러면 다시 말해서, 친애하고 동정하는 것을 공부하고 연습하여 이것이 잘되도록 노력하자 함입니다.

인류 중 불행하고 불쌍한 자 중에 가장 불행하고 불쌍한 자는 무정한 사회에 사는 사람이요. 복 있는 자 중에 가장 다행하고 복 있는 자는 유정한 사회에 사는 사람입니다. 사회에 정의가 있으면 화기(和氣)가 있고, 화기가 있으면 흥미 가 있고, 흥미가 있으면 활동과 용기가 있습니다. (중략)

우리 대한 사회는 무정한 사회입니다. 다른 나라에도 무정한 사회가 많겠지만, 우리 대한 사회는 가장 불쌍한 사회입니다. 그 사회의 무정이 나라를 망하게 하였습니다. 여러 백 년 동안에 대한 사회에 사는 사람은 죽지 못하여 살아왔습니다. 우리는 유정한 사회의 맛을 모르고 살아왔으므로 사회의 무정함을 견디는 힘이 있거니와, 다른 유정한 사회에서 살던 사람이 하루아침에 우리 사회 같은 무정한 사회에 들어오면 그는 죽고 말리라고 생각합니다. 민족의 사활 문제를 앞에 두고도 냉정한 우리 민족입니다. 우리가 하는 운동에도 동지 간에 정의가 있었던들 효력이 더욱 많았겠습니다. 정의가 있어야 단결도 되고 민족도 흥하는 법입니다. 정의는 본래 천부(天賦)한 것이언만, 유교를 숭상하는 데서 우리 민족이 남을 공경할 줄은 알았으나, 남을 사랑하는 것은 잊어버렸습니다. 또 혼상, 제사도 허례로 기울어지고 진정으로 하는 일이 별로 없습니다. (중략)

이제 한번 눈을 돌려 다정한 남의 사회를 봅시다. 그들의 가정에서는 부모가 결코 노하지 않습니다. 장난감으로 인형 같은 것을 주어 사랑하게 하고, 잘 때는 안고 키스하고 재웁니다. 식탁에서도 아이를 특별히 대우합니다. 우리 가정에서처럼 역정을 내며 먹으라고 호령하지 않습니다. 이리하여 어렸을 적부터 공포심이 조금도 없이 화기애애하게 자랍니다. (중략) 서양 사람은 정의에서 자라고 정의에서 살다가 정의에서 죽습니다. 그들에게는 정의가 많으므로 화기가 있고, 따라서 흥미가 있어서 무슨 일이든지 다 잘됩니다.

우리는 이 정의 돈수 문제를 결코 심상히 볼 것이 아닙니다. 우리가 우리 사회를 개조하자면 먼저 다정한 사회를 만들어야 하겠습니다. 우리는 선조 적부터 무정한 피를 받았기 때문인지 아무래도 더운 정이 없습니다. 그러므로 정의를 기르는 공부를 해야 하겠습니다. 그러한 뒤에야 참삶의 맛을 알겠습니다.

[마] 스와데시의 정신이란 우리 인도인이 가까운 주변에 모든 힘을 기울이기 위해 더욱 먼 곳은 관여하지 않는 것을 말한다. 종교를 예로 들면, 나는 우리의 고대 종교만을 믿는다. 내게 가까운 종교이기 때문이다. 비록 그 종교가 결정을 내포하고 있다 해도, 나는 결점을 고쳐 가면서라도 그 종교를 믿어야 한다. 이것은 정치 분야에서도 마찬가지이다. 경제 분야에서도 나는 가까운 이웃이 생산한 물건만을 사용해야 하며, 물건에 결함이 있다 해도 이웃의 생업이 능률적으로 이루어질 수 있도록 도와주어야 한다. 만약에 이러한 스와데시가 실천된다면 우리는 영원한 평화의 나라를 건설할 수 있을 것이다.

힌두교는 일종의 전통 종교가 되었다. 힌두교는 스와데시 정신을 바탕으로 하여 강력한 힘을 갖게 되었다. 스와데시 정신을 가진 힌두인은 종교를 바꾸지 않는다. 그것은 그가 힌두교를 최고라고 생각해서가 아니라, 힌두교를 개혁할 수 있다고 생각하기 때문이다. 힌두교에 대해 내가 말한 것은 아마 세계의 다른 종교에도 마찬가지로 적용되는 내용일 것이다. 다른 사람들도 모두 자신들의 종교에 대해서 똑같은 생각을 할 것이다.

우리는 스와데시 정신에서 매우 멀리 벗어났기 때문에 심각한 어려움을 겪으며 일하고 있다. 우리 지식인은 외국어를 통해서 교육을 받았기 때문에 우리 민중에게 영향을 주지 못했다. 우리는 민중을 대표하고 싶었지만 성공하지 못했다. 민중은 우리 지식인들을 영국 관료와 다르게 생각하지 않았다. 그래서 우리에게 마음을 열지 않았고, 그들의 소망은 우리의 소망과 같지 않았다. 이처럼 우리는 민중과 단절되어 있었다. 우리는 민중을 조직하는 데 실패한 것이 아니다. 우리는 민중과 연결되어 있지도 않았다.

지난 50년 동안 만일 모국어로 교육을 받을 수 있었다면, 우리의 선배, 공무원 등은 우리 전통 발전에 크게 이바지했을 것이다.

1. 제시문 [가] [다]를 읽고 다음 물음에 답하시오. [40점]

(1) 제시문 [가]의 이집트 벽화와 제시문 [나]의 벡의 지도에서 대상을 표현하는 방식을 각각 설명하고 둘의 공통점을 서술하시오. [20점]

(2) 제시문 [나]에서 ㉠의 등장 배경을 제시문 [다]의 테일러의 관점으로 설명하시오. [20점]

2. 제시문 [라]와 제시문 [마]의 주장을 비교하시오. [30점]

3. 다음 글을 읽고 물음에 답하시오. [30점]

국가 E의 경제에서는 자동차와 쌀 두 재화가 생산된다. 각 재화의 초과 수요량은 아래의 [표 1], [표 2]와 같다. 국가 E에는 모두 10명의 노동자가 있으며, 자동차 산업에 5명, 그리고 쌀 산업에 5명이 종사하고 있다. 자동차 산업의 노동자는 자동차 판매 수입을 공평하게 나누어 노동소득으로 가져가며, 쌀 산업의 노동자도 쌀 판매 수입을 공평하게 나누어 각자의 노동소득으로 가져간다. 아래 표는 직선의 형태로 된 수요 함수와 공급 함수를 이용하여 자동차의 초과 수요량과 쌀의 초과 수요량을 도출한 결과이다. 자동차의 가격이 130원일 때 수요량은 7대이며 공급량은 13대이다. 쌀의 가격이 65원일 때 수요량은 2가마이며 공급량은 8가마이다. 한편, 자동차 시장의 균형 거래량은 10대, 그리고 쌀 시장의 균형 거래량은 5가마이다. (언급된 것 이외의 조건들은 고려하지 않기로 한다.)

[표 1] 자동차에 대한 가격대별 초과 수요량

가격(단위: 원)	70	80	90	100	110	120	130
초과 수요량(단위: 대)	6	4	2	0	-2	-4	-6

[표 2] 쌀에 대한 가격대별 초과 수요량

가격(단위: 원)	35	40	45	50	55	60	65
초과 수요량(단위: 대)	6	4	2	0	-2	-4	-6

(1) 자동차 산업에 종사하는 노동자와 쌀 산업에 종사하는 노동자의 노동소득을 구하고, 자동차와 쌀 시장의 생산자 잉여 및 소비자 잉여를 각각 구하시오. [16점]

(2) 정부는 쌀의 최저 가격을 60원으로 설정하였다. 이 경우 쌀 시장의 소비자 잉여, 생산자 잉여, 총 잉여를 각각 구하고, 이를 정부 정책 시행 이전과 비교하시오. [8점]

(3) 아래의 <보기>를 읽고 쌀 최저 가격제 시행 이후 E국의 소득 불평등도가 어떻게 변하였는지 십분위분배 율을 기준으로 평가하시오. [6점]

〈보기〉

노동 소득 분배의 불평등도를 하나의 숫자로 나타내기 위하여 여러 가지 불평등도 지수가 고안되어 왔으며, 십분위분배율은 그중 하나이다. 한 사회의 구성원을 소득이 가장 낮은 사람으로부터 높아지는 순서에 따라 차례로 배열한다고 할 때, 십분위분배율은 소득계층의 하위 40%가 전체 소득에서 차지하는 점유율을 상위 20% 사람들이 전체 소득에서 차지하는 점유율로 나눈 비율로서 그 수치가 낮을수록 보다 불평등한 분배 상태를 의미한다.

11. 2022학년도 이화여대 모의 논술 (인문 Ⅰ)

[1 ~ 3] 다음 글을 읽고 물음에 답하시오.

[가] 임금이 혼잣말처럼 중얼거렸다. "적들이 답답하다는구나."
이조 판서 최명길이 헛기침으로 목청을 쓸어내렸다. 최명길의 어조는 차분했다.
"전하, 적의 문서가 비록 무도하나 신들을 성 밖으로 청하고 있으니 아마도 화친할 뜻이 있을 것이옵니다. 적병이 성을 멀리서 둘러싸고 서둘러 취하려 하지 않음도 화친의 뜻일 것으로 헤아리옵니다. 글을 닦아서 응답할 일은 아니로되 신들을 성 밖으로 내보내 말길을 트게 하소서."
예조판서 김상헌이 손바닥으로 마루를 내리쳤다. 김상헌의 목소리가 떨려 나왔다.
"화친이라 함은 국경을 사이에 두고 논할 수 있는 것이온데, 지금 적들이 대병을 몰아 이처럼 깊이 들어왔으니 화친은 가당치 않사옵니다. 심양에서 예까지 내려온 적이 빈손으로 돌아갈 리도 없으니 화친은 곧 투항일 것이옵니다. 화친으로 적을 대하는 형식을 삼더라도 지킴으로써 내실을 돋우고 싸움으로써 맞서야만 화친의 길도 열릴 것이며, 싸우고 지키지 않으면 화친할 길은 마침내 없을 것이옵니다. 그러므로 화(和), 전(戰), 수(守)는 다르지 않사옵니다. 적의 문서를 군병들 앞에서 불살라 보여서 싸우고 지키려는 뜻을 밝히소서."
최명길은 더욱 낮은 목소리로 말했다.
"예관의 말은 말로써 옳으나 그 헤아림이 얕사옵니다. 화친을 형식으로 내세우면서 적이 성을 서둘러 취하지 않음은 성을 말려서 뿌리 뽑으려는 뜻이온데, 앉아서 말라죽을 날을 기다릴 수는 없사옵니다. 안이 피폐하면 내실을 도모할 수 없고, 내실이 없으면 어찌 나아가 싸울 수 있겠사옵니까? 싸울 자리에서 싸우고, 지킬 자리에서 지키고, 물러설 자리에서 물러서는 것이 사리일진대 여기가 대체 어느 자리이겠습니까. 더구나..."
김상헌이 최명길의 말을 끊었다.
"이거 보시오, 이판. 싸울 수 없는 자리에서 싸우는 것이 전(戰)이고, 지킬 수 없는 자리에서 지키는 것이 수(守)이며, 화해할 수 없는 때 화해하는 것은 화(和)가 아니라 항(降)이오. 아시겠소? 여기가 대체 어느 자리요? "
최명길은 김상헌의 말에 대답하지 않고 임금을 향해 말했다.
"예판이 화해할 수 있는 때와 화해할 수 없는 때를 말하고 또 성의 내실을 말하나, 아직 내실이 남아 있을 때가 화친의 때이옵니다. 성안이 다 마르고 시들면 어느 적이 스스로 무너질 상대와 화친을 도모하겠나이까."
김상헌이 다시 손바닥으로 마루를 때렸다.
"이판의 말은 몽매하여 본말이 뒤집힌 것이옵니다. 전이 본(本)이고 화가 말(末)이며 수는 실(實)이옵니다. 그러므로 전이 화를 이끌어 내는 것이지 그 반대가 아니옵니다. 더구나 천도가 전하께 부응하고, 전하께서 실덕(失德)하신 일이 없으시며 또 이만한 성에 의지하고 있으니 반드시 싸우고 지켜서 회복할 길이 있을 것이옵니다."

최명길의 목소리는 더욱 가라앉았다. 최명길은 천천히 말했다.

"상헌의 말은 지극히 의로우나 그것은 말일 뿐이옵니다. 상헌은 말을 중히 여기고 생을 가벼이 여기는 자이옵니다. 갇힌 성안에서 어찌 말의 길을 따라가오리까."

김상헌의 목소리에 울음기가 섞여 들었다.

"전하, 죽음이 가볍지 어찌 삶이 가볍겠습니까? 명길이 말하는 생이란 곧 죽음입니다. 명길은 삶과 죽음을 구분하지 못하고, 삶을 죽음과 뒤섞어 삶을 욕되게 하는 자이옵니다. 신은 가벼운 죽음으로 무거운 삶을 지탱하려 하옵니다."

최명길의 목소리에도 울음기가 섞여 들었다.

"전하, 죽음은 가볍지 않사옵니다. 만백성과 더불어 죽음을 각오하지 마소서. 죽음으로써 삶을 지탱하지는 못할 것이옵니다."

[나] 누군가가 하는 말을 받아들여야 하는가 말아야 하는가를 결정하려고 할 때의 선결 요건은 담화에 참여하는 이들이 서로 알아들을 수 있는 표현을 써야 한다는 것이다.

서로 표현의 인지 가능성을 확보하고 난 다음 가장 먼저 주목해야 할 점은 이 말판에서 말하는 사람이 자기말로 전하려는 지식이 과연 참인가 거짓인가 하는 것이다. 그런데 이 지식은 듣는 이로부터 틀렸다는 비판을 받을 수 있다. ㉠ 말하는 이는 그 비판에 대해 다시 근거를 제시하며 응답해야 할 책임을 져야 한다. 만약 그렇지 않고 아무런 응답도 없이 침묵하거나 아니면 근거를 제시하지 못하거나 자기 말만 계속하면, 상대방이 그 사람의 말을 받아들일 수 없을 것이다.

이렇게 자기 말의 내용의 진리성에 대한 비판을 책임 있게 응대해야 한다는 조건은, 말하는 이 자신의 진실성에도 적용된다. 말하는 이 자신이 자기 말과 관련하여 진실성이 있는지가 문제 될 수 있다. 당연히 여기에서도 말하는 이는 자신이 자기 말을 진정으로 믿는다는 것을 입증할 책무가 있게 된다.

그러므로 말하는 이의 말이 효력을 가지게 되는 것은, 단지 말의 내용이 맞아서가 아니라 자기가 말하면서 따로 말하지 않아도 당연히 전제되는 사항, 즉 자기 말이 참이며, 자기 자신이 그 참인 말을 실제로 참인 것으로 믿고 있다는 것을 뒷받침하겠다고 보증하는 조정 효과 덕택이다.

[다] In today's world, there is a lot of statistical information around us all the time. Every time we read an article on the Internet to see a commercial on TV, we are likely to come into contact with numbers and figures. Generally, these numbers help us make better decisions in our daily lives. (중략) However, is it safe to believe statistics exactly the way they are presented to us? Unfortunately, statistics can be misused in many ways. Let's learn about some common tricks behind statistics.

On the Internet, Minjeong sees an advertisement that reads, "100% of users report brighter and softer skin with Blossom Company's liquid facial soap." It claims that these results are from an independent laboratory and are guaranteed by a public agency. Minjeong does not question the statistics and buys some bottles, despite the high price. However, although Minjeong uses the soap for a few months, she does not experience any noticeable changes.

Did Minjeong just happen to buy a defective product? Or was the advertisement completely fake? When Minjeong read "100% of users," she should have asked herself, "Where did the company get this figure?" If Minjeong had read the tiny letters at the bottom of the advertisement, she would have found that the sample included only five people. As in this case, when a sample is not large enough to show a wide range of results, it can be misleading. By using small samples, companies can come up with any results they want and use them for their own purposes. (중략) Therefore, when you see a statistic, remember that the sample is just as important as the statistic itself. How many people were in the sample? Who were they? If you don't know, be careful not to leap to conclusions.

[라] 공정 무역 인증은 가난한 나라의 노동자에게 더 높은 임금을 보장해 주는 것을 목적으로 하며, 주로 바나나, 초콜릿, 커피, 설탕, 차 등 개발 도상국의 생산 작물에 적용된다. 공정 무역 인증서는 최저 임금 지급, 구체적인 안전 요건 준수 등 일정한 기준을 충족시킨 생산자에게만 부여된다. (중략) 공정 무역 인증 마크가 처음 등장한 1988년 이후로 공정 무역 상품의 수요는 급격히 증가하고 있다. 그런데 일반 커피보다 몇 달러 더 주고 공정 무역 커피를 사면 가난한 나라 사람들에게 얼마나 도움이 될까? 객관적 증거에 따르면 실망스러운 수준이다.

첫째, 공정 무역 제품을 산다고 해서 무조건 가난한 나라의 빈곤층에 수익이 돌아가는 것은 아니다. 공정 무역 인증 기준은 상당히 까다롭다. 가난한 나라의 농부들은 이 기준을 충족하기 어렵다. 그렇기 때문에 공정 무역 제품을 사는 것이 농부들에게 더 많은 몫을 되돌려 주는 방법이라 하더라도, 상대적으로 부유한 나라의 공정 무역 제품을 사는 것보다 최빈국의 비공정 무역 상품을 사는 것이 더 효율적일 수 있다.

둘째, 공정 무역 제품이라는 까닭으로 소비자가 추가로 지급한 돈 가운데 실제로 농부들의 수중에 떨어지는 것은 극히 일부이다. 나머지는 중개인이 갖는다. 세계은행 경제 자문관인 피터 그리피스가 수행한 연구에 따르면 추가 금액 가운데 가난한 나라의 커피 생산자에게 돌아가는 몫은 1퍼센트 미만이다.

셋째, 생산자에게 돌아가는 그 적은 몫마저 더 많은 임금으로 바뀐다는 보장이 없다. 공정 무역 인증은 인증받은 단체가 생산한 제품에 더 높은 가격을 쳐 주는 절

차이지, 해당 단체에 소속된 생산자들에게 더 높은 임금을 보장해 주는 것이 아니다. 런던 대학교 동양 아프리카 연구소의 크리스토퍼 크레이머 교수가 이끈 연구팀이 4년에 걸쳐 에티오피아와 우간다에서 일하는 공정 무역 노동자들의 임금을 조사한 결과, 이들은 비공정 무역 노동자들보다 임금이 더 낮고 노동 조건도 열악한 것으로 나타났다. 또 공정 무역이 큰 성과로 내세우는 지역 공동체 사업에서도 정작 극빈층이 소외되는 경우가 많았다.

[마] 제나라의 전 씨가 저택 뜰에서 어떤 사람의 송별회를 열었다. 손님이 천 명이나 모여들었는데, 그중에 물고기와 기러기를 선물로 가져온 사람이 있었다. 전 씨는 고마워하면서 말했다. "아, 하늘의 은총은 참으로 깊도다. 인간을 위해 오곡을 만들고, 물고기와 새를 길러 인간에게 쓰이게 해 주시는구나." 둘러선 손님들이 입을 모아 전 씨의 말에 동의하였다. 그때 포 씨의 열두 살짜리 아들이 나서며 말했다.

"저의 의견은 어르신과 다릅니다. 천지 만물은 모두 우리와 같은 동료입니다. 동료 사이에 귀천의 차별은 없습니다. 다만, 크고 작은 차이, 지혜와 힘의 차이에 따라 서로 잡아먹고 있을 뿐이지, 다른 것에게 사용되기 위해 만들어진 것은 아닙니다. 인간이 제멋대로 먹을 수 있는 것을 잡아먹을 따름이지, 하늘이 인간에게 먹이기 위해 그것들을 만든 것은 아닙니다. 모기나 파리 떼가 인간의 피를 빨고 호랑이와 늑대가 동물들을 잡아먹는다고 해서, 하늘이 모기와 파리를 위하여 인간을 만들고, 호랑이와 늑대를 위해서 동물들을 만든 것은 아닙니다."

[바] 종(種) 우월주의는 우리가 동물을 학대하고 상습적으로 그들의 요구를 무시하는 태도를 정당화하는 이론이다. 인간이 자연과 별개로 모든 종이 태어나 살다가 죽는다는 기본 원칙에서 예외라도 되는 듯, 스스로 자연의 일부로 간주하지 않는 오만한 태도 이면에 이 같은 편견이 자리 잡고 있다. 예를 들어, 많은 종이 개체 과밀과 과다한 소비로 멸종에 이르렀던 것처럼 인류 역시 스스로 멸종을 초래할 수 있다. 인간의 오만과 더불어 (자신이 사는 세상을 향상할 수도, 파괴할 수도 있는 엄청난 잠재 능력을 지닌 큰 뇌의 포유동물로서) 스스로에 대한 부정은 궁극적으로 자기를 파괴적으로 만든다. 우리는 현재 많은 분야에서 잘못을 저지르고 있다는 것을 진정 부끄러워해야만 한다. 이를테면, 서식지 파괴와 과잉 소비, 개체 과밀과 외래종의 만연 그리고 기후 변화 등의 요인이 결합되어 또다시 전 지구적으로 대규모 생물 종의 멸종 과정이 진행 중이다. 과학자들은 이같이 믿기지 않는 생물다양성 상실의 주된 원인이 인간에게 있다는 점에 동의하고 있다. 종 우월주의는 동물을 위계적 개념인 '하등 동물'과 '고등 동물'로 분류하게 하고, 이 서열의 최고단계에 인간이 자리잡는 것을 당연하게 여긴다. 이는 동물의 복지를 외면하게 만드는 그릇된 관점이다.

[사] 과연 우리는 인간과 마주하고 있는 상대인 동물의 도덕적 지위를 어떻게 이해해야 할까? 서구에서는 오랜 기간 동물을 이성적 영혼이 없는 존재로 여기는 철학적 관념이 우세했다. 근세에 이르기까지는 동물 복지와 같은 것은 사실상 없다고 할 수 있다. 17세기 철학자인 데카르트는 동물을 마치 시계와 같이 어떤 것도 전혀 느끼지 못하는 기계처럼 여겼다. 그래서 그 시대에는 완전히 의식이 있는 상태의 동물들을 마취나 진통제 처치도 하지 않고 생체 해부를 하는 일도 있었다. 그러한 경향은 오늘날까지 영향을 미쳐 동물을 마치 기계인 양 취급하는 공장식 농장의 출현을 가져왔다고 할 수 있다. (중략) 그런데도 우리는 최소한 어떤 일을 해서는 안 된다는 것을 사회적 약속으로 삼고 살아간다. 동물에게도 마찬가지이다. 우리는 동물의 쾌락과 고통을 명백히 입증하지 못하지만, 인간뿐 아니라 동물에 관해서도 어떤 일은 해도 되지만, 어떤 일은 해서는 안 된다는 사회적 합의가 존재한다. 이 합의는 바로 동물에게도 '복지'가 있다는 생각에 근거하는 것이다. 이것은 현대 사회에서 동물의 권리에 관해 어떤 생각을 하고 있든 최소한 공유되고 있는 생각이다. (중략) 사람들 대다수는 동물도 고통을 겪을 수 있다는 사실에 대체로 동의한다. 물론 특정한 환경에서 동물이 어떤 고통을 얼마나 겪는지에 관해서는 확신이 덜 들 수 있다. 그렇다고 동물들이 스스로 고통을 겪고 있음을 우리에게 입증하라고 할 수도 없다. 다만 우리가 마련하거나 시키려고 하는 일을 동물들이 적극적으로 피하려고 한다면 그것이 고통이라는 것만은 확실하다. 그러므로 불필요한 고통은 배제하고 사람을 위하여 필요한 경우라도 고통을 최소화하기 위해 노력하는 것이 인도적인 행위이다. 이는 사람과 일정한 관계를 유지하고 살아가는 동물과 건전하0고 바람직한 관계를 정립하는 측면에서 마땅히 지켜야 할 자세이다. 결국 동물의 복지를 책임져야 하는 것은 바로 인간이며, 이는 인간을 보다 인간답게 하는 일이 될 것이다.

1. 제시문 [나]의 주장을 요약하고, ㉠의 '책임'이 제시문 [가]의 '화친'을 둘러싼 상반된 주장에서 어떻게 나타나는지 논하시오. [30점]

2. 제시문 [다]에 나타난 비판적 읽기의 관점을 요약하고, 그 관점에서 제시문 [라]의 '공정 무역'에 대한 입장을 설명하시오. [30점]

3. 제시문 [마]~ [사]를 읽고 다음 물음에 답하시오. [40점]

(1) 제시문 [마]와 제시문 [바]에 나타난 동물에 대한 두 가지 관점을 설명하시오. [20점]

(2) 동물 복지에 대한 제시문 [바]와 제시문 [사]의 주장을 비교하시오. [20점]

이화여자대학교
EWHA WOMANS UNIVERSITY

논술답안지

※감독자 확인란

모집단위

성 명

수 험 번 호									

생년월일 (예 : 050512)					

【유의사항】
1. 답안 작성 시 문제번호와 답안번호가 일치하도록 알맞은 칸에 작성하여야 한다.
2. 답안 작성 시 필요한 경우에 수식 및 그림을 사용할 수 있다.
3. 필기구는 반드시 검은색 필기구만을 사용하여야 한다. (검은색 이외의 필기구로 작성한 답안은 모두 최하점으로 처리함)
4. 문제와 관계없는 불필요한 내용이나, 자신의 신분을 드러내는 내용이 있는 답안 및 낙서 또는 표식이 있는 답안은 모두 최하점으로 처리한다.
5. 답안은 반드시 정해진 답안작성란 안에만 작성하여야 한다. (답안작성란 밖에 작성된 내용은 채점 대상에서 제외함)

문항 【1】 반드시 해당 문항의 답을 작성해야 함

이 줄 아래에 답안을 작성하거나 낙서할 경우 판독이 불가능하여 채점 불가

이 줄 위에 답안을 작성하거나 낙서할 경우 판독이 불가능하여 채점 불가

문항【2】 반드시 해당 문항의 답을 작성해야 함

문항【3】 반드시 해당 문항의 답을 작성해야 함

이 줄 아래에 답안을 작성하거나 낙서할 경우 판독이 불가능하여 채점 불가

12. 2022학년도 이화여대 모의 논술 (인문 II)

[1 ~ 2] 다음 글을 읽고 물음에 답하시오.

[가] 우리는 세계 시민으로서 생각하라고 한 권유가 어떤 의미에서 애국주의가 주는 위안이나 편안한 감정에서 벗어나서, 우리 자신의 생활 방식을 정의와 선의 관점에서 바라보라는 것임을 알고 있었다. 우리가 태어난 장소라는 우연은 바로 우연, 그것도 하나의 우연일 뿐이다. 우리는 다른 나라에서 태어났을지도 모른다. 디오게네스를 계승했던 스토아학파는 이 점을 인지하여, 국적이나 계급, 민족적 소속감이나 심지어 성별 차이가 우리와 우리의 동료들 사이에 경계선을 세우도록 허용해서는 안 된다고 주장하였다. 우리는 인간의 속성이 어디에서 나타나건 그것을 인정해야 하며, 그 인간성의 필수적 구성 요소인 이성과 도덕적 능력을 존중하고 거기에 우선 충성해야 한다.

스토아학파가 이렇게 주장했다고 해서 그들이 지역 형태의 정치 조직이나 국가 형태의 정치 조직을 폐기하고 세계국가를 창설하자고 제안했다는 의미는 분명 아니다. 그들의 논지는 훨씬 더 근본적이다. 즉 우리는 단순한 정부 형식이나 일시적인 권력이 아니라 전체 인류의 인간애에 의해 수립된 도덕 공동체에 일차적으로 충성해야만 한다는 것이다.

[나] 공화국은 기억과 기념이 무척이나 필요하다. 기억은 시민적 덕성을 키우는 강력한 수단이다. 우리는 독재에 대해 항거한 역사나 자유를 향해 투쟁한 역사를 기념함으로써, 우리가 모두 함께 고통받았던 역사의 한 페이지를 회고함으로써, 이러한 이야기를 듣는 모든 이들에게 자신들도 그러한 업적을 만들어야 한다는 도덕적 의무감을 가슴 깊이 일깨울 수 있다.

어떤 사람들은 이러한 기념 행위들, 특히 공화국의 기념 행위들이 시장의 세계화와 폭증하는 정보 사회에서 더는 가치가 없는 케케묵은 애국주의의 표현이며, 지나간 시대의 잔재일 뿐이라고 생각할 수도 있다. 하지만 자기들의 역사에 의미와 가치, 그리고 아름다움을 부여할 수 없는 국민이 시민적 문화에 꼭 필요한 전제 조건인 자긍심을 가지기는 어려울 것이다. 자긍심이 없는 사람은 쉽게 비굴해지거나 아니면 교만해지는 것처럼 자기 나라에 대한 긍지가 없는 국민은 비굴해져 있다가 자신보다 약한 자들 앞에서는 쉽사리 포악한 압제자로 돌변하게 된다.

우리에게 필요한 것은 조국과 조상의 위대함에 대해 비겁한 거짓말로 잔뜩 치장한 유치찬란한 국민적 자부심이 아니다. 우리는 우리나라 역사의 이야기들 속에서 비록 짧았고 군사적으로 패배하여 사라졌던 것이라도 그런 자유의 소중한 경험들을 다시 발견해 낼 필요가 있다. 이러한 경험들을 기억함으로써 우리는 자랑스러운 역사를 물려받았다는 느낌과 함께 우리나라를 진정한 시민 공동체로 만들어야겠다는 어떤 도덕적 의무감을 부여받게 되는 것이다.

[다] 역사적 사건과 흔적들은 칭송할 것도 담고 있고 비난할 것도 담고 있다. 그러하니 역사를 읽는 사람들도 억지로 문법(이론적 틀)을 세우거나 멋대로 더하거나

덜어서 찬양하거나 비난해서는 안 된다. 다만, 그 사건과 흔적의 사실 여부를 상고함에 있어서 연도를 날줄로 삼고 사건을 씨줄로 삼아 분류하여 배치하거나 모아서 차례를 정하고, 기록의 같고 다름 및 보고 들은 것의 어긋남과 합치됨을 하나하나 조목별로 분석하여 의심을 없게 한다. (중략) 일반적으로 학문의 길은 공허한 사변에서 구하는 것이 사실에서 추구하는 것만 못하니, 찬양과 비난을 논의하는 것은 모두 공허한 말일 뿐이다. 역사를 서술하는 사람이 사실을 기록하고 역사를 읽는 사람이 상고하고 따지는 목적은 모두 거기서 그저 진실을 확인하려는 것이다.

[라] 1777년 겨울, 미국 독립 혁명군 총사령관 조지 워싱턴은 펜실베이니아주 밸리 포지(Valley Forge)에서 힘겨운 전투를 치르고 있었다. 그의 적은 영국군과 그들의 용병만이 아니었다. 살을 에는 추위에다 극심한 식량 부족으로 그의 군대는 거의 아사 상태에 빠져 있었다.

펜실베이니아주 정부는 현지에 주둔한 독립 혁명군을 돕기 위해 식량을 포함한 군수 물자의 가격을 통제하는 법을 제정하였다. 식량 등의 가격을 통제하여 군비 부담을 줄이고, 충분한 물자를 공급하여 전투력을 향상하기 위해서였다. 그러나 결과는 전혀 반대로 나타났다. 정부가 고시한 가격에 불만을 품은 농부들은 식량을 시장에 내놓지 않았고 물자 가격은 급등하였다. 일부는 적군인 영국군에게 더 비싼 값의 금을 받고 팔아 버렸다. 이러한 상황에서 군인들이 어떻게 아사를 면할 수 있었겠는가?

밸리 포지의 전투는 참패로 끝이 났다. 1778년 6월, 13개 주가 연합한 대륙 회의는 워싱턴의 참패를 교훈으로 삼아 '재화에 대한 가격 통제는 효과가 없을 뿐만 아니라 공공 서비스를 약화시키므로, 다른 주에서도 유사한 법령을 제정하지 말 것' 을 결의하였다.

시장과 정부는 경제라는 수레를 움직이는 두 바퀴와 같다. 때로는 서로 잘 맞물려 수레를 잘 굴러가게 하지만, 서로 갈등을 빚으며 좌충우돌하고 엉뚱한 결과를 가져오기도 한다. 그 이유는 대부분의 정책 당국자가 정부가 시장을 움직일 수 있다고 믿기 때문이다. 그러나 실제로는 전혀 그렇지 않다. 시장의 흐름과 상충되는 정책이 발표되면, 일시적으로는 효과가 있을지라도 결과적으로는 시장의 흐름이 정부보다 더 강력하게 작용한다. 성공하는 정책일수록 시장 친화적이어야 한다. 정부의 '보이는 손' 은 만병통치약이 아니다. 오히려 거의 모든 문제는 시장에서 해결되고, 정부의 역할은 제한적이다.

[마] 공유 자원은 여러 사람이 공동으로 소유하고 소비하는 자원이다. 공유 재산 또는 공용 재산이라고도 한다. 예를 들어 공기는 우리 모두 공동으로 소유하고 소비하는 자원이다. 산이나 들, 바다에 있는 야생 동물들, 들에 피는 이름 모를 꽃, 서울 시민들의 식수를 담당하는 한강도 공유 자원이다. 또한 경상북도의 성류굴과 같은 관광 자원이나 휴대 전화 소유자에게 필요한 전파도 우리나라 사람들이 갖고 있는 공유 자원이다. 공유 자원은 과도하게 소비되는 특성이 있다. 이는 '공유 자원의 비극'이라고 표현된다. (중략)

수산 자원, 야생 동물, 지하자원은 모두 공유 자원이기 때문에 공유 자원의 비극이 발생한다. 수십 년 전만 해도 조기는 우리나라 서민들의 먹을거리였다. 하지만 요즘은 달라졌다. 조기는 우리나라 서해에서 부화해서 동중국해를 거쳐 대만 인근까지 갔다가 다시 서해로 돌아와서 알을 낳는다. 알을 낳은 조기를 잡으면 좋을 텐데 어부들은 조기가 알을 낳을 때까지 기다리지 않았다. 기다리면 다른 어부들이 먼저 조기를 잡기 때문에 조기가 다니는 길목을 지켰다가 모조리 잡았던 것이다. 우리나라 어부들뿐만 아니라 중국, 대만의 어부들까지 모두 조기를 잡았다. 조기가 알을 낳기도 전에 잡아 버린 탓에 이제는 거의 씨가 말랐고 당연히 조깃값이 급등하였다. 조기는 주인이 따로 없기 때문에 누구나 잡기만 하면 자기 것이 되다 보니 너도나도 조기를 더 많이 잡으려고 한 것이다. 물론 어부들도 조기가 알을 낳기 전에 잡으면 안 된다는 사실을 알고 있었다. 그래서 결국 아무도 조기 잡는 손을 멈추지 않게 되었고, 이에 정부는 조기에 대한 금어기를 설정하게 되었다. 시장에 맡겨서는 공유 자원의 비극을 피하기 어렵다.

1. 제시문 [가] ~ [다]를 읽고 다음 물음에 답하시오. [40점]

(1) 제시문 [가]와 제시문 [나]의 주장을 대비하시오. [20점]

(2) 제시문 [다]의 관점에서 제시문 [나]의 역사관을 논하시오. [20점]

2. 제시문 [라]의 '식량', 제시문 [마]의 '조기' 사례에서 얻을 수 있는 교훈을 설명하시오. [30점]

3. 다음 글을 읽고 물음에 답하시오. [30점]

두 마을 A와 B는 강을 사이에 두고 지리적으로 분리되어 있다. 두 마을은 서로 교역이 없는 자급자족 경제이다. 두 마을 모두 노동을 투입하여 재화 쌀과 배추를 생산한다. A는 쌀 2kg 생산을 위하여 10시간의 노동 투입이 필요한 반면, B는 4시간의 노동시간 투입이 필요하다. 배추 4kg 생산에 필요한 노동 투입시간은 A의 경우 20시간, 그리고 B의 경우 6시간이다. 한편, 1개월 동안 투입 가능한 총 노동시간은 A의 경우 120시간, 그리고 B의 경우 60시간이다. 아래의 [표 1]은 앞에서 언급한 두 마을의 생산 기술을 요약한 것이다.

[표 1] 두 마을의 생산 기술

	A 마을	B 마을
쌀 2kg 생산	10시간	4시간
배추 4kg 생산	20시간	6시간

(1) 비교 우위란 상대 마을보다 상대적으로 적은 기회비용으로 상품을 생산할 수 있는 능력을 말한다. 각 마을의 비교 우위 재화가 무엇인지 근거를 들어 설명하시오.

(2) 생산가능곡선은 한 사회가 주어진 모든 자원을 효율적으로 이용해 최대한으로 생산할 수 있는 상품의 조합이다. 자급자족 경제에서 두 마을의 생산가능곡선을 그리시오. 한편, 두 마을은 자급자족 경제에서 쌀과 배추의 생산량 비율을 1:2로 유지하기로 하였다. 이 경우, 각 마을이 1개월 동안 생산하는 쌀과 배추의 양을 구하시오.

(3) 국제기구의 원조로 두 마을 사이의 강 위에 다리가 연결되면서 서로 의지만 있으면 교역이 가능한 상황이 되었다. 만약, 당신이 교역 중개자라면 (2)에서 언급된 기존의 자급자족 경제를 포기하고 비교 우위에 따른 생산과 교역을 하도록 제안하겠는가? 그렇다면 비교 우위에 입각한 생산과 적절한 교역을 통하여 각 마을의 후생 수준이 높아질 수 있음을 보이시오.

(후생 수준 상승 조건) 다음과 같은 조건이 성립하면 교역 후 두 마을의 후생 수준은 상승한다. “교역 후 두 마을의 각 재화의 총소비량이 자급자족 경제에서의 각 재화의 총소비량보다 크거나 같아야 한다. 이때 적어도 한 재화의 소비량은 자급자족 경제에서의 소비량보다 커야 한다.“

이화여자대학교
EWHA WOMANS UNIVERSITY

모집단위	수험번호	생년월일 (예 : 050512)

논술답안지

※감독자 확인란

성 명

【유의사항】
1. 답안 작성 시 문제번호와 답안번호가 일치하도록 알맞은 칸에 작성하여야 한다.
2. 답안 작성 시 필요한 경우에 수식 및 그림을 사용할 수 있다.
3. 필기구는 반드시 검은색 필기구만을 사용하여야 한다. (검은색 이외의 필기구로 작성한 답안은 모두 최하점으로 처리함)
4. 문제와 관계없는 불필요한 내용이나, 지신의 신분을 드러내는 내용이 있는 답안 및 낙서 또는 표식이 있는 답안은 모두 최하점으로 처리한다.
5. 답안은 반드시 정해진 답안작성란 안에만 작성하여야 한다. (답안작성란 밖에 작성된 내용은 채점 대상에서 제외함)

문항【1】 반드시 해당 문항의 답을 작성해야 함

이 줄 아래에 답안을 작성하거나 낙서할 경우 판독이 불가능하여 채점 불가

이 줄 위에 답안을 작성하거나 낙서할 경우 판독이 불가능하여 채점 불가

문항【2】 반드시 해당 문항의 답을 작성해야 함

문항【3】 반드시 해당 문항의 답을 작성해야 함

이 줄 아래에 답안을 작성하거나 낙서할 경우 판독이 불가능하여 채점 불가

13. 2021학년도 이화여대 수시 논술 (인문 Ⅰ)

[1 ~ 3] 다음 글을 읽고 물음에 답하시오.

[가] 역사상 특이한 현상들이 많지만 '마녀사냥'만큼 이해하기 힘든 현상도 드물 것이다. 실제로 유럽에서는 사회 전체를 위협하는 악마적인 세력이 존재한다고 철석같이 믿고 종교 재판소를 설치하여 마녀들을 소탕하는 운동을 벌였다. 개략적인 추산으로는 15세기 말부터 수백 년 동안 유럽에서 마녀로 판정을 받고 처형당한 사람이 약 10만 명에 이른다고 한다. 희생자들은 대개 여성, 빈민, 노인으로, 악마의 유혹에 쉽게 빠지게 된다고 여겨진 부류들이었다. 마녀사냥의 광풍이 불었던 지역에서 희생자들을 보면 흔히 70퍼센트 이상, 심지어는 90퍼센트 이상이 여성이었다. 페미니즘 이론에서는 마녀사냥이라는 것이 근대 초에 가부장제 질서가 더욱 굳건해지면서 전반적으로 남성 세계가 여성을 공격한 현상이라는 주장을 편다. (중략)

마녀사냥은 중세적 배경을 가졌지만 본질적으로 근대적 현상이라는 점에도 주목할 필요가 있다. 근대로 들어오면서 일반 민중들은 정치적으로, 종교적으로 큰 에너지를 띠게 된다. 다스리는 자의 입장에서는 이들을 그 상태 그대로 방치해서는 안 되고 질서 체계 안으로 끌어들여야 할 것이다. 질서를 부과한다는 것은 곧, 그것을 거부하는 자들을 억압한다는 것을 뜻한다. 근대의 권력 당국, 곧 국가와 종교는 그들의 권위에서 벗어나려는 자들을 제거하고 모든 국민들의 복종을 확립하려고 하였다. 근대 국가는 '균질한 영혼'들이 국가 기구에 복종하도록 만들어야 했고, 이것이 마녀사냥이 결과적으로 행한 역할이라 할 수 있다.

[나] 벤담은 1791년 '패놉티콘'이라는 원형 교도소를 제안했다. 뒷날 「감시와 처벌」의 저자 미셸 푸코에게 있어서 패놉티콘은 벤담이 상상했던 사설 교도소의 의미를 훨씬 뛰어넘는 것이었다. 그것은 새로운 근대적 감시의 원리가 체화된 건축물이었고, 군중이 한 명의 권력자를 우러러보는 '스펙터클의 사회' 에서 한 명의 권력자가 다수를 감시하는 '규율 사회' 로의 변화를 상징하는 동시에 그런 변화를 추동한 것이었다. 이는 또 개인에 대한 근대 권력의 통제가 육체적인 형벌에서 산업 자본주의의 인간형에 적합한 영혼의 규율로 바뀌어 갔음을 보여 주는 것이었다.

1970년대 중반 이후 다양한 감시와 통제의 방법이 컴퓨터 데이터베이스, 폐회로 텔레비전(CCTV), 전자 결제나 인터넷을 통한 소비자 정보의 수집이라는 형태로 널리 사용되었고, 사람들은 정부나 기업이 개인의 신상 정보를 수집하고 사생활을 침해하는 것에 대해 민감해졌다. 정보 혁명 시대의 이러한 '전자 감시' 가 종래 패놉티콘을 통한 감시와 흡사하다는 인식이 있다. '패놉티콘' 에서는 시선이 규율과 통제의 기제라면, '전자 패놉티콘' 에서는 정보가 규율과 통제의 기제로 작동한다. 일단 이 둘은 '불확실성' 에 공통점이 있다. 감시를 당하는 사람은 자신의 정보가 국가나 직장의 상관에게 언제든 열람될 수 있음을 인지하고 있기 때문에 자신의 행동이나 작업에 주의를 기울이지 않을 수 없다. 그렇지만 이 둘에는 두드러진 차이점도 있다. 무엇보다 시선에는 한계가 있지만 컴퓨터를 통한 정보의 수집은 국가적이고 전 지구적일 수 있다. 패놉티콘이 시선의 비대칭성 때문에 가능했다면, 전자 패놉티콘은 정보 접근의 비대칭성 때문에 가능했다. 나는 접근할 수 없는 정보에 권력을 가진 어떤 자는 접근할 수 있다면, 그것은 어느 순간 나를 옭아매는 패놉티콘으로 내게 다가올 수 있기 때문이다.

[다] "저는 안 먹을게요." 아주 작은 목소리였지만 좌중의 움직임이 멈췄다. 의아해하는 시선들을 한 몸에 받은 그녀는 이번엔 좀 더 큰 소리로 말했다. "저는, 고기를 안 먹어요."

"그러니까, 채식주의자시군요?" 사장이 호탕한 어조로 물었다. (중략)

아내의 접시가 하얗게 빈 채 남아 있는 동안, 웨이터는 나머지 아홉 사람의 접시를 모두 채운 뒤 사라졌다. 화제는 자연스럽게 채식주의로 흘러갔다.

"얼마 전에 오십만 년 전 인간의 미라가 발견됐죠? 거기에도 수렵의 흔적이 있었다는 것 아닙니까. 육식은 본능이에요. 채식이란 본능을 거스르는 거죠. 자연스럽지가 않아요."

"요샌 사상 체질 때문에 채식하는 분들도 있는 것 같던데…… 저도 체질을 알아보려고 몇 군데 가 봤더니 가는 데마다 다른 얘길 하더군요. 그때마다 식단을 바꿔 짜 봤지만 항상 마음이 불편하고…… 그저 골고루 먹는 게 최선이 아닌가 하는 생각이 들어요."

"골고루 못 먹는 것 없이 먹는 사람이 건강한 거 아니겠어요? 신체적으로나 정신적으로나 원만하다는 증거죠."

아까부터 아내의 가슴을 흘끔거리고 있던 전무 부인이 말했다. 마침내 그녀의 화살은 아내에게 직접 날아왔다.

"채식을 하는 이유가 어떤 건가요? 건강 때문에…… 아니면 종교적인 거예요?"

"아니요." 아내는 이 자리가 얼마나 어려운 자리인지 전혀 의식하지 않은 듯, 태연하고 조용하게 입을 떼었다. 불현듯 소름이 끼쳤다. 아내가 무슨 말을 하려는지 직감했기 때문이었다.

"꿈을 꿨어요."

나는 재빨리 아내의 말끝을 덮었다.

"집사람은 오랫동안 위장병을 앓았어요. 그래서 숙면을 취하지 못했죠. 한의사의 충고대로 육식을 끊은 뒤 많이 좋아졌습니다." 그제야 사람들은 고개를 끄덕였다.

"다행이네요. 저는 아직 진짜 채식주의자와 함께 밥을 먹어 본 적이 없어요. 내가 고기를 먹는 모습을 징그럽게 생각할지도 모를 사람과 밥을 먹는다면 얼마나 끔찍할까. 정신적인 이유로 채식을 한다는 건, 어찌 됐든 육식을 혐오한다는 거 아네요? 안 그래요?"

"꿈틀거리는 세발낙지를 맛있게 젓가락에 말아 먹고 있는데, 앞에 앉은 여자가 짐승 보듯 노려보고 있는 것과 비슷한 기분이겠죠." 좌중이 웃음을 터뜨렸다. 따라 웃으며 나는 의식하고 있었다. 아내가 함께 웃지 않는다는 것을. 허공을 오가는 어떤 대화에도 귀를 기울이지 않은 채, 사람들의 입술에 번들거리는 탕평채의 참기름을 지켜보고 있다는 것을. 그것이 모두의 마음을 불편하게 하고 있다는 것을. (중략)

내가 기대했던 것과는 달리 장모와 처형의 설득은 아내의 식습관에 아무런 영향을 미치지 않았다. 주말이면 장모는 나에게 전화해 물었다. "영혜가 아직도 고기를 안 먹나?" 생전 전화하는 법 없던 장인까지 아내에게 호통을 쳤다. 흥분한 고함 소리가 수화기 밖으로 새어 나와 나에게도 들렸다. (중략)

가부장적인 장인은 지난 오 년간 들어 본 적 없는 사과 조의 말로 나를 놀라게 했다. 배려의 말 따위는 그에게 어울리지 않았다. 월남전에 참전해 무공 훈장까지 받은 것을 가장 큰 자랑으로 여기는 그는 목소리가 무척 크고, 그 목소리만큼 대가 센 사람이었다. 내가 월남에서 베트콩 일곱을…… 하고 시작되는 레퍼토리를 사위인 나도 두어 번 들은 적이 있었다. 아내는 그 아버지에게 열여덟 살까지 종아리를 맞으며 자랐다고 했다.

[라] 하버드 대학교 심리학과의 사이먼스와 차브리스는 사람들을 대상으로 흥미로운 실험을 하였다. 그들은 흰옷과 검은 옷을 입은 학생 여러 명을 두 조로 나누어 같은 조끼리만 이리저리 농구공을 주고받게 하고 그 장면을 동영상으로 찍었다. 그리고 이를 사람들에게 보여 주고 이렇게 주문하였다. "검은 옷을 입은 조는 무시하고 흰옷을 입은 조의 패스 횟수만 세어 주세요." 라고. 동영상은 1분 남짓이었으므로 대부분의 사람들은 어렵지 않게 흰옷을 입은 조의 패스 횟수를 맞히는 데 성공하였다.

사실 실험의 목적은 따로 있었다. 실험 참가자들에게 보여 준 동영상 중간에는 고릴라 의상을 입은 한 학생이 걸어 나와 가슴을 치고 퇴장하는 장면이 무려 9초에 걸쳐 등장한다. 재미있는 사실은 동영상을 본 사람들 중 절반은 자신이 고릴라를 보았다는 사실을 전혀 인지하지 못했다는 것이다. 왜 이들은 고릴라를 보지 못한 것일까?

사이먼스와 차브리스는 이를 '무주의(無注意) 맹시(盲)' 라고 칭했다. 이는 시각이 손상되어 물체를 보지 못하는 것과는 달리, 물체를 보면서도 인지하지 못하는 경우를 말한다. (중략) 고릴라는 어디에나, 언제나 존재한다. 다만 내가 이를 인지하지 못했을 뿐이다. 그들은 갑자기 새롭게 나타난 것이 아니라 평소에도 늘 존재하였다. 하지만 평소에는 주의 깊게 보지 않아서 인식하지 못했던 것을 비로소 오늘에서야 뇌가 인지한 것이다.

뇌의 많은 영역이 오로지 시각이라는 감각 하나에 배정되어 있음에도, 세상은 워낙 변화무쌍하기 때문에 눈으로 받아들이는 모든 정보를 뇌가 빠짐없이 처리하기는 어렵다. 그래서 뇌가 선택한 전략은 선택과 집중, 적당한 무시와 엄청난 융통성이다. 우리는 하나에 집중하면 다른 것은 눈에 뻔히 보여도 인식하지 못하고 지나칠 수 있다. 우리의 뇌는 이런 식으로 세상을 본다.

[마] 이날 홍려시 소경(鴻臚寺少卿) 조광련(趙光連)과 의자를 나란히 하고서 요술을 구경하였다. 내가 조광련에게 말하였다. "눈이 능히 시비를 판단치 못하고 진위를 살피지 못할진대, 비록 눈이 없다고 해도 괜찮으리이다. 그러나 항상 요술하는 자에게 속게 되는 것은 이 눈이 일찍이 망령되지 않은 것은 아니나, 분명하게 본다는 것이 도리어 탈이 되는 것입니다그려."
조광련이 말했다. "비록 요술을 잘하는 자가 있다 해도 맹인은 속이기가 어려울 터이니, 눈이란 과연 항상 믿을 만한 것일까요?"
내가 말했다. "우리나라에 서화담(徐花潭) 선생이란 분이 있었지요. 밖에 나갔다가 길에서 울고 있는 자를 만났더랍니다. '너는 왜 우느냐?' 물으니 이렇게 대답했답니다. '저는 세 살에 눈이 멀어 지금에 사십 년이올시다. 전일에 길을 갈 때는 발에다 보는 것을 맡기고, 물건을 잡을 때는 손에다 보는 것을 맡기고, 소리를 듣고서 누구인지를 분간할 때는 귀에다 보는 것을 맡기고, 냄새를 맡고서 무슨 물건인가를 살필 때는 코에다 보는 것을 맡겼습지요. 사람에게는 두 눈이 있으되, 저에게는 손과 발과 코와 귀가 눈 아님이 없었습니다. 또한 어찌 다만 손과 발, 코와 귀뿐이겠습니까? 해가 뜨고 해가 지는 것은 낮에 피곤함으로 미루어 보았고, 물건의 모습과 빛깔은 밤에 꿈으로 보았지요. 장애가 될 것도 없고 의심과 혼란도 없었지요. 이제 길을 가는 도중에 두 눈이 갑자기 밝아지고 백태가 끼었던 눈이 저절로 열리고 보니, 천지는 드넓고 산천은 뒤섞이어 만물이 눈을 가리고 온갖 의심이 마음을 막아서 손과 발, 코와 귀가 뒤죽박죽 착각을 일으켜 온통 예전의 일상을 잃게 되었습니다. 집이 어디인지 까마득히 잃어버려 스스로 돌아갈 길이 없는지라 그래서 울고 있습니다.' 화담 선생이 말했습니다. '네가 네 지팡이에게 물어본다면 지팡이가 응당 절로 알지 않겠느냐.' 그가 말하기를, '제 눈이 이미 밝아졌으니 지팡이를 어디에다 쓰겠습니까?' 하니 선생이 말했습니다. '그렇다면 도로 눈을 감아라. 바로 거기에 네 집이 있으리라.' 이로써 논한다면, 눈이란 그 밝은 것을 자랑할 것이 못 됩니다. 오늘 요술을 보니. 요술쟁이가 능히 속인 것이 아니라 사실은 구경하는 사람이 스스로 속은 것일 뿐이라오."

[바] Tomatoes are well-loved everywhere. Cooks around the world do magic with them. There are more than 4,000 types of tomatoes and very many ways to eat them. Without tomatoes, we would have no tomato ketchup or pizza. Spaghetti would not taste the same, either. After the potato, the tomato is the most popular vegetable in the world. But wait - is it really a vegetable?
Maybe you think, "Who cares?" However, this question once came before the highest court in the United States in the 1890s. The government counted tomatoes as vegetables, and it imposed a 10% import tax on them. Importers, on the other hand, argued that tomatoes were fruits and should not be taxed.
The question went all the way to the Supreme Court. The justices looked at

both ① science and ② the daily use of tomatoes before deciding. They admitted that, scientifically speaking, tomatoes were fruits because they were the part of the plant holding the seeds. However, they considered that in everyday life people in the U.S. treated tomatoes as vegetables. For example, they ate tomatoes with meat or fish, not as a dessert. Therefore, the court ruled in 1893 that under customs law, tomatoes should be counted as vegetables. The importers had to continue to pay the tariff.

[사] 사회 생물학은 성차의 생물학적 기초를 찾으려는 시도 가운데 가장 활발한 연구가 이루어지고, 대중적으로도 많이 알려진 작업이다. 사회 생물학에서 말하는 성차는 인간의 여성과 남성을 포함하여 모든 동물의 암컷과 수컷이 보여 주는 행동의 생물학적 기초, 그러니까 진화론적 기원을 보여 주는 것이다.

사회 생물학에서는 먼저 동물에게서 나타나는 여러 모습을 보여 준다. 그리고 이것을 인간의 진화론적 기원으로 제시하고, 그것을 통해 인간 사회의 어떤 질서나 특성을 정당화한다. 여기에서 주의할 것은 ③ 자연적 사실을 '발견' 하는 맥락에 이미 ④ 사회적 사실이 놓여 있다는 점이다. 즉, 어떠한 사회적 사실에 기반을 둔 채 자연적 사실을 발견하고, 이 자연적 사실이 다시 사회적 사실을 정당화하는 설명 구조를 갖게 되는 식이다. 이때 처음 단계에서 사회적 사실에 기반을 두고 자연적 사실을 발견한 맥락은 여간해서는 잘 드러나지 않고 숨겨진다.

예를 들어 1980년대까지만 해도 암컷 영장류는 새끼를 키우는 어미이거나 수컷의 성적 공격을 받는 대상으로만 그려졌다. 그러다가 제인 구달, 다이앤 포시, 비루테 갈디카스가 등장하여 암컷 영장류가 도구를 사용하거나 공격성을 보이는 등 이전까지 발견되지 못한 여러 모습을 발견하면서 암컷 영장류에 대한 연구가 크게 달라졌다. 1993년 「사이언스」 기사에서 기획자는 이렇게 질문한다. "남성 영장류학자들이 암컷 영장류를 (새끼를 보살피는 어미 혹은 수컷의 성적 공격을 받는 대상으로서만) 천편일률적으로 그려 내고, 영장류 사회 구조에서 한 개체로 인지하지 못한 것은 운이 나빠서인가. 발견하지 못한 것인가?"

사회 생물학에서 주의해서 보아야 할 점은 동물의 행동, 그러니까 자연적 사실의 '발견' 으로 제시되는 그 행동이 어떤 맥락에서, 어떤 사회적 사실을 기초로 '해석' 된 것인가 하는 점이다. 그 '발견' 이 전제한 사회적 사실은 결국 자연적 사실로 정당화되는 사회적 사실이 되기 때문이다.

1. 제시문 [가] ~ [다]를 읽고 다음 물음에 답하시오. [40점]

(1) 제시문 [가]의 '복종'의 의미를 설명하고, 이와 관련된 두 가지 감시 기제를 제시문 [나]에서 찾아 비교하시오. [20점]

(2) 제시문 [가]의 마녀사냥에 대한 논의에 근거하여 제시문 [다]의 채식주의자에 대한 사람들의 반응을 해석하시오. [20점]

2. 제시문 [라]에서 파악한 '시각'의 특성과 제시문 [마]의 '보는 것'에 대한 태도를 설명하시오. [30점]

3. 제시문 [바]의 1-2의 관계와 제시문 [사]의 3-4의 관계를 대비하여 논하시오. [30점]

이화여자대학교
EWHA WOMANS UNIVERSITY

모집단위

논술답안지

※감독자 확인란

성명

수험번호

생년월일 (예 : 050512)

【유의사항】
1. 답안 작성 시 문제번호와 답안번호가 일치하도록 알맞은 칸에 작성하여야 한다.
2. 답안 작성 시 필요한 경우에 수식 및 그림을 사용할 수 있다.
3. 필기구는 반드시 검은색 필기구만을 사용하여야 한다. (검은색 이외의 필기구로 작성한 답안은 모두 최하점으로 처리함)
4. 문제와 관계없는 불필요한 내용이나, 지신의 신분을 드러내는 내용이 있는 답안 및 낙서 또는 표식이 있는 답안은 모두 최하점으로 처리한다.
5. 답안은 반드시 정해진 답안작성란 안에만 작성하여야 한다. (답안작성란 밖에 작성된 내용은 채점 대상에서 제외함)

문항 【1】 반드시 해당 문항의 답을 작성해야 함

이 줄 아래에 답안을 작성하거나 낙서할 경우 판독이 불가능하여 채점 불가

이 줄 위에 답안을 작성하거나 낙서할 경우 판독이 불가능하여 채점 불가

문항 【2】 반드시 해당 문항의 답을 작성해야 함

문항 【3】 반드시 해당 문항의 답을 작성해야 함

이 줄 아래에 답안을 작성하거나 낙서할 경우 판독이 불가능하여 채점 불가

14. 2021학년도 이화여대 수시 논술 (인문 II)

[1 ~ 2] **다음 글을 읽고 물음에 답하시오.**

[가] 인간을 공격적이고 이기적인 존재로 보았던 영국의 철학자 토머스 홉스 역시 경쟁심은 인간의 본능이라고 말했습니다. 인간의 본성 중에는 싸움을 불러일으키는 세 가지 요소인 경쟁심, 소심함, 명예욕이 있는데, 특히 경쟁심은 인간이 필요한 무엇인가를 얻기 위해 다른 사람과 투쟁하도록 만든다는 것입니다. 이런 점들로 보아, 경쟁은 우리 삶에서 떼어낼 수 없는 불가피한 것입니다. 따라서 우리에게는 경쟁을 부정하는 것이 아니라, 경쟁의 긍정적인 힘을 배우고 활용하는 지혜가 필요합니다.

그럼에도 불구하고 경쟁 그 자체를 부정하거나 경쟁 논리라면 무조건 반대하는 사람들이 있습니다. 이들은 경쟁이 서로를 적대시하게 만들어 인간관계를 해친다고 비판합니다. 효율성과 적자생존의 법칙을 앞세운 경쟁 논리는 경쟁에서 탈락한 사람들을 도외시한 채, 결국 강자의 이익만을 대변한다는 것입니다. 그러나 이는 경쟁에 대한 오해입니다. 경쟁은 경쟁자를 부정하고 배제하는 것이 아니라, 서로를 인정하고 그 바탕 위에서 각자의 의욕과 노력을 한층 더 이끌어 내는 긍정적 상호작용이라 할 수 있습니다.

요즘 사회를 가리켜 유독 '경쟁 사회'라 부르며, 승자와 패자를 가혹하게 가르는 약육강식의 비정함을 비난하는 사람들이 있습니다. 하지만 잘 생각해 보면, 동서고금을 막론하고 인간 사회가 경쟁 사회가 아니었던 적은 찾아보기가 어렵습니다. 우리 사회에서 경쟁은 앞으로도 계속될 것입니다. 따라서 앞으로의 과제는 경쟁할 것인가 말 것인가를 선택하는 일이 아니라. 공정한 경쟁을 추구하기 위한 방식에 대한 고민을 함께하는 것입니다.

[나] 사람들은 흔히 인간 사회에서 나타나는 경쟁 구도를 설명할 때 찰스 다윈의 '진화론'을 언급하고는 한다. 세상에 존재하는 모든 부조리와 불평등의 근원은 약육강식과 적자생존의 원리이고, 진화론은 이를 잘 뒷받침해 주는 논리라고 생각한다. 하지만 과연 그럴까? 사실, 진화론만큼 많은 오해를 받은 과학 이론도 드물다.

다윈이 주목한 지점은 생물체에 일어나는 '변이의 다양성'이었다. 다윈은 이러한 변이가 쌓여 점차 환경에 더 잘 적응된 방식으로 변화한다고 생각했다. 하지만 '더 잘 적응한 방식'이 오로지 '한 가지 방식'뿐이라고 말한 적은 없다. 오히려 자연 선택의 다양성에 대해 더 많은 주의를 기울였다. 좀 더 구체적으로 말하자면, 다윈은 "변화는 생명체가 환경에 더욱 잘 적응하기 위해서 번식 행위를 통해 우연히 이루어진다. 그 과정에 어떤 외부의 힘이 개입하여 작용하지 않으며, 모든 생명체는 우열이 없다."라고 썼다. 이 글 어디에서도 약한 것이 강한 것보다 열등하며, 강자가 약자를 짓밟아도 좋다는 뜻은 담겨 있지 않다. 다윈은 다양한 생물종을 관찰한 뒤, 생물체를 있게 한 원동력은 환경에 적응하며 얻게 된 '다양성'이라는 결론을 내렸다.

다양한 생물 종이 아무리 제각각 다양한 자원을 나누며 살아간다고 해도, 생물의 가짓수에 비해 자원의 가짓수는 적을 수밖에 없다. 따라서 같은 자원을 놓고 여러 생물 종이 경쟁해야 하는 일은 피할 수 없다. 그러나 실제로 많은 생물 종은 서로를 내쫓기 위해 싸움을 벌이기보다는 서로 공존하는 방식을 찾고는 한다. 이러한 다양한 예를 들며 실제로 경쟁보다는 공생이 진화의 원동력이라고 주장하는 학자도 많다. 여성 생물학자 린 마굴리스는 공생 진화론을 주장하는 학자의 한 사람이다. 공생 진화론에 따르면, 생명체는 한정된 자원을 놓고 서로 경쟁하기보다는 한 발 물러서서 상부상조 전략을 추구한다. 지의류는 잘 알려진 공생 생물이다. 얼핏 보기에는 이끼처럼 보이는 지의류는 사실 곰팡이나 버섯 같은 균류와 파래나 청각 같은 조류가 한데 어우러진 생물체다. 지의류의 공생 관계는 너무도 밀접하여 이 둘을 분리하면 단독 생활을 할 수 없을 정도로 서로에 대한 의존도가 강하다. 지의류는 균류와 조류가 합쳐서 진화한 새로운 생물 종이라고 생각될 정도이다.

이처럼 진화론은 태생부터 경쟁보다는 공존의 논리에 바탕을 두고 있었는데, 우리는 오래도록 이를 알아차리지 못하는 실수를 저질렀다. 하지만 이제 세상은 변하고 있다. 획일성과 경쟁, 반목과 전쟁이 난무하던 시대는 가고, 다양성과 화합, 공존과 더불어 사는 삶이 최대의 가치가 되는 시대가 오고 있다.

[다] "천지간 생물 중에 오직 사람이 귀합니다. 저 금수와 초목은 지혜나 깨달음도 없으며, 예법이나 의리도 없습니다. 그러므로 사람이 금수보다 귀하고 초목이 금수보다 천한 것입니다."

실옹이 고개를 젖히고 웃으면서 말하기를,

"너는 진실로 사람이로구나. 오륜(五倫)과 오사(五事)는 사람의 예의禮義)이고, 떼를 지어 다니면서 서로 불러 먹이는 것은 금수의 예의이며, 떨기로 나서 무성한 것은 초목의 예의이다. 사람으로서 만물을 보면 사람이 귀하고 만물이 천하지만 만물로서 사람을 보면 만물이 귀하고 사람이 천하다. 하늘이 보면 사람이나 만물이 마찬가지이다. (중략) 또 봉황(鳳凰)은 높이 천 길을 날고 용(龍)은 날아서 하늘에 있으며, 시초(蓍草)와 울금초(鬱金草)는 신(神)을 통하고, 소나무와 잣나무는 재목으로 쓰인다. 사람과 견주어 볼 때 어느 것이 귀하고 어느 것이 천하냐? 대개 대도(大道)를 해치는 것으론 자랑하는 마음보다 더 심한 것이 없다. 사람이 사람을 귀하게 여기고 만물을 천하게 여기는 것은 자랑하는 마음을 가졌기 때문이다."

"봉황이 날고 용이 난다 하지만 금수에서 벗어나지 못하고, 시초와 울금초와 소나무와 잣나무는 초목에서 벗어날 수 없습니다. 또 그들은 백성에게 혜택을 입힐 인(仁)이 없고, 세상을 다스릴 지(知)가 없으며, 복식이나 의장, 예악(禮樂)이나 병형(兵形)도 없거늘 어찌하여 사람과 마찬가지라 할 수 있습니까?"

"너는 너무도 미혹하구나. 물고기를 놀라게 하지 않음은 백성을 위한 용의 혜택이며, 참새를 겁나게 하지 않음은 봉황의 세상 다스림이다. 다섯 가지 채색 구름은 용의 의장이요. 온몸에 두른 문채는 봉황의 복식이며, 바람과 우레가 떨치는 것은 용의 병형이고, 높은 언덕에서 화한 울음을 우는 것은 봉황의 예악이다. 시초와 울금초는 종묘 제사에 귀하게 쓰이며, 소나무와 잣나무는 대들보로 없을 귀중한 재목이다. 옛사람이 백성에게 혜택을 입히고 세상을 다스릴 때, 만물에 도움받지 않은 것이 없었다. 군신(君臣) 간의 의리는 벌에게서, 병진(兵陣)의 법은 개미에게서, 예절(禮節)의 제도는 박쥐에게서. 그물 치는 법은 거미에게서 각각 취해 온 것이다. 그런 까닭에 '성인(聖人)은 만물(萬物)을 스승으로 삼는다.' 라고 하였다. 그런데 너는 어찌해서 하늘의 입장에서 만물을 보지 않고 오히려 사람의 입장에서 만물을 보느냐?"
이에 허자가 큰 깨달음을 얻더라.

[라] 사회 자본은 여러 가지 개념이 중층적으로 섞여 있는 탓에 관련된 집단의 동질성에 따라 '결속적 사회 자본', '교량적 사회 자본', '연결적 사회 자본' 이라는 세 가지 차원으로 분류된다. 결속적 사회 자본은 가족이나 친구, 이웃 등 이미 동질적인 성향을 가진 구성원들 속에서 형성되는 개념이고, 교량적 사회 자본은 이보다 조금 더 이질적인 동료나 조직 외 구성원들과 맺는 개념이다. 연결적 사회 자본은 이보다도 더 먼 집단과 집단, 혹은 공공 기관과 같은 조직과 맺는 개념이다. 독일 사회 경제연구소의 2014년 연구에 따르면 누리 소통망(SNS) 이용이 동질적인 집단에서 나타나는 결속적 사회 자본은 강화하지만, 이질적인 집단 간에서 나타나는 교량적 사회 자본은 더 떨어뜨린다. 이에 대해 연구팀은 누리 소통망의 이용이 외부인과의 접촉 면은 더 늘렸지만, 누리 소통망에서 나타나는 사람들의 태도가 현실보다 더 공격적이어서 외부인에 대한 신뢰가 더 떨어지게 된 것으로 분석한다. 누리 소통망을 이용하면서 자신과 다르게 생각하는 사람들이 예상보다 더 많다는 사실을 깨닫고, 서로 물고 뜯는 논쟁들을 자주 접하며 외부인에 대한 신뢰도는 더 하락했다는 이야기이다.

사회 자본의 이런 상충적인 특성은 이미 많이 논의된 내용이기도 하다. 집단 내부의 결속을 강화하는 것은 거꾸로 집단 외부인에 대한 불신을 더 키우는 측면이 잠재되어 있기 때문이다. 즉, 결속적 사회 자본이 강화되는 것은 교량적 사회 자본이나 연결 사회 자본을 약화시키는 경향이 있어, 과연 이러한 결과가 사회 전체적으로 유의미한 것인가 하는 논의가 진행됐다. '나'와 타자의 차이가 더 도드라지고, 내가 소속된 집단 외에는 믿을 수 없는 그런 사회가 과연 궁극적으로 우리가 원하는 사회인가에 대한 철학적 문제가 제기되기 시작한 것이다.

경제적 차원으로 본다 해도, 보호를 받아야 하는 어린이나 노인들에게는 결속적 사회 자본이 중요하지만, 사회 활동을 하는 성인에게는 교량적 사회 자본이 더 중요하다는 측면도 있다. 그래서 성인들의 누리 소통망 활동이 결국 개인적 차원의 경제적 이득에도 별 도움을 주지 못할 것이라는 주장도 나온다.

결국 누리 소통망을 이용하면서 기존에 알고 지내는 사람들과는 유대감이 강화되지만, 사회 전체적인 통합력이나 신뢰는 떨어질 수 있다는 이야기이다. 내가 속한 집단에서 유대감이 깊어져 경제적 이득도 얻을 수 있겠지만, 사회 전체적으로는 못 믿을 사람들이 더 많다고 느끼게 되는 것을 어떻게 해석해야 할까? 우리가 누리 소통망에서 친구를 선별하게 되는 것도 혹시 이런 점 때문이 아니었을까?

[마] 자연*은 우리 인간을 향해 이렇게 말합니다. "당신네 모두는 연약하고 무지한 존재로 태어나 이 땅 위에서 짧은 시간을 살다가 죽어 그 육체로 땅을 비옥하게 할 것이오. 당신들은 연약한 존재이므로 서로를 도우시오. 당신들은 무지하므로 서로를 가르치고 용인하시오. 만약 당신들 모두가 같은 의견이고 단 한 사람만이 반대 의견이라면 당신들은 그 사람을 용서해야 하오. 왜냐하면 그가 그렇게 생각하는 데는 당신들 각자가 책임이 있기 때문이오.

나는 당신들 인간에게 땅을 경작할 팔을, 그리고 자신을 인도해 줄 한 줌의 이성을 주었소. 나는 당신들 각자의 가슴에 서로를 도와 삶을 견디어 나갈 수 있도록 동정심의 싹을 심어 주었소. 이 싹을 꺾거나 썩히지 마시오. 이 동정심의 싹이야말로 신이 내려 주신 것이라는 사실을 깨달아야 하오. 그리고 당신네의 가련할 수밖에 없는 당파적 논쟁의 격앙된 고함으로 자연의 목소리를 지우지 마시오.

당신네 인간들이 걸핏하면 벌이는 잔인한 전쟁, 과오와 우연과 불행이 펼쳐지는 영원한 무대인 그 전쟁 한복판에서도 오직 나 자연만이 당신들을, 당신들은 원하지 않더라도, 당신들 서로 간의 필요로 결합하게 할 수 있소. 오로지 나 자연만이 국가의 귀족층과 사법부 사이, 세속 권력 집단과 성직자 사이, 도시민과 농민 사이의 끊임없는 분열로 빚어지는 참담한 재앙에 종지부를 찍을 수 있소. 그들 모두는 자신들의 권리를 끝없이 요구하고 있소. 그러나 결국에는 그들이, 마음 내키지는 않겠지만, 가슴에 호소하는 내 목소리에 귀 기울이게 될 것이오."

*이 글에서 말하는 '자연'은 보편적인 이성을 뜻함.

1. 제시문 [가] ~ [다]를 읽고 다음 물음에 답하시오. [40점]

(1) 제시문 [가]와 제시문 [나]의 '경쟁'에 대한 견해를 비교하시오. [20점]

(2) 제시문 [다]의 '실용'의 관점에서 제시문 [나]의 논지를 설명하시오. [20점]

2. 제시문 [라]의 문제 상황을 분석하고, 제시문 [마]에 근거하여 문제 해결의 방향을 논하시오. [30점]

3 다음 글을 읽고 물음에 답하시오. [30점]

[표 1]은 X재의 가격에 따른 E국 소비자들의 수요량과 소비자 잉여를 나타낸다. [표 1]에 따르면 X재 가격이 100원 일 때 E국 소비자들은 80개를 구입하며 이때 32,000원의 소비자 잉여를 얻는다. X재는 E국 국내 기업들이 생산한 제품일 수도 있고 해외에서 수입된 제품일 수도 있으며 소비자 입장에서 둘 간의 차이는 없다. 한편 [표 2]는 X재의 가격에 따른 국내 생산 X재와 수입 X재의 공급량과 국내 및

해외 기업들의 생산자 잉여를 나타낸다. [표 2]에 따르면 가격이 100원일 때 국내에서 생산되는 X재는 5개이고 해외에서 수입되는 X재는 15개이므로 총 공급량은 20개이며, 국내 기업들이 개당 100원에 5개를 공급하여 얻는 생산자 잉여는 250원, 해외 기업들이 개당 100원에 15개를 공급하여 얻는 생산자 잉여는 750원이다. E국 정부는 자국 기업과 자국 소비자의 편익에만 관심이 있으므로 해외 기업의 생산자 잉여는 E국의 총잉여(소비자 잉여 + 생산자 잉여)에 포함되지 않는다.

[표 1] E국의 수요량과 소비자 잉여

가격(원)	100	200	300	400	500	600	700
수요량(개)	80	70	60	50	40	30	20
소비자 잉여(원)	32,000	24,500	18,000	12,500	8,000	4,500	2,000

[표 2] 국내에서 생산되는 X재와 해외에서 수입되는 X재의 공급량 및 생산자 잉여

가격(원)	100	200	300	400	500	600	700
국내 기업들의 공급량(개)	5	10	15	20	25	30	35
해외에서 수입되는 공급량(개)	15	20	25	30	35	40	45
국내 기업들의 생산자 잉여(원)	250	1,000	2,250	4,000	6,250	9,000	12,250
해외 기업들의 생산자 잉여(원)	750	2,500	4,750	7,500	10,750	14,500	18,750

(1) 수요량과 공급량이 일치하는 지점에서 결정되는 가격을 균형 가격, 이때의 거래량을 균형 거래량이라고 한다. E국의 균형 가격과 균형 거래량을 구하고, 이 중 국내 생산량과 수입량을 각각 구한 후, E국의 총잉여를 구하시오. [10점]

(2) E국 정부가 국내 산업 보호를 위해 수입 할당제를 시행하여 X재의 수입량이 15개를 초과할 수 없도록 한다고 하자. 이때 형성되는 균형 가격과 균형 거래량을 구하고, 이 중 국내 생산량과 수입량을 각각 구하시오. 문항 (1)의 결과와 비교하여 E국의 소비자들과 국내 기업들이 이러한 보호 무역 조치로 인해 얻는 이득 혹은 손해가 얼마인지 각각 구하시오. [10점]

(3) E국 정부가 수입 할당제를 시행하여 X재의 수입량이 40개를 초과할 수 없도록 한다고 하자. 이때 형성되는 균형 가격과 균형 거래량을 문항 (1)에서 구한 값들과 비교하고, 주어진 수입 할당제가 균형에 이러한 영향을 미치는 이유에 대해 설명하시오. [10점]

이화여자대학교
EWHA WOMANS UNIVERSITY

모집단위

논술답안지

※감독자 확인란

성 명

수 험 번 호									
0	0	0	0	0	0	0	0	0	0
1	1	1	1	1	1	1	1	1	1
2	2	2	2	2	2	2	2	2	2
3	3	3	3	3	3	3	3	3	3
4	4	4	4	4	4	4	4	4	4
5	5	5	5	5	5	5	5	5	5
6	6	6	6	6	6	6	6	6	6
7	7	7	7	7	7	7	7	7	7
8	8	8	8	8	8	8	8	8	8
9	9	9	9	9	9	9	9	9	9

생년월일 (예 : 050512)					
0	0	0	0	0	0
1	1	1	1	1	1
2	2	2	2	2	2
3	3	3	3	3	3
4	4	4	4	4	4
5	5	5	5	5	5
6	6	6	6	6	6
7	7	7	7	7	7
8	8	8	8	8	8
9	9	9	9	9	9

【유의사항】
1. 답안 작성 시 문제번호와 답안번호가 일치하도록 알맞은 칸에 작성하여야 한다.
2. 답안 작성 시 필요한 경우에 수식 및 그림을 사용할 수 있다.
3. 필기구는 반드시 검은색 필기구만을 사용하여야 한다. (검은색 이외의 필기구로 작성한 답안은 모두 최하점으로 처리함)
4. 문제와 관계없는 불필요한 내용이나, 자신의 신분을 드러내는 내용이 있는 답안 및 낙서 또는 표식이 있는 답안은 모두 최하점으로 처리한다.
5. 답안은 반드시 정해진 답안작성란 안에만 작성하여야 한다. (답안작성란 밖에 작성된 내용은 채점 대상에서 제외함)

문항【1】 반드시 해당 문항의 답을 작성해야 함

이 줄 아래에 답안을 작성하거나 낙서할 경우 판독이 불가능하여 채점 불가

이 줄 위에 답안을 작성하거나 낙서할 경우 판독이 불가능하여 채점 불가

문항 【2】 반드시 해당 문항의 답을 작성해야 함

문항 【3】 반드시 해당 문항의 답을 작성해야 함

이 줄 아래에 답안을 작성하거나 낙서할 경우 판독이 불가능하여 채점 불가

15. 2021학년도 이화여대 모의 논술 (인문 Ⅰ)

[1-3] 다음 글을 읽고 물음에 답하시오.

[가] 여유는 크게 두 가지로 이야기할 수 있다. 먼저 물질적 여유, 공간적 여유, 시간적 여유처럼 내가 현재 처해 있는 상황으로 규정되는 여유가 있다. 이때는 여유의 기준이나 넉넉함을 측정할 수 있는 척도가 비교적 객관적인 편이다.

여유는 마음의 상태를 얘기하는 데 사용되기도 한다. 마음의 상태라고 지칭하긴 했지만 그 마음이 드러나는 표정, 태도, 행동 등을 통해 여유를 가늠할 수 있다. 마음에 여유가 없으면 어떤 일도 손에 잡히지 않는다. 사람을 만나는 것도, 어디에 놀러 가는 것도 특별한 이유 없이 다 싫어진다. 반면 여유가 있는 사람은 그 사람을 둘러싼 분위기에서 여유로움을 감지할 수 있다.

쉬는 것이 죄처럼 여겨지는 사회에서 여유를 능동적으로 찾는 일은 언뜻 뒷걸음질하는 것처럼 생각될 수도 있다. 그러나 여유를 낼 때에, 가던 길을 잠시 멈추고 한 발 물러섰을 때에 비로소 주위를 둘러보는 일도, 자신을 들여다보는 일도 가능해진다. 여유가 날 때까지 기다리지 않고 적극적으로 여유를 내려면 의지와 간절함이 필요하다. 여유를 낸다는 것은 다른 것을 할 수도 있는 시간을 나로 향하게 만드는 일이기 때문이다.

스스로에게 본래의 정체성을 찾아 주는 일, 나를 둘러싼 시간과 공간에 나를 분명하게 각인하는 일, 마침내 삶이 희미해지지 않게 하는 일, 나는 이러한 일이 모두 자발적으로 나서서 만드는 여유에서 나온다고 생각한다. 이는 궁극적으로 내가 현재 누리는 여유에 마땅한 이유를 찾아 주는 일이기도 할 것이다.

[나] 말을 세우고 사방을 돌아보다가, 나도 모르는 사이에 손을 들어 이마에 얹고 이렇게 외쳤다. "훌륭한 울음터로다! 크게 한번 통곡할 만한 곳이로구나!" 정 진사가 묻는다. "하늘과 땅 사이의 탁 트인 경계를 보고 별안간 통곡을 생각하시다니, 무슨 말씀이신지?" (중략)

"사람들은 다만 칠정(七情) 가운데서 오직 슬플 때만 우는 줄로 알 뿐, 칠정 모두가 울음을 자아낸다는 것은 모르지. 기쁨[喜]이 사무쳐도 울게 되고, 노여움[怒]이 사무쳐도 울게 되고, 즐거움[樂]이, 사랑함[愛]이, 욕심[欲]이 사무쳐도 울게 되는 것이네. 근심으로 답답한 걸 풀어 버리는 데에는 소리보다 더 효과가 빠른 게 없지. 울음이란 천지간에서 우레와도 같은 것일세. 지극한 정(情)이 발현되어 나오는 것이 저절로 이치에 딱 맞는다면 울음이나 웃음이나 무에 다르겠는가. 사람의 감정이 이러한 극치를 겪지 못하다 보니 교묘하게 칠정을 늘어놓고는 슬픔에다 울음을 짝지은 것일 뿐일세." (중략)

정 진사가 다시 물었다. "이제 이 울음터가 저토록 넓으니, 저도 의당 선생과 함께 한번 통곡을 해야 되겠습니다 그려. 그런데 통곡하는 까닭을 칠정 중에서 고른다면 어디에 해당하겠습니까?"

"그건 갓난아기에게 물어봐야 할 것이네. 사람들은 이렇게 말하곤 하지. 성인이든 우매한 백성이든 누구나 죽게 마련이고, 또 사는 동안 온갖 근심 걱정을 두루 겪어야 하기 때문에, 갓난아기는 세상에 태어난 것을 후회하여 스스로 울음을 터뜨려서 자기 자신을 조문하는 것이라고.

하지만 갓난아기의 본래 정이란 결코 그런 것이 아닐세. 어머니 배 속에 있을 때에는 캄캄하고 막혀서 갑갑하게 지내다가 하루아침에 갑자기 탁 트이고 훤한 곳으로 나와서 손도 펴 보고 발도 펴 보니 마음이 참으로 시원했겠지. 어찌 참된 소리를 내어 자기 마음을 크게 한번 펼치지 않을 수 있겠는가. 그러니 우리는 저 갓난아기의 꾸밈없는 소리를 본받아서, 한바탕 울어 볼 만하이. 여기부터 산해관까지 1,200리는 사방에 한 점 산도 없이 하늘 끝과 땅끝이 맞닿아서 아교풀로 붙인 듯 실로 꿰맨 듯하고, 예나 지금이나 비와 구름만이 아득할 뿐이야. 이 또한 한바탕 울어 볼 만한 곳이 아니겠는가! "

[다] 우리 젊은이들이 보고 듣는 모든 예술작품이 몸에 좋은 곳에서 불어오는 미풍처럼 그들에게 좋은 영향을 주며, 어릴 때부터 곧장 자기도 모르는 사이에 아름다운 말투를 닮고 사랑하고 공감하도록 그들을 이끌어 줄 것이네. 글라우콘, 시가(歌) 교육이 그토록 중요한 것은 다음 두 가지 이유 때문이 아닐까? 첫째, 리듬과 선법은 그 무엇보다 더 깊숙이 혼의 내면으로 침투하며 우아함을 가져다줌으로써 혼에 가장 큰 영향을 끼치네. 그것들은 누가 좋은 교육을 받았을 경우 그를 우아하게 만들고, 누가 나쁜 교육을 받았을 경우 그를 그와 반대되는 사람으로 만드네. 둘째, 이 분야에서 제대로 교육받은 사람은 예술작품이나 자연의 결점들을 가장 분명히 알아보게 될 것이네. 그러면 그는 그것들의 추함이 역겨워 아름다운 것들을 칭찬하고 반길 것이며, 아름다운 것들을 그렇게 혼 안으로 받아들이 면 그 자신도 아름답고 훌륭해질 것이네.

[라] 레비나스는 "다른 사람은 나의 인식 대상이 아니라 응답의 대상이다. 누구를 안다거나 모른다는 것이 아니라 그 누구에게 응답한다는 것이 인간관계의 기본 구조이다. 가장 새로운 것은 다른 사람이다. 그러므로 다른 사람에 대한 응답은 내 손에 들어오지 않는 세계를 창조하는 것이다. 무한히 탄생하는 것이다. 세계는 응답에서 무한히 열린다. 다시 말하면 무한 책임에서 무한히 열린다. 나는 다른 사람에 대해 무한한 책임이 있다." 고 하였다.

기존의 근대 철학에서 '나'의 삶은 자유로운 내가 기획한 대로 살 수 있다는 실존의 가능성, 즉 주체성의 자각에서 출발하였다. 이렇게 보면 주체성의 핵심은 철저하게 내 단독의 독립성을 추구하는 데 있는 것처럼 보인다. 하지만 레비나스는 나의 삶에 창조적 지평을 여는 의미 있는 주체성이란 다른 사람과 마주치면서 그 때 드러난 이 타자의 '얼굴'에 나타난 표정에 무한한 책임을 질 수 있을 때, 비로소 그 새로운 관계를 떠받치는 창조적 주체가 된다고 성찰한다. 마치 윤리적 관계가 있기도 전에 이미 주체가 있었던 것처럼 보면 안 된다는 말이다. 주체는 자기에 대해 있지 않다. 다시 말하지만 주체는 처음부터 다른 사람의 삶에 대해 있다. 다른 사람이 내게 가까운 것은, 그가 가까운 공간에 있다거나 부모처럼 가까워서가 아니다. 내가 그에게 책임이 있는 한, 그가 내게 다가선다는 면에서 가까운 것이다.

[마] “저는 정말 몰랐어요.” 엄마가 말했다. “응웬 씨가 겪었던 일, 저는 아무것도 모르지만 그래도 죄송하다고 말씀드리고 싶어요. 죄송합니다.” 엄마는 호 아저씨와 응웬 아줌마에게 고개 숙였다.

“저는 모든 걸 제 눈으로 다 봤답니다. 투이 나이 때였죠.” 그렇게 말하고 호 아저씨는 붉어진 눈시울로 애써 웃었다. “하지만 그렇게 말씀해 주셔서 감사합니다.” 호 아저씨는 거기까지 말하고 힘껏 웃어 보였다. 응웬 아줌마는 호 아저씨에게 베트남어로 속삭이듯이 이야기했다. 알아들을 수 없었지만 분명 마음을 다독이는 말이었을 것이다. 그 말의 진동이 내 마음까지 위로하는 것 같았으니까.

아빠는 엄마와 호 아저씨의 대화를 못 들은 것처럼 맥주만 마시고 있었다.

“당신도 무슨 말 좀 해 봐.” 엄마가 한국어로 아빠에게 말했다.

“내가 무슨 얘길 해? 그럼, 우리가 잘못했다고 말해야 돼? 왜 당신이 나서서 미안하다고 말해? 당신이 뭔데?” 아빠가 한국어로 받아쳤다.

“당신은 항상 이런 식이야. 죽어도 미안하다는 말을 못 해. 안 해. 그게 그렇게 어려운 일이야? 내가 응웬 씨였으면 처음부터 우리 가족 만나지도 않았을 거야.”

아빠는 식탁 의자에 걸친 카디건을 팔에 넣었다. “저녁 잘 먹었습니다.” 아빠는 잠시 망설이다가 입을 열었다. “저희 형도 그 전쟁에서 죽었습니다. 그때 형 나이 스물이었죠. 용병일 뿐이었어요.” 아빠는 누구의 눈도 마주치지 않으려는 듯 바닥을 보면서 말했다.

“그들은 아기와 노인들을 죽였어요.” 응웬 아줌마가 말했다.

“누가 베트콩인지 누가 민간인인지 알아볼 수 없는 상황이었겠죠.” 아빠는 여전히 응웬 아줌마의 눈을 피하며 말했다.

“태어난 지 고작 일주일 된 아기도 베트콩으로 보였을까요. 거동도 못 하는 노인도 베트콩으로 보였을까요.”

“전쟁이었습니다.”

“전쟁요? 그건 그저 구역질 나는 학살일 뿐이었어요.” 응웬 아줌마가 말했다. 어떤 감정도 담기지 않은 사무적인 말투였다.

“그래서 제가 무슨 말을 하길 바라시는 겁니까? 저도 형을 잃었다고요. 이미 끝난 일 아닙니까? 잘못했다고 빌고 또 빌어야 하는 일이라고 생각하세요?”

“당신 제정신이야?” 엄마가 말했다.

응웬 아줌마는 자리에서 일어나 천천히 서재로 걸어 들어갔다. 조심히 닫히던 문소리, 나는 겁에 질렸지만 차마 서재로 따라 들어가지는 못했다. 엄마는 동생을 안고 자리에서 일어났다. “정말 죄송합니다.” 엄마는 호 아저씨에게 고개를 숙였다. “투이야, 미안하다.” 엄마는 그 말을 하고 밖으로 나갔다. 나는 기저귀 가방과 카디건을 들고 엄마를 따라 나갔다.

‘그건 그저 구역질 나는 학살일 뿐이었어요?’ 그 말을 하던 응웬 아줌마의 웃음기 없는 얼굴이 자려고 누운 내 얼굴 위로 떠올랐다. 그 말을 할 때 아줌마는 우리와 다른 곳에 있었다. 내가 아무리 상상하려고 해도 상상할 수 없는 장소와 시간에 아줌마는 내몰려 있었다. 그녀의 말은 아빠를 설득하려는 말도 아니었고, 자신을 방어하고자 하는 말도 아니었다. 그 말은 아빠를 향한 것이 아니라 그간, 그 일을 겪은 이후로 애써 살아온 응웬 아줌마 자신에 대한 쓴웃음이었던 것 같다.

[바] Scientists are realizing how effective swarm intelligence is. Some scientists are applying what they've learned to solve human problems. Thomas Seeley, a biologist at Cornell University, is impressed by how well bees make decisions. According to him, the bees' rules for decision making are: seek a diversity of options, encourage a free competition among ideas, and use an effective mechanism to narrow choices. He is so impressed. He now uses them at Cornell as chairman of his department. "I've applied what I've learned from the bees to run faculty meetings," he says. He tries to avoid going into a faculty meeting with his mind made up, hearing only what he wants to hear, and pressuring people to conform. He asks his group to identify all the possibilities, show their ideas for a while, then vote by secret ballot. It's exactly what the swarm bees do, which gives a group time to let the best ideas emerge and win. He says that running meetings using swarm intelligence ideas can lead to better decisions. It can also reduce conflict among the staff.

[사] 좋은 논쟁이란 '상호 부딪침'이 있는 논쟁을 뜻한다. 그러자면 논점들이 팽팽하게 부딪쳐야 한다. 서로의 의견이 갈리는 부분에서 만나 마치 싸움터에서 장수들이 겨루듯 자신의 논리로 상대와 맞서 싸워야 한다.

논쟁이 생산적일 수 있는 이유는 바로 이 '만남'과 '부딪침'에 있다. 서로의 생각이 얼마나 다른지, 어느 부분이 어떻게 다른지는 서로 견주어 봐야 알 수 있는 일이다. 그런 이유로 논쟁은 싸움 같지만 사실은 상호 이해의 장이요, 청중들에게는 즐거움과 교육의 장이다. 서로 부딪치는 지점을 논쟁 용어로는 '접점'이라고 하는데, '상호 갈등 해소를 위한 개념적 장소'쯤으로 풀이할 수 있다.

이러한 접점에서 만나지 않는 사람들, 즉 다른 의견을 듣지 않는 사람들은 마치 메아리 방에서 살 듯 자신의 소리만 듣고 살 가능성이 크다. 아니면 비슷한 생각을 가진 사람끼리 만나 동종 교배 하듯 서로 동의하며 기존의 입장을 기형적으로 견고하게 다질지도 모른다. 서로 다른 의견을 가진 사람들 각각의 집단 편향(집단 극화)이나 쏠림 현상이 강화되는 것이다.

이러한 현상은 인터넷 시대에 들어서 더욱 심화되고 있다. 최근의 각종 연구 결과에 따르면, 이전과는 다르게 사람들은 소수의 여론 주도자에게 끌려다니지 않고 자신과 비슷한 생각을 가진 사람들에게 동조하면서 기존의 의견과 입장을 더욱더 강화하는 경향을 보이고 있다. 이에 따라 사람들의 의견이 극단적으로 나뉘는 현상마저 발생하고 있다.

1. 제시문 [가]~ [다]를 읽고 다음 물음에 답하시오. [40점]

(1) 제시문 [가]의 '여유'와 제시문 [나]의 '통곡'의 의미를 비교하여 설명하시오. [20점]

(2) 제시문 [다]의 관점에서 제시문 [가]와 제시문 [다]의 인간관을 대비하여 논하시오. [20점]

2. 제시문 [라]의 핵심 개념을 설명하고, 그 관점에서 제시문 [마]에 나타난 '아빠'의 태도를 평가하시오. [30점]

3. 제시문 [바]에서 말하는 효과적인 의사 결정 방식을 설명하고, 그 관점에서 제시문 [사]의 '집단 편향이나 쏠림 현상'을 극복할 수 있는 방안을 서술하시오. [30점]

이화여자대학교
EWHA WOMANS UNIVERSITY

논술답안지

※감독자 확인란

모집단위

성 명

수 험 번 호									
⓪	⓪	⓪	⓪	⓪	⓪	⓪	⓪	⓪	⓪
①	①	①	①	①	①	①	①	①	①
②	②	②	②	②	②	②	②	②	②
③	③	③	③	③	③	③	③	③	③
④	④	④	④	④	④	④	④	④	④
⑤	⑤	⑤	⑤	⑤	⑤	⑤	⑤	⑤	⑤
⑥	⑥	⑥	⑥	⑥	⑥	⑥	⑥	⑥	⑥
⑦	⑦	⑦	⑦	⑦	⑦	⑦	⑦	⑦	⑦
⑧	⑧	⑧	⑧	⑧	⑧	⑧	⑧	⑧	⑧
⑨	⑨	⑨	⑨	⑨	⑨	⑨	⑨	⑨	⑨

생년월일 (예 : 050512)					
⓪	⓪	⓪	⓪	⓪	⓪
①	①	①	①	①	①
②	②	②	②	②	②
③	③	③	③	③	③
④	④	④	④	④	④
⑤	⑤	⑤	⑤	⑤	⑤
⑥	⑥	⑥	⑥	⑥	⑥
⑦	⑦	⑦	⑦	⑦	⑦
⑧	⑧	⑧	⑧	⑧	⑧
⑨	⑨	⑨	⑨	⑨	⑨

【유의사항】
1. 답안 작성 시 문제번호와 답안번호가 일치하도록 알맞은 칸에 작성하여야 한다.
2. 답안 작성 시 필요한 경우에 수식 및 그림을 사용할 수 있다.
3. 필기구는 반드시 검은색 필기구만을 사용하여야 한다. (검은색 이외의 필기구로 작성한 답안은 모두 최하점으로 처리함)
4. 문제와 관계없는 불필요한 내용이나, 자신의 신분을 드러내는 내용이 있는 답안 및 낙서 또는 표식이 있는 답안은 모두 최하점으로 처리한다.
5. 답안은 반드시 정해진 답안작성란 안에만 작성하여야 한다. (답안작성란 밖에 작성된 내용은 채점 대상에서 제외함)

문항 【1】 반드시 해당 문항의 답을 작성해야 함

이 줄 아래에 답안을 작성하거나 낙서할 경우 판독이 불가능하여 채점 불가

이 줄 위에 답안을 작성하거나 낙서할 경우 판독이 불가능하여 채점 불가

문항 【2】 반드시 해당 문항의 답을 작성해야 함

문항 【3】 반드시 해당 문항의 답을 작성해야 함

이 줄 아래에 답안을 작성하거나 낙서할 경우 판독이 불가능하여 채점 불가

16. 2021학년도 이화여대 모의 논술 (인문 II)

[1 ~ 2] 다음 글을 읽고 물음에 답하시오.

[가] '리비히의 법칙'이라는 것이 있다. 식물이 성장하는 데 필수 영양소 가운데 성장을 좌우하는 것은 넘치는 요소가 아니라 가장 부족한 요소라는 이론이다. (중략) 식물이 잘 자라려면 성장에 필요한 질소, 인산, 칼륨, 석회 등 여러 요소가 있는데, 이 가운데 어느 하나가 부족하게 되면 다른 것들이 아무리 많아도 소용없다는 이야기다. 즉, 많은 것이 아니라 부족한 것이 성장을 결정한다는 것이다. (중략) 마찬가지로 사회나 국가의 역량도 최소량의 법칙에서 벗어날 수 없다. 생태계의 삶과 지속 가능성에도 리비히의 법칙은 그대로 적용된다. 우리가 살아가는 생태계의 지속 가능성은 최하위 존재에 달려 있다. 도시도 생태계다. 도시가 건강하게 지속 가능하려면 상위 포식자들만 먹고 살아서는 안 된다. 도시 생태계의 바탕을 이루는 하위 존재들도 먹고살아야 한다.

도시도 마찬가지다. 도시에 비싼 집, 새 집, 큰 집만 있다면 살아가기 힘들 것이다. 싼 집, 헌 집, 그리고 작은 집이 함께 있어야 이제 막 사회에 첫발을 내딛는 젊은이들도 들어가 살 집이 있고, 젊은 사업가들이 창업을 위한 공간도 마련할 수 있다. 파리 리옹역 동북쪽 바스티유 광장에서 동쪽으로 이어지는 도메닐 거리에 '예술의 다리'라 불리는 비아뒤크 데 자르가 있다. 고급 상가들이 들어선 멋진 예술의 거리로 유명한 이곳도 원래는 고가 철도의 폐선부지였다. 1970년대에 철도 운행이 중단되어 폐허처럼 남겨진 이곳에 대해 개발 논의가 시작된 것은 1980년대 부터였다. 파리시와 지역 주민이 개발 방향에 대해 오랫동안 논의를 거듭한 끝에 1990년 파리시 의회는 비아뒤크의 재개발 결정을 내리게 된다. 중세 시대 때부터 다양한 공예품을 제조하던 이 지역의 역사성을 살려 기존 구조물을 최대한 보존한 채 예술의 거리로 탈바꿈하자고 의견이 모였다. 그 결과 1995년에 공사를 시작하여 약 1년 만에 비아뒤크 데 자르의 재탄생이 이루어졌다. 1킬로미터에 달하는 상부 철길은 나무와 꽃이 우거진 산책로로 바뀌었고, 철길 하부 10미터 높이의 아치형 공간은 고급 상가로 개조되었다. (중략) 낡은 건물이나 시설, 장소를 싹 쓸어 내고 전혀 새로운 모습으로 바꾸어 버리는 재건축·재개발과 달리, 기존의 구조물을 거의 그대로 둔 채 조금씩 덧붙이거나 고치고 다듬어 생명력이 넘치는 새로운 공간으로 재탄생시킨 것이다. (중략)

제인 제이컵스가 강조한 도시의 생명력과 다양성은, 이른바 우리가 사는 도시도 생태계와 같으니 물건 다루듯 하지 말고, 도시 생태계를 좀 더 깊이 이해해야 한다는 의미일 것이다. 바꿔 말하면, 낡은 집이나 오래된 건물을 무조건 철거하지 말고 잘 살려서 오래 쓰라는 이야기이기도 할 것이다.

[나] 9월 29일, 미카엘 제 전야

베네치아에서 무엇보다도 내 눈길을 끄는 것은 역시 민중이다. 필연적이고 무의식적인 존재인 거대한 대중 말이다. 이들 일족은 재미 삼아 이 섬으로 옮겨온 것이 아니다. 그리고 그 뒤에 따라온 사람들이 그들과 합류하게 된 것도 우연한 계기로 인한 것이 아니었다. 고난이 가져다준 교훈에 따라 그들은 가장 불리한 지역에서 자신들의 안전지대를 찾은 것이다. 그런데 나중에는 이 자리가 오히려 그들에게 이점이 되었고, 북쪽의 전 지역이 여전히 암흑 상태에 빠져 있을 때 그들은 현명하게 대처했다. 따라서 그들이 번창하고 부유해진 것은 필연적인 결과였다.

점차 집들이 빽빽이 들어서고, 모래땅과 늪지는 암석처럼 단단한 지반으로 바뀌어 갔다. 집들은 조밀하게 심어진 나무들처럼 높이 솟구쳤다. 옆으로 확장할 수가 없었기 때문에 위로 높이 올라갈 수밖에 없었던 것이다. 사람이라 면 마땅히 한 치의 땅이라도 탐이 나는데, 처음부터 좁은 공간에 갇혀 있었기 때문에 골목길도, 양편의 집들을 분리하고 두 사람이 겨우 지나다닐 정도의 폭으로밖에 내지 않았다. 어쨌거나 그들에게는 물이 거리와 광장과 산책로 를 대신했다.

10월 9일

베네치아 공화국은 그곳에 '무라치'라고 하는, 바다에 맞서는 거대한 방벽을 건설 중이다. 사람들은 돌 블록으로 이 방벽을 쌓고 있다. 이것은 연안을 바다로부터 격리하는 '리도'라고 하는 길다란 지협을 거친 파도로부터 보호하기 위한 것이다.

연안은 오래된 자연의 산물이다. 먼저 밀물과 썰물의 조류와 대지의 상호작용에 이어서 태곳적 바다의 수변이 점차 낮아진 결과, 아드리아해의 위쪽 끝부분에 광활한 늪이 형성되었다. 그 늪은 밀물 때에는 바닷물에 잠기지만 썰물 때에는 부분적으로 드러난다. 인간의 기술은 그 땅의 가장 높은 부분을 접수했으며, 그리하여 수백 개의 섬으로 이루어짐과 동시에 수백 개의 섬으로 에워싸인 베네치아가 탄생한 것이다. (중략)

옛날 사람들이 지혜와 노력으로써 고안해 내고 실행한 것을. 이제는 현재의 우리가 그에 못지않은 지혜와 노력으로써 보존해야 할 것이다. 기다란 띠 모양의 물인 리도는 연안 호수를 바다와 갈라놓고 있는데, 바닷물이 안으로 들어오는 통로는 두 곳뿐이다. (중략) 밀물은 보통 하루에 두 번씩 들어오고, 마찬가지로 썰물도 하루에 두 번씩 나간다. 항상 똑같은 방향으로 똑같은 과정을 되풀이하는 것이다. (중략)

그러나 만일 바다가 새로운 길을 찾아 그 지협을 공격하며 제멋대로 드나든다면 상황은 달라질 것이다. (중략) 리도는 섬으로 변할 것이고, 지금은 그 배후에 있는 섬들이 지협으로 변할 것이다. 그러한 사태가 닥치지 않도록 베네치아 사람들은 리도를 보호하기 위해 모든 노력을 기울여야 한다. 그래서 인간이 이미 점유해서 특정한 목적에 맞게 형태와 방향을 부여한 것을, 자연이 제멋대로 공격하거나 이렇게 저렇게 바꾸지 못하게 해야 할 것이다.

[다] 우리 조상은 자연에 신비한 힘이 있다고 믿어 하늘, 땅, 바위, 나무와 같은 자연을 섬기면서 순응하는 삶을 살아왔다. 그리하여 지역의 자연 조건과 조화를 이루는 삶을 살면서 자연환경의 이점을 활용하고 과도한 개발을 피하였다.

마을은 대부분 배산임수의 가파르지 않은 남향 산기슭에 조성되었는데, 일조량이 많고 차가운 북서 계절풍을 피할 수 있다는 이점이 있어 땔감을 얻기 위해 지나친 자연 파괴를 하지 않고도 겨울을 날 수 있었다. 또 집을 짓거나 농사를 지을 때는 나무, 짚, 흙, 돌, 분뇨로 만든 퇴비 등 재생 가능한 재료를 썼다.

자연이 주는 식량을 모두 차지하지 않고 동물들을 배려하여 남겨 두었으며, 하찮은 곤충이라도 생명이 있는 것은 모두 소중하게 여기는 생명 존중 사상이 있었다.

지역에서 나는 농산물을 이용하여 지역 특성에 맞는 음식 문화를 발전시켰으며, 농사를 짓는 과정에서도 분뇨를 천연 퇴비로 활용하고, 이 퇴비로 키운 채소를 식탁에 올림으로써 '음식 → 분뇨 → 거름 → 음식'이라는 자원 순환 과정을 구현하였다.

산이 많은 우리나라의 특성을 살려 경사가 급한 산비탈에는 계단식의 다랑논을 만들어 여름철에 물을 가두어 둠으로써 홍수를 조절하고 토양의 유실을 막았는데, 이는 생물 다양성을 유지하는 훌륭한 방법이었다. 이러한 조상들의 생활 방식은 자연자원을 보전하고 이용 효율을 높임으로써 지속 가능한 사회를 유지한 삶의 지혜였다.

[라] 맹자가 부동심을 강조한 것은 마음이 한 개인의 몸 전체를 이끄는 역할을 한다고 보았기 때문이다. 맹자는 마음이 어떤 방식으로 몸의 다른 부분들을 이끈다고 주장하는 것일까? 이와 관련하여 맹자는 마음과 감각 기관의 관계를 설명한다. 마음과 감각 기관의 관계에 대한 맹자의 설명은 '큰 사람'과 '작은 사람', 즉 대인(大人)과 소인(小人)의 관계에서 출발한다. 맹자는 대인과 소인은 타고나는 것이 아니라 각 개인의 수양 과정에 따른 결과라고 주장한다. 말하자면 사람의 '큼[大]'과 '작음[小]'은 애초에 사람 안에 있으며 그중 어느 쪽을 기르느냐에 따라 그 사람이 어떤 사람인가가 결정된다는 것이다. (중략)

'작은 몸'은 수동적이기 때문에 외부에 의해 끌려갈 수 있으며, '큰 몸', 즉 마음에 이끌려 갈 수도 있다. 예컨대 어떤 상황에서 남을 불쌍하게 여기는 타고난 착한 마음이 들어 이를 저버리지 않고 집중하면 '작은 몸'은 따라오게 된다. 즉 어떤 동기가 실천으로 자연스럽게 옮겨 가게 된다. (중략)

'작은 몸'인 감각기관이 외부 대상에 끌려가 무절제하게 욕망에 탐닉하게 되는 경우 그 책임은 마음에 있다. 이는 각 개인이 저지르는 악의 기원과 그 책임의 소재를 말해 준다. 언뜻 보기에 각 개인이 저지르는 악은 감각 기관의 활동으로 발생하는 것처럼 보이지만 실제로는 마음이 제 역할을 하지 않았기 때문에 생겨난다. 우리 몸에 무언가 있기 때문에 악을 저지르는 것이 아니라 마음이 무언가를 하지 않기 때문에 악을 저지르게 되는 것이다. 마음이 제 역할을 해 나갈 때, 마음은 눈, 귀, 코, 혀, 피부 등의 오관(官)과 같은 몸의 다른 부분들을 이끌어 각 개인을 책임감 있는 존재로 형성해 나가게 한다. 마음의 활동에 감각 기관의 활동도 따라가게 되어 있는 것이다. 따라서 마음의 뜻(지향)을 붙잡는 일은 수양에서 중요한 과제가 된다.

[마] 다음날 아침 출근을 하려는데 유리창은 물론이고 앞 범퍼에 푸르죽죽한 것들이 잔뜩 엉겨 있었다. 그것은 흙먼지가 아니라 수많은 풀벌레들이 달리는 차체에 부딪혀 죽은 잔해였다. 마치 거대한 모터 주위에 두텁게 쌓여 있는 먼지 뭉치처럼 말이다. 그것을 닦아 내려다 나는 지난밤 엄청난 범죄라도 저지른 사람처럼 손발이 후들후들 떨려 도망치듯 세차장으로 갔다. 그러나 엉겨 붙은 풀벌레들의 흔적은 세차 기계의 물살에도 완전히 지워지지 않았다. 운전대를 잡을 때마다 풀 비린내는 몸서리쳐지는 기억으로 남았고, 나는 손을 씻고 또 씻었다.

시속 100킬로미터 정도의 속력에 그렇게 많은 풀벌레가 짓이겨졌다는 것도 믿기 어려웠지만, 이런 살상의 경험을 모든 운전자들이 초경처럼 겪었으리라는 사실이야말로 나에게는 예상치 못한 충격이었다. 인간에게 안락한 공간이 다른 생명을 해칠 수 있다는 자각이 그제서야 찾아왔다.

옛날 티베트의 승려들은 입을 열어 말을 할 때마다 공기 중의 미생물을 죽이게 될까 봐 얼굴에 일곱 겹의 천을 두르고 다녔다고 한다. 그걸 생각하면 자동차를 몰고 다닌다는 것 자체가 엄청난 살생 행위라고도 말할 수 있을 것이다. 그렇다고 하루아침에 차를 없앨 수도 없는 형편이어서 나는 자동차에 대한 태도를 정리할 필요를 느꼈다. 차를 유지하되 사용을 최소화하고 의존도를 낮추는 선에서 타협할 수밖에 없었다. 그리고 그 '감성적 기계'의 편안함에 길들여지려는 순간마다 그것이 풀 비린내뿐 아니라 피비린내를 불러올 수도 있다는 자각을 잊지 않으려고 한다.

1. 제시문 [가] [다]를 읽고 다음 물음에 답하시오. [40점]

(1) 지속가능성의 관점에서 제시문 [가]와 제시문 [다]를 비교하시오. [20점]

(2) 제시문 [나]와 제시문 [다]의 자연관을 대비하여 논하시오. [20점]

2. 제시문 [라]의 관점에서 제시문 [마]에 나타난 화자의 태도를 분석하시오. [30점]

3. 다음 글을 읽고 물음에 답하시오. [30점]

E국에서 생산 및 소비되는 X재가 있다. E국에는 7명의 국민이 있으며, [표 1]은 각 국민이 X재 한 개를 소비할 때 얻는 효용의 화폐가치를 나타낸다. X재의 특성으로 인해 한 명이 여러 개의 X를 소비하는 경우는 없다. [표 1]에 따르면 국민 A는 X재 한 개를 소비할 경우 1,100원만큼의 효용을 얻으므로 X재 구입을 위해 1,100원까지 지불할 용의가 있다. 소비자가 상품을 구입하여 얻는 이득을 소비자 잉여라고 하며, 소비자 잉여는 소비자가 상품을 구입하기 위해 최대로 지불할 의사가 있는 금액에서 실제로 지불한 금액을 뺀 것으로 계산할 수 있다. 만약 A가 X재를 100원에 구입한다면 A의 소비자 잉여는 1,000원(1,100원-100원)이 된다. X재를 구입하지 않을 경우의 소비자 잉여는 0이 되며, 따라서 각 국민은 X재를 구입할 때 얻는 소비자 잉여가 0보다 클 경우에만 X재를 사고자 할 것이

다. X재를 사고자 하는 국민의 수가 수요량이 된다. 한편 [표 2]는 X재의 가격대별 공급량을 나타낸다. [표 2]에 따르면 X재의 가격이 450원일 경우 공급량은 1개이다.

[표 1] 각 국민이 X재 한 개를 소비할 때 얻는 효용의 화폐가치

국민	A	B	C	D	E	F	G
X재 한 개 소비 시 얻는 효용의 화폐가치(원)	1,100	1,000	900	800	700	600	500

[표 2] X재의 가격대별 공급량

가격(원)	450	550	650	750	850	950	1,050
공급량(개)	1	2	3	4	5	6	7

(1) 수요량과 공급량이 일치하는 지점에서 결정되는 가격을 균형 가격, 이때의 거래량을 균형 거래량이라고 한다. [표 2]에 나열된 가격 중 균형 가격이 될 수 있는 가격을 구하고, 그에 따른 균형 거래량을 구하시오. 또한 균형 가격에서 X재를 구입하는 국민들이 누구인지 구하고 이들이 각각 얻는 소비자 잉여의 크기를 구하시오. [10점]

(2) E국 정부가 X재의 가격이 지나치게 높다고 판단하여 X재의 가격이 550원을 초과할 수 없도록 하는 가격 통제 정책을 시행하였다. 초과 수요가 발생할 경우 정부는 알파벳 순서대로 먼저 구입할 수 있는 기회를 준다고 하자 (즉 A는 가장 먼저 구입할 수 있는 기회를 가지며, G는 가장 마지막에 구입할 기회를 얻는다). 가격 통제 정책 시행 후 X재를 구입하는 국민들은 누구인지 구하고 이들이 각각 얻는 소비자 잉여의 크기를 구하시오. 가격 통제 정책의 시행으로 인해 이득을 본국 민과 손해를 본 국민이 누구인지 구하시오. [10점]

(3) 아래 <보기>의 최저 임금제와 이자제한법 중 어느 정책이 문항 (2)의 가격 통제 정책과 유사한지 논하고, 선택한 <보기>의 정책이 갖는 순기능과 한계점에 대해 문항 (2)의 분석을 기반으로 논하시오. [10점]

〈보기〉

1. 최저 임금제는 정부가 임금의 최저 수준을 정하고, 사용자가 그 수준 이상의 임금을 근로자에게 지급하도록 법으로 강제하는 제도이다. 대부분의 국가는 근로자의 생활 안정 및 노동력의 질적 향상, 소득 분배의 개선 등을 위해 최저 임금제를 시행하고 있다.
2. 이자제한법은 이자의 적정한 최고 한도를 정하여 자금의 수요자를 보호하고자 하는 법이다. 많은 국가들은 이자 제한법 시행을 통해 국민 경제생활의 안정과 경제 정의의 실현을 추구한다.

이화여자대학교
EWHA WOMANS UNIVERSITY

모집단위

성 명

논술답안지

※감독자 확인란

수험번호									

생년월일 (예 : 050512)					

【유의사항】
1. 답안 작성 시 문제번호와 답안번호가 일치하도록 알맞은 칸에 작성하여야 한다.
2. 답안 작성 시 필요한 경우에 수식 및 그림을 사용할 수 있다.
3. 필기구는 반드시 검은색 필기구만을 사용하여야 한다. (검은색 이외의 필기구로 작성한 답안은 모두 최하점으로 처리함)
4. 문제와 관계없는 불필요한 내용이나, 자신의 신분을 드러내는 내용이 있는 답안 및 낙서 또는 표식이 있는 답안은 모두 최하점으로 처리한다.
5. 답안은 반드시 정해진 답안작성란 안에만 작성하여야 한다. (답안작성란 밖에 작성된 내용은 채점 대상에서 제외함)

문항【1】 반드시 해당 문항의 답을 작성해야 함

이 줄 아래에 답안을 작성하거나 낙서할 경우 판독이 불가능하여 채점 불가

이 줄 위에 답안을 작성하거나 낙서할 경우 판독이 불가능하여 채점 불가

문항 【2】 반드시 해당 문항의 답을 작성해야 함

문항 【3】 반드시 해당 문항의 답을 작성해야 함

이 줄 아래에 답안을 작성하거나 낙서할 경우 판독이 불가능하여 채점 불가

17. 2020학년도 이화여대 수시 논술 (인문 Ⅰ)

[1 ~ 3] 다음 글을 읽고 물음에 답하시오.

[가] 내 조카 허친(許親)이 집을 짓고서는 '통곡헌(慟哭軒)' 이란 이름의 편액을 내다 걸었다. 그러자 모든 사람들이 크게 비웃으며 말했다. "세상에는 즐길 일들이 얼마나 많거늘 무엇 때문에 곡(哭)이란 이름을 내세워 집에 편액을 건단 말이냐? 게다가 곡이란 상(喪)을 당한 자식이나 버림받은 여인이 하는 행위이다. 세상 사람들은 그런 자들의 곡소리를 몹시 듣기 싫어한다. 자네가 남들은 기필코 꺼리는 것을 일부러 가져다가 집에 걸어 두는 이유가 대체 무엇인가?"

그러자 허친이 이렇게 대꾸하였다. "저는 이 시대가 즐기는 것은 등지고, 세상이 좋아하는 것은 거부합니다. 이 시대가 환락을 즐기므로 저는 비애를 좋아하며, 이 세상이 우쭐대고 기분 내기를 좋아하므로 저는 울적하게 지내렵니다. 세상에서 좋아하는 부귀나 영예를 저는 더러운 물건인 양 버립니다. 오직 비천함과 가난, 곤궁과 궁핍이 존재하는 곳을 찾아가 살고 싶고 하는 일마다 반드시 이 세상과 배치되고자 합니다. 세상에서 제일 미워하는 것은 언제나 곡하는 행위입니다. 이것을 능가하는 일은 없습니다. 그래서 저는 곡이란 이름을 내세워 제 집의 이름으로 삼았습니다."

그 사연을 듣고서 나는 조카를 비웃은 많은 사람들을 준엄하게 꾸짖었다. "곡하는 것에도 도(道)가 있다. (중략) 시사(時事)가 어떻게 해 볼 도리가 없이 진행되는 것을 가슴 아프게 생각하여 통곡한 가의라는 학자가 있었고, 하얀 비단실이 본바탕을 잃고 다른 색깔로 변하는 것을 슬퍼하여 통곡한 사상가 묵적이 있었다. (중략) 여러 군자들이 처한 시대와 비교할 때 오늘날은 훨씬 더 말세에 가깝다. 국가의 일은 날이 갈수록 그릇되어 가고, 선비의 행실은 날이 갈수록 허위에 젖어들며, 친구들끼리 등을 돌리고 저만의 이익을 추구하는 배신행위는 길이 갈라져 분리됨보다 훨씬 심하다. 또 현명한 선비들이 곤액을 당하는 상황이 막다른 길에 봉착한 처지보다 심하다. 그러므로 모두들 인간 세상 밖으로 숨어버리려는 계획을 짜낸다. 만약 저 여러 군자들이 이 시대를 직접 본다면 어떠한 생각을 품을지 모르겠다. 아무래도 통곡할 겨를도 없이 모두들 팽함이나 굴원이 그랬듯 바위를 가슴에 안고 물에 몸을 던지려 하지나 않을까? 허친이 통곡한다는 이름의 편액을 내건 까닭이 여기에 있을 것이다. 그러니 너희들은 통곡이란 편액을 비웃지 않는 게 좋을 것이다."

[나] 은하수를 못 보았다는 학생이 있었다. 농이 지나치다고 했더니 서울 하늘에서는 정말 본 일이 없다는 것이었다. 어이가 없어 멍해 있는 내가 보기에 딱했던지 옆의 몇몇 학생도 역시 본 것 같지 않다고 거들었다. (중략)

밤하늘에 부치는 명상만큼 깊고 장중한 것이 흔할까. 어둠이 보석처럼 여문 밤하늘 아래서 별을 우러르지 않고 어느 몽상이 날개를 펴리라고 꿈엔들 생각해보라. 은하수는 별들의 바다, 그것은 별들의 강물, 아니 별 중의 별들이다. 밤하늘 아래 우리들의 명상이, 혹은 우리들의 몽상이 은하수 그 물속에 멱 감지 않고 은하수 그 바다를 건너가 보지 않았던 적이 있었을까. 소년 마리우스에게 있어 별은 단적으로 아름다움 그 자체였다. 그가 죽음을 두려워했던 것도 별을 못 보게 될 것이라는 추측, 그 하나 때문이다시피 했다. 아직도 은하수가 덜 기울었다는 핑계로 잠들려 하지 않고, 오직 은하수가 보고파서 밤을 기다리던 그런 어린 철을 보내지 않은 사람은 몇이나 될까. (중략)

이제 젊은이들은 이 모든 것에 종언을 고한 것이다. 더불어 그들은 밤하늘의 명상과 어둠의 몽상과도 옷소매를 가른 것이다. (중략) 동경을 모르고 욕망 안에 매여 있는 세대 - 그것이 지금의 젊은 세대라는 생각을 해 볼 때가 있다. '헌신'이란 것은 잠꼬대에 지나지 않고 오직 '소유'만이 절대인 그런 삶을 사는 세대가 있다는 것은 무서운 일이다. 야수의 우리 속에 내던져진 것만큼이나 송연한 일이다.

은하수가 말라 버린 하늘 아래에선 그럴 수밖에 없는 것이다. 피안을 향한 그 불빛들이 꺼져 버린 이 어두운 삶의 길목에 서는 달리 어쩔 수가 없는 것이다. 감상(感)을 여름날 미숫가루 물처럼 마시다 간, 시인 윤동주는 모든 그리운 것과 모든 사랑스러운 것을 별에 붙여 비로소 이름 지을 수 있었다. 어머니도 소녀도 시도 그리고 작고 귀여운 짐승에 이르기까지. 별에 붙여 이름이 불릴 때 이 지상의 것들은 초월의 날개를 파닥이며 가볍게 별을 향해 비상하기 시작한다. 인간이 그 영혼의 존재를 느끼는 것도 바로 그때이다. 아울러 자아가 무한과 영원을 향해 열려져 있다는 것을 느끼게도 되는 것이다. 매미 껍질을 벗듯 자아를 넘어서고 집념의 사슬을 끊고 우리들은 더없이 순화되는 것이다. 수액(樹液)이 나무의 속을 돌 듯, 길러 줄 인연이란 오직 헌신뿐이라는 것을 깨닫는 기쁨도 그때 누려지는 것이다. 위대한 것, 구원(久遠)한 절대에의 헌신을 결단하는 것이 정작 동경이라면 그때 우리는 비로소 동경하는 자의 별빛 같은 눈동자를 지니게 되는 것이다.

현실의 이쪽을 비추는 전등들의 그 불빛으로는 소유와 집념과 욕구의 영상이 비춰질 뿐이다. 요즘의 영화들은 그것을 너무도 잘 보여 준다. 전동으로 비추는 인간 욕구의 파노라마……

[다] 질문자가 다음과 같이 말했다. "지금까지 당신은 철도, 법률가, 의사들을 비난했습니다. 당신은 모든 기계류 폐기해야 된다고 하시는데 그러면 도대체 문명이란 무엇입니까?"

간디가 대답했다. "문명은 인간에게 의무의 길을 보여 주는 행동 양식입니다. 의무의 이행과 도덕의 준수는 동의어입니다. 도덕을 준수하는 것은 마음과 열정에 대한 자제력을 얻는 것입니다. 그렇게 함으로써 우리는 자신의 모습을 알아갑니다. 인도 서부 방언 구자라트어에서 '문명'에 해당하는 말은 '올바른 행동'을 의미합니다. 이 정의가 옳다면, 수많은 작가들이 보여 주었다시피 인도는 다른 누구로부터도 배울 것이 없으며, 배우지 말아야 하는 것입니다.

마음이란 쉴 새 없이 날아다니는 새라는 것을 우리는 알고 있습니다. 더 많이 소유할수록 더 많은 것을 원하고, 그러면서 여전히 만족하지 못합니다. 우리의 열정에 탐닉할수록 더욱 제멋대로 방송하게 됩니다. 우리의 조상들은 행복이 대개 정신적 상태라는 것을 알았습니다. 부자라고 반드시 행복한 것은 아니며, 가난하다고 불행한 것도 아닙니다. 종종 부자가 불행해 보일 때가 있고, 가난한 사람들도 행복해 보일 때가 있습니다. 수백만 명은 항상 가난할 것입니다. 이 모든 것을 인지하고서, 우리 조상들은 우리가 사치와 쾌락을 단념하도록 설득했습니다. (중략) 우리에게는 생명을 잠식하는 경쟁 체제가 없었습니다. 각자 자신의 생업이나 무역에 종사하면서 적정한 보수를 받았습니다. 우리가 기계를 발명할 줄 몰랐다는 것이 아니라, 만약 그런 것들에 마음을 빼앗기면 우리는 노예가 되고 도덕 정신을 상실할 것이라는 사실을 우리 조상들은 알았던 것입니다. 그래서 충분히 심사숙고한 다음, 우리 조상들은 우리 손과 발로 할 수 있는 일들만을 해야 한다고 결정했습니다. 그들은 우리의 진정한 행복과 건강은 우리 손과 발을 적절하게 사용할 때 가능하다는 것을 알았습니다."

[라] (백인 여성이 남편과 함께 아프리카 로디지아를 여행 중이었다. 기차역은 관광객 및 그들에게 구걸하는 아이들, 그리고 토착 공예품을 파는 원주민 상인들로 아수라장이었다. 여성은 공예품 중에서도 나무로 조각한 작은 사자상에 관심을 보였으나 선뜻 사기를 망설였다.)

"삼 실링 육 펜스라!" 남편은 못 믿겠다는 표정이었다. "다음에 사요." 여자가 채근했다. "당신이 그렇게 갖고 싶어 하던 거잖아." 남편은 의아하다는 듯이 말했다. "아니에요. 다음에 살래요." 이미 여자가 타고 있는 객차의 선반에는 사자상은 물론이고 수사슴이며 하마상 그리고 코끼리상 등이 넘쳐 나고 있었다. 이 조각상들을 집에 모셔 두는 것은 무슨 의미가 있는가? 원래 있어야 할 장소를 떠나 다른 곳으로 옮겨진다는 것은 무엇을 뜻할까? (중략)

남편이 숨을 몰아쉬며 객실로 돌아왔다. 그는 의기양양해 있었다. "자, 이걸 보시라. 일 실링 육 펜스에 샀어." 그가 사자상을 흔들며 말했다. "뭐라고요?" 그녀가 어이가 없는 듯 말했다. "장난삼아 마지막으로 값을 흥정했지. 그랬더니 기차가 막 떠나려고 할 때 그 노인이 기차를 따라오며 일 실링 육 펜스에 가져가라고 하더군." 그가 만면에 회색을 띄며 말했다. "당신, 어떻게 그럴 수가 있죠?" 여자의 얼굴엔 분노의 빛이 역력했다. 흥분한 여자의 목소리가 날카롭게 갈라졌다. "왜 처음부터 사지 않고 그렇게 뜸을 들였죠? 왜 기차가 떠날 때까지 기다렸다 샀냔 말이에요. 그것도 일 실링 육 펜스에 말이죠." 여자는 사자상을 남편에게 떠다밀었다. "이거 당신이 갖고 싶어 했던 것 아니야? 무척 맘에 들어 했잖아." "물론이에요. 그렇지만 이건 아주 훌륭한 조각품이라구요." 여자는 마치 조각품을 보호하려는 것처럼 맹렬하게 말했다. 남편은 망연자실 여자를 바라보고 서 있을 뿐이었다.

여자는 모퉁이에 앉아 두 손으로 얼굴을 감싸 쥔 채 창밖을 무표정하게 응시했다. 갖가지 생각들이 그녀의 머릿속에서 교차하는 것 같았다. 일 실링 육 펜스라! 나무 조각과 다리의 근육과 채찍 같은 꼬리를 사는 데 일 실링 육 펜스라! 그렇게 늠름하게 벌려져 있는 입과 파도처럼 말려 있는 검은 혀에 그토록 정교한 복의 갈기까지 얻는 데 일 실링 육 펜스라! 분노로 인한 열기가 여자의 다리를 타고 목까지 올라와 귀에 모래를 쓸어내는 소리를 쏟아부었다. 그 소리는 한동안 계속되었다. 여자는 속이 메스꺼워짐을 느꼈다.

[마] Are cheaper goods worth the price of worker abuse? Fortunately, many people are waking up to the basic unfairness of world trade and are demanding better deals for the people who do our dirty work. This is called "fair trade." Fair trade sounds brilliant, but it is not without its drawbacks.

One obvious problem is that fairly traded goods can cost significantly more. Many people, especially those struggling to get by on low incomes, cannot afford to pay the difference. If fair trade really is claiming to help poorer people, should it not be aiming to help poorer consumers as well as poorer producers? There is also the danger that fair trade remains a token gesture that is more about making middle-class, liberal-leaning consumers feel less guilty. If you feel good about a bag of fair-trade coffee in your shopping bag, maybe you will not worry that the rest of the items you purchased were produced by unfair trade practices. In addition, there is a possibility that the term fair trade can be misused. For example, the UK Fair Trade symbol certifies only raw materials and not finished goods. You can buy a T-shirt with such a logo made from fair-trade cotton that could, in theory, have been made into a finished article in a sweatshop.

It is for reasons like this that some proponents of fair trade avoid using the term altogether, and promote their products as a step towards "fairer trade." Achieving truly fair trade means seeing the world in a different way: as a planet of partnership and mutual prosperity rather than plunder and exploitation. Fair trade is not about paying 50 cents more for your coffee. It is about caring for your neighbors even when they're on the other side of the world.

[바] 센트럴 파크나 국회 의사당에서 대리 줄서기와 암표 판매를 금지하려는 이유는 무엇일까? 센트럴 파크에서 열리는 무료 셰익스피어 공연의 대변인은 다음과 같은 근거를 댔다. "공원에서 셰익스피어 공연을 간절하게 보고 싶어 하는 사람들이 대리 줄서기와 암표 판매 때문에 입장권을 빼앗기고 있다. 우리는 그 사람들이 공연을 무료로 관람하기를 원한다."

이러한 주장에 대해 자유 시장 옹호자들은 다음과 같은 반응을 보일 수 있다. 극장 측이 연극을 열렬하게 관람하고 싶어 하는 사람들로 관람석을 채우고 공연이 주는 즐거움을 극대화하고 싶다면, 연극의 가치를 가장 높게 평가하는 사람에게 입장권이 돌아가게 해야 한다. 그런데 그 사람은 바로 입장권에 최고 가격을 지불하는 사람들이다. 따라서 공연에서 최대의 즐거움을 누릴 관객으로 극장을 채울 수 있는 최선의 방법은 입장권 분배를 자유 시장에 맡기는 것이다. 다시 말해 시장이 정하는 가격에 입장권을 판매하든지, 아니면 돈을 받고 대신 줄을 서는 사람과 가장 높은 가격을 지불하려는 사람에게 입장권을 파는 암표상을 허용하는 것이다.

하지만 이러한 주장은 설득력이 없다. 사회적 효용을 극대화하는 것이 우리의 목표라 하더라도 자유 시장이 줄서기보다 미덥지 못할 수 있다. 어떤 재화에 기꺼이 돈을 지불한다고 해서 반드시 해당 재화의 가치를 높게 평가하는 것은 아니다. 시장 가격은 자발적으로 지불하려는 마음만큼이나 지불할 수 있는 능력도 반영하기 때문이다. 셰익스피어 연극이나 레드삭스 경기를 가장 간절하게 관람하고 싶어 하는 사람이라도 입장권을 살 만한 경제적 여유가 없을 수 있다. 또한 어떤 경우에는 최고 가격을 지불하고 입장권을 손에 넣은 사람이라도 그 경험의 가치를 전혀 높게 평가하지 않을 수도 있다.

따라서 재화가 그 가치를 가장 높게 평가하는 사람에게 돌아가게 하려면 줄서기보다 시장이 언제나 낫다는 경제학자들의 주장에는 의문이 생긴다. 공연이나 경기를 보기 위해 '돈을 지불하려는 마음' 보다는 기꺼이 '줄을 서려는 마음' 이 그것을 정말 보고 싶어 하는 사람인지를 판단할 수 있는 기준이 될 수도 있기 때문이다.

[사] 레스터 서로는 그의 저서에서 이렇게 설파했다. "민주주의와 자본주의는 적절한 권력의 분배에 대해 매우 다른 믿음을 갖고 있다. 전자는 '1인 1표' 라는 정치권력의 완전한 분배가 좋다고 믿는 반면, 후자는 경제적 비적격자를 몰아내어 경제적으로 멸종시키는 것이 경제적 적격자의 의무라고 믿는다. '적자생존' 과 구매력상의 불평등이 자본주의적 효율성의 모든 것이다." 그렇다면 본질적으로 어울리기 어려운 정치 체제와 경제 체제가 어떻게 잘 결합하고 상호 작용을 하면서 19세기 이후 크게 번영을 이루어 왔을까? 레스터 서로는 민주주의 절차에 의해 선출된 정부가 시장을 가만히 놔두지 않고 더 평등한 소득 분배를 이루는 데 적극적으로 나섰기 때문이라는 설명을 내놓는다. "역사적으로 시장 경제들은 민주주의와 양립할 수 있을 만큼 충분한 경제적 평등을 창출해 내지 못했다. 그렇기 때문에 모든 민주주의 국가는 평등을 촉진하고 불평등이 확대되는 것을 막기 위해 시장에 개입하는 것이 필요하다는 것을 알게 되었다."

자본주의는 민주주의의 도움을 받아 파국의 상태로 흘러가지 않고 끊임없이 보완될 수 있었던 것이다. 칼레츠키는 이와 비슷하지만 더 적극적인 주장을 하고 있다. 그는 자본주의가 근본적으로 민주주의와 궁합이 잘 맞는 제도라고 주장한다. 자본주의가 존립의 위기에 처할 때마다 민주주의의 도움을 받아 경제 환경에 맞는 새로운 형태로 진화해 왔다고 주장한다. "민주주의 덕분에 자본주의는 그 시스템과 제도가 진화할 수 있는 여유를 갖게 된다. 자본주의는 구부러지기 때문에 부러지지 않는다."

1. 제시문 [가]~[다]를 읽고 다음 물음에 답하시오. [40점]

(1) 제시문 [가]와 [나]의 현실 인식을 대비하고, '통곡'과 '은하수'의 상징적 의미를 서술하시오. [20점]

(2) 제시문 [가]의 허친과 [다]의 간디의 현실 대응 방식을 비교하시오. [20점]

2. 제시문 [마]의 주장을 바탕으로 제시문 [라]의 남편과 부인의 태도를 설명하시오. [3점]

3. 제시문 [사]의 관점에서 제시문 [바]의 '대리 줄서기'와 관객 본인의 '줄서기'에 대해 논하시오. [30점]

이화여자대학교
EWHA WOMANS UNIVERSITY

모집단위

성 명

논술답안지

※감독자 확인란

수 험 번 호									
⓪	⓪	⓪	⓪	⓪	⓪	⓪	⓪	⓪	⓪
①	①	①	①	①	①	①	①	①	①
②	②	②	②	②	②	②	②	②	②
③	③	③	③	③	③	③	③	③	③
④	④	④	④	④	④	④	④	④	④
⑤	⑤	⑤	⑤	⑤	⑤	⑤	⑤	⑤	⑤
⑥	⑥	⑥	⑥	⑥	⑥	⑥	⑥	⑥	⑥
⑦	⑦	⑦	⑦	⑦	⑦	⑦	⑦	⑦	⑦
⑧	⑧	⑧	⑧	⑧	⑧	⑧	⑧	⑧	⑧
⑨	⑨	⑨	⑨	⑨	⑨	⑨	⑨	⑨	⑨

생년월일 (예 : 050512)					
⓪	⓪	⓪	⓪	⓪	⓪
①	①	①	①	①	①
②	②	②	②	②	②
③	③	③	③	③	③
④	④	④	④	④	④
⑤	⑤	⑤	⑤	⑤	⑤
⑥	⑥	⑥	⑥	⑥	⑥
⑦	⑦	⑦	⑦	⑦	⑦
⑧	⑧	⑧	⑧	⑧	⑧
⑨	⑨	⑨	⑨	⑨	⑨

【유의사항】
1. 답안 작성 시 문제번호와 답안번호가 일치하도록 알맞은 칸에 작성하여야 한다.
2. 답안 작성 시 필요한 경우에 수식 및 그림을 사용할 수 있다.
3. 필기구는 반드시 검은색 필기구만을 사용하여야 한다. (검은색 이외의 필기구로 작성한 답안은 모두 최하점으로 처리함)
4. 문제와 관계없는 불필요한 내용이나, 자신의 신분을 드러내는 내용이 있는 답안 및 낙서 또는 표식이 있는 답안은 모두 최하점으로 처리한다.
5. 답안은 반드시 정해진 답안작성란 안에만 작성하여야 한다. (답안작성란 밖에 작성된 내용은 채점 대상에서 제외함)

문항 【1】 반드시 해당 문항의 답을 작성해야 함

이 줄 아래에 답안을 작성하거나 낙서할 경우 판독이 불가능하여 채점 불가

이 줄 위에 답안을 작성하거나 낙서할 경우 판독이 불가능하여 채점 불가

문항 【2】 반드시 해당 문항의 답을 작성해야 함

문항 【3】 반드시 해당 문항의 답을 작성해야 함

이 줄 아래에 답안을 작성하거나 낙서할 경우 판독이 불가능하여 채점 불가

18. 2020학년도 이화여대 수시 논술 (인문 II)

[1 ~ 2] 다음 글을 읽고 물음에 답하시오.

[가] 과학 기술을 바람직하게 활용하기 위해서는 윤리적 책임이 중요하다. 과학 기술은 선한 의도로 사용되더라도 나쁜 결과를 가져올 수 있고, 장기간에 걸쳐 넓은 범위에서 예측 불가능한 영향력을 발휘하기 때문이다. 예를 들어 식량 생산을 늘릴 목적으로 개발된 농약이 생태계 전체 또는 미래 세대에까지 광범위하게 장기적으로 부작용을 낳을 수 있다.

이에 독일의 철학자 요나스는 과학 기술 시대에 책임 윤리를 새롭게 확립해야 한다고 주장한다. 그는 책임의 범위를 현세대로 한정하는 기존의 전통적 윤리관으로는 과학 기술 시대에 발생하는 문제를 해결하는 데 한계가 있다고 주장한다. 그에 따르면 우리는 윤리적 책임의 범위를 확대해 인간뿐만 아니라 자연, 그리고 미래 세대에 대한 책임까지 고려해야 한다. 즉 우리에게는 과학 기술의 위험으로부터 인간은 물론 다른 생명체까지 보존해야 할 책임이 있다. 우리는 내재적이고 본질적인 가치를 지니는 모든 생명에 대하여 책임을 져야 한다.

특히 그는 행동하기 전에 행동의 결과에 대하여 주의를 더 기울여야 하는 ‘예견적 책임’을 강조한다. 과학 기술의 발전이 먼 미래에 끼치게 될 결과를 예측하여 생명에 대한 도덕적인 책임을 져야 한다는 것이다. 과학 기술의 부정적인 결과에 대한 예측은 미래 세대를 위하여 우리가 보전해야 할 것이 무엇이며, 왜 보전해야 하는지를 알 수 있게 해 준다. 미래가 자신과 직접적으로 관계가 없다고 해서 무관심할 것이 아니라 미래의 가능한 결과에 대해 두려움을 갖고 이에 적극적으로 반응하려 는 노력이 필요하다.

[나] (과학자 코르넬리우스 애핀은 동물에게 인간의 화술을 전할 수 있는 기술을 개발하고, ‘토버모리’ 라는 고양이에게 화술을 가르쳐 주었다. 블렘리 부인의 파티에 참석한 토버모리는 사람들과 대화를 나누게 된다.)

“인간의 지능에 대해 어떻게 생각하니?” 메이비스 펠링턴이 바보같이 물었다.

“누구의 지능 말이죠?” 토버모리가 쌀쌀맞게 되물었다. “아, 예를 들어서 내 지능.” 메이비스가 희미하게 웃으며 말했다. “나를 곤란하게 하는군요.” 말은 그렇게 했지만 토버모리의 어조와 태도에는 티끌만큼의 곤란함도 보이지 않았다.

“당신이 이 연회에 온다고 했을 때 윌프리드 경은 자기가 아는 사람 중에 당신만큼 머리가 나쁜 사람은 없다고, 친절과 정신박약자의 관심은 크게 다르다고 투덜댔어요. 그러자 블렘리 부인은 당신을 초대한 게 바로 당신 지능이 떨어져서라고 대답했죠. 자기들의 낡은 자동차를 사 줄 만큼 멍청한 사람은 당신뿐이라면서, 그게 말예요. 뒤에서 밀면 언덕도 잘 올라간다고 시시포스의 시샘이라는 이름이 붙은 차.”

그러자 블렘리 부인이 항의했다. 그날 아침 부인이 메이비스에게 문제의 차가 그녀의 데번서 집에 딱 어울릴 거라고 제안하지 않았더라면 그 항의는 효과가 있었을 것이다. 바필드 소령이 화제를 돌리려고 뛰어들었다.
"네가 마구간 얼룩 고양이하고 농탕질을 한 것은 어떻고?" 그가 그 말을 한 순간, 모두가 그게 실수라는 걸 깨달았다.
"그런 일은 공개적으로 거론할 성질의 것이 아니죠." 토버모리가 냉랭하게 말했다.
"당신이 이 집에 와서 한 행동을 잠깐 관찰한 바로는, 내가 당신 연애사로 이야기를 돌리면 당신이야말로 아주 불편해질걸요." 고양이의 말에 소령은 물론 다른 사람들도 공포에 휩싸였다. (중략)
지나치게 똑똑한 제자가 사라지자 코르넬리우스 애핀은 맹렬한 비난, 불안한 질문, 간절한 탄원의 폭풍에 휩싸였다. 이 상황에 대한 책임은 그에게 있었고 그는 사태가 악화되는 것을 막아야 했다. "토버모리가 이 위험한 기술을 다른 고양이에게도 전해 줄 수 있나요?" 그가 받은 첫 번째 질문이었다. 절친한 친구인 마구간 고양이에게 이 신기술을 전수했을지 모른다고 대답했다. 하지만 자신의 가르침이 그보다 넓게 퍼졌을 가능성은 낮다고 했다.
"제 생각은 이래요." 코넷 부인이 말했다. "토버모리는 소중한 고양이이자 훌륭한 애완동물일지 모르죠. 하지만 애들레이드, 당신도 동의하시겠지만 그 고양이와 마구간 고양이는 지체없이 처치되어야 해요."
"제가 방금 전 15분 동안 즐거웠다고 생각하지는 않겠지요?" 블렘리 부인이 냉랭하게 말했다.
"남편과 나는 토버모리를 좋아했어요. 적어도 녀석이 이 끔찍한 기술을 습득하기 전에는요. 하지만 지금은 녀석을 되도록 빨리 없애는 게 좋을 것 같아요." (중략)
"하지만 내 신기술은요!" 애핀 씨가 항의했다. "오랜 세월 동안 연구와 실험을 거듭한 결과입니다……"
"농장의 소들한테 실험하세요. 그 녀석들은 엄격하게 관리되고 있으니까요." 코넷 부인이 말했다.

[다] 제레드 다이아몬드는 그의 저서 『총, 균, 쇠』 중 '안나 카레니나의 법칙'이라는 제목의 글에서 톨스토이 소설의 한 구절을 끌어들이고 있다. "행복한 가정은 모두 엇비슷하고, 불행한 가족은 그 이유가 제각기 다르다." 저자는 이 명구를 '법칙'으로 삼아서, "가축화할 수 있는 동물은 모두 엇비슷하고, 가축화할 수 없는 동물은 그 이유가 제각기 다르다."라고 가축화 현상을 정리하였다. 가축화에 성공한 가축들은 거의 대부분이 유라시아 산이었고, 결과적으로 가축화에 성공한 부족이 사회를 이루고 국가와 같은 공동체로 발전하면서 문명이 이루어졌으며, 이것이 확대되어 유라시아 대륙이 아프리카와 아메리카 대륙을 정복하는 역사를 만들었다는 것이다.

나는 저자의 인류사적 문명사 전개에 대한 대단한 서술에는 감복하지만, '안나 카레니나의 법칙' 에 대해서만큼은 그리 승복이 되지 않는다. 가축화의 성공 여부를 문명사회의 사람살이에 비유한다는 것이 실감나지 않는 데다가, 결과로써 원인을 평가하는 접근법이 안이하다는 생각 때문이었다. 오히려 내가 저자의 견해에 대하여 전적으로 동의하는 부분은 근대 기술에 대해 내리는 '두 가지 결론' 이다. 그것은 기술은 어느 영웅의 개별적인 행동을 통해서가 아니라 누적된 행동을 통해 발전된다는 것, 그리고 기술은 어떤 필요를 미리 내다보고 발명되는 것이 아니라 발명된 이후에 그 용도가 새로 발견된다는 것이다. 제임스 와트가 1769년에 증기기관을 발명했다는 것이 통설이지만, 실은 그에 앞서 1698년 토머스 세이버리의 증기기관 1712년 토머스 뉴커먼의 증기기관이 이미 발명되어 있었다. 한편 축음기는 에디슨이 발명했지만 그는 이 발명품의 용도로 유언의 녹음, 시각 장애자용 도서 등을 생각했고, 음악에는 별로 기대를 하지 않았다. 나는 이 책을 읽으며, 과학 기술이 점진적으로 발전하며 의외의 용도에서 새로운 혁신이 일어난다는 저자의 설명에 톨스토이의 명언을 새롭게 적용할 수 있음을 느꼈다. "무지한 인간의 어리석음은 다 제각각이지만 박학(博學)한 사람의 지혜는 모두 엇비슷하다." 그들은 겸손하면서도 끊임없이 자기 계발을 통해 스스로의 진화를 수행하고 있다는 점에서 모두 같은 모습을 보이고 있는 것이다.

[라] '적정 기술' 을 본격적으로 연구하기 시작한 사람은 영국의 경제학자 슈마허다. 그는 1973년 『작은 것이 아름답다』라는 저서를 통해 '중간 기술' 이라는 개념을 소개했다. 중간 기술은 지구 남반구의 빈곤 문제를 악화시키는 원시적 도구들과 북반구의 강력한 기술 시스템 사이에 있는 기술을 말한다. 그는 근대 산업 사회의 대량 생산 기술이 자원을 남용하는 것을 우려하여 지식과 경험을 잘 활용하고 회소 자원을 낭비하지 않는 '대중에 의한 생산 기술' 을 제안했다. 슈마허가 제시한 중간 기술은 종종 적정 기술 또는 대안 기술로 표현되기도 했는데 오늘날에는 '적정 기술' 이 다른 두 용어보다 널리 쓰인다.

적정 기술의 가장 중요한 조건은 현지인들이 해당 제품을 구입할 수 있어야 한다는 것이다. 저렴한 비용은 현지인이 적정 기술을 이용할 수 있게 하는 필수 조건이다. 적정 기술이 사용된 제품을 제작하기 위해 가능하면 현지에서 나는 재료를 사용하고 현지의 기술과 노동력을 활용하여 일자리를 창출해야 한다. 제품의 크기는 적당해야 하고 사용 방법은 간단한 것이 좋다. 또한 특정 분야의 지식이 없어도 현지인들이 사용할 수 있어야 하고, 이 기술을 통해 지역 주민 스스로 제품을 만들어 지역 사회 발전에 공헌할 수 있어야 한다. (중략) 100여 년 전 인도에서 처음 시도된 '인간 중심의 기술' 이라는 개념은 여러 사람을 통해서 다듬어진 후, 21세기에 들어서면서 보다 확장되고 대중화되고 있다. 적정 기술의 의미는 시대와 상황에 따라서 앞으로도 조금씩 변화해 갈 것이다. 하지만 적정 기술이 지닌 '인간 중심의 기술' 이라는 속성은 변하지 않을 것이다. 왜냐하면 이러한 특징이 사라지면 그것은 이미 적정 기술이 아니기 때문이다.

[마] 인간 중심주의 윤리는 인간 존재만을 가치 있게 여기고 인간 이외의 다른 모든 존재는 인간의 목적을 위한 수단으로 바라본다. 이 입장에 따르면 이성과 자율성을 지닌 인간만이 도덕적 지위를 가지며, 인간이 아닌 존재는 직접적인 고려 대상이 아니다. (중략) 인간 중심주의 윤리는 다음과 같은 특징을 가진다. 우선 이분법적 세계관에서 출발한다. 이분법적 세계관에서는 인간과 자연을 분리하여 바라본다. 이러한 세계관은 인간이 자연의 일부라는 것을 간과하고 인간을 자연에 비해 우월한 존재로 인식한다. 또한 인간 중심주의 윤리는 도구적 자연관을 가지고 있다. 도구적 자연관에 따르면 자연은 그 자체로 가치있는 존재가 아니라 인간의 생존과 복지를 위한 도구에 불과하다.

인간 중심주의 윤리는 인간의 필요를 충족하기 위해 자연을 남용하고 훼손하는 것을 정당화했다. 도시화, 산업화 과정에서 자연을 무분별하게 사용하다 보니 자연은 원래 상태를 스스로 회복할 수 없을 정도로 파괴되었고, 기후 변화, 오존층 파괴 등 생태계 전체를 위협하는 환경 문제가 등장하였다. 그리하여 환경친화적인 자연관과 양립할 수 있는 온건한 인간 중심주의 윤리를 정립해야 할 필요성이 대두되었다. 온건한 인간 중심주의 윤리는 인간이 자연의 일부라는 인식하에 자연을 존중하면서 신중하고 분별력 있게 사용해야 한다는 입장이다. 물론 이 입장도 여전히 인간이 다른 존재보다 본질적으로 더 가치 있다고 주장한다. 그러나 자연을 도구로 간주하더라도 인간의 생존과 풍요로운 삶을 위해 자연을 올바르게 관리하고 보호해야 한다는 점에서 강경한 인간 중심주의를 극복한다.

1. 제시문 [가]~[다]를 읽고 다음 물음에 답하시오. [40점]

(1) 제시문 [가]의 관점에서 제시문 [나]에 나타난 애핀 씨의 태도에 대해 논하시오. [20점]

(2) 제시문 [다]의 주장을 바탕으로 제시문 [가]의 '기술'에 대한 관점을 비판하시오. [20점]

2. 인간 중심적 사고에 대한 제시문 [라]와 [마]의 주장을 비교하시오. [30점]

3. 다음 글을 읽고 물음에 답하시오 [3점]

제품 X를 생산하는 기업 E가 있다. 제품 X를 생산하기 위해 기업 E가 사용할 수 있는 생산 요소는 로봇, 가형 노동자, 나형 노동자 이렇게 세 가지이다. 가형 노동자에게는 로봇 조작 기술이 있으나, 로봇 없이 제품 X를 직접 생산할 수 있는 손 기술은 없다. 반면 나형 노동자에게는 로봇 조작 기술이 없으나, 로봇 없이 제품 X를 직접 생산할 수 있는 손 기술은 있다. 기업 E가 로봇 한 대를 일 년 동안 사용할 때 지불하는 사용료는 200원, 가형 노동자 한 명을 일 년 동안 고용할 때 지불하는 임금은 300원, 나형 노동자 한 명을 일 년 동안 고용할 때 지불하는 임금은 100원이라고 하자. 세 가지 생산 요소를 다양하게 조합하여 생산할 수 있으며, 각 조합을 사용했을 때 기업 E가 일 년 동안 생산할 수 있는 제품 X의 수량은 다음과 같다.

- 가형 노동자 한 명이 로봇 한 대를 사용하여 일할 경우: 19개
- 나형 노동자 한 명이 로봇 없이 일할 경우: 4개
- 로봇은 혼자 작동하지 못함.
- 가형 노동자 한 명이 동시에 여러 대의 로봇을 사용할 수 없음.
- 나형 노동자의 생산량은 로봇 사용 여부에 의해 영향받지 않음.
- 로봇 없이 가형 노동자와 나형 노동자를 동시에 고용할 경우의 생산량은 각 노동자 개별 생산량의 합임. 로봇을 사용하지 않는 경우, 가형 노동자와 나형 노동자를 동시에 고용함으로써 발생하는 시너지 효과는 없음.
- 로봇 한 대, 가형 노동자 한 명, 나형 노동자 한 명을 동시에 사용할 경우, 가형 노동자 한 명과 로봇 한 대를 동시에 사용하여 얻는 생산량과 나형 노동자 한 명을 고용하여 얻는 생산량의 합보다 2개 더 생산할 수 있음. 즉 모든 생산 요소를 동시에 사용함으로써 발생하는 시너지 효과가 있음.

(1) 기업 E는 총비용을 최소화하는 방식으로 일 년 동안 600개의 제품 X를 생산하고자 한다. 이때 가형 노동자와 나형 노동자를 각각 몇 명씩 고용하고 몇 대의 로봇을 사용하는 것이 합리적인 선택인지 구하고, 기업 E가 생산을 위해 지불하는 총비용을 구하시오. [10점]

(2) 로봇 개발 기술의 진보로 인해 로봇의 생산성이 크게 증가하여 가형 노동자 한 명이 로봇 한 대를 사용할 때 일 년 동안 생산하는 제품의 양이 24개로 늘었다고 하자. 또한 기술 진보로 인해, 모든 생산 요소를 동시에 사용할 때의 시너지 효과가 사라졌다고 가정하자. 그 외 개별 생산 요소의 생산량, 가형 노동자와 나형 노동자의 임금 및 로봇의 사용료에는 변화가 없다. 기업 E가 총비용을 최소화하는 방식으로 일 년 동안 600개의 제품 X를 생산하고자 할 때, 기업 E가 고용하는 가형 노동자와 나형 노동자의 수 및 기업 E의 총비용이 문항 (1)에 비해 어떻게 바뀌는지 각각 구하시오. 그리고 이때 나타난 나형 노동자의 고용량 변화를 <보기>를 참조하여 설명하시오. [10점]

〈보기〉

실업은 발생 원인에 따라 경기적 실업, 구조적 실업, 계절적 실업 및 마찰적 실업으로 나뉜다. 경기적 실업은 경기 변동에 따라 나타나는 실업을 말한다. 경기 호황기에는 고용이 늘어나 실업이 줄어들지만, 경기 침체기에는 일자리가 부족해 실업이 늘어난다. 구조적 실업은 기술 혁신으로 예전의 기술이 쓸모없어지거나 산업 구조의 변화로 어떤 산업이 사양화됨에 따라 발생하는 실업을 말한다. 계절적 실업은 계절의 변화에 따라 나타나는 실업을 말한다. 예를 들어, 해수욕장에서 안전 요원으로 일할 수 있는 것은 여름 한 철뿐이다. 겨울철이 되면 날씨가 얼어붙어 건설

현장에서 일을 찾기가 쉽지 않다. 마찰적 실업은 더 나은 일자리를 찾거나 직장을 옮기는 직업 탐색 과정에서 발생하는 실업을 말한다. 이러한 실업은 경기가 좋더라도 항상 존재하는 것으로 실업에 처하는 기간이 비교적 짧은 편이다.

(3) 정부가 최저 임금제를 시행함에 따라, 기업 E가 가형 노동자 한 명을 고용할 경우 350원, 나형 노동자 한 명을 고용할 경우 150원의 임금을 지불해야 한다고 가정하자. 그 외 로봇의 사용료, 생산 요소의 조합에 따른 생산량 및 기업 E가 생산하고자 하는 제품 X의 개수는 문항 (2)와 동일하다. 이 경우 최저 임금제로 인해 가형 노동자와 나형 노동자 각각의 임금 총액과 고용량이 어떻게 바뀌는지 구하시오. [10점]

이화여자대학교
EWHA WOMANS UNIVERSITY

모집단위

수험번호

생년월일 (예 : 050512)

논술답안지

※감독자 확인란

성명

【유의사항】
1. 답안 작성 시 문제번호와 답안번호가 일치하도록 알맞은 칸에 작성하여야 한다.
2. 답안 작성 시 필요한 경우에 수식 및 그림을 사용할 수 있다.
3. 필기구는 반드시 검은색 필기구만을 사용하여야 한다. (검은색 이외의 필기구로 작성한 답안은 모두 최하점으로 처리함)
4. 문제와 관계없는 불필요한 내용이나, 자신의 신분을 드러내는 내용이 있는 답안 및 낙서 또는 표식이 있는 답안은 모두 최하점으로 처리한다.
5. 답안은 반드시 정해진 답안작성란 안에만 작성하여야 한다. (답안작성란 밖에 작성된 내용은 채점 대상에서 제외함)

문항 【1】 반드시 해당 문항의 답을 작성해야 함

이 줄 아래에 답안을 작성하거나 낙서할 경우 판독이 불가능하여 채점 불가

이 줄 위에 답안을 작성하거나 낙서할 경우 판독이 불가능하여 채점 불가

문항 【2】 반드시 해당 문항의 답을 작성해야 함

문항 【3】 반드시 해당 문항의 답을 작성해야 함

이 줄 아래에 답안을 작성하거나 낙서할 경우 판독이 불가능하여 채점 불가

VI. 예시 답안

1. 2024학년도 이화여대 수시 논술 (인문 Ⅰ)

[문항 1] 제시문 [가]에 나타난 세계 시민주의의 변화를 설명하고, 제시문 [나]의 옹정제의 관점에서 제시문 [가]의 히에로클레스의 주장을 비판하시오. [30점]

제시문 [가]에 나타난 세계 시민주의는 크게 세 단계의 변화를 거친다. 우선 키니코스학파 철학자 디오게네스가 주장한 세계 시민주의는 기존의 공동체나 관습을 초월하여 인간을 모두 세계 시민으로서 동등한 존재로 인식했다. 이어 초기 스토아학파는 이성을 가지고 있는 모든 인간이 동료 시민으로서 기존의 공동체인 폴리스를 넘어서 인류 전체의 공동선을 추구했다. 마지막으로 로마 시대의 스토아학파는 로마에 대한 소속감과 애국심을 강조하며, 로마의 시민권을 온 인류로 확장하였다.

제시문 [나]의 옹정제는 사람과 동물의 차이를 태어난 지역으로만 구별하는 편협한 인간관을 통렬히 비판한다. 태어난 곳이 중원이라고 해서 모두 사람이 되는 것도 아니고, 변경에서 태어난 존재도 인의를 알고 양심을 가지면 동등한 사람이 될 수 있다는 것이다. 옹정제의 관점에서 사람은 태어난 곳으로 구별되는 것이 아니라, 동물과 차별되는 올바른 마음을 가진 보편적이고 이성적인 존재이다.

히에로클레스는 로마 제국을 코스모폴리스, 즉 우주 전체와 동일시하면서 로마에 대한 소속감을 세계 시민의 기본 조건으로 전제한다. 히에로클레스가 제시한 연속적인 동심원 비유에서도 자신과 가까운 내부의 원과 먼 거리에 있는 외부의 원을 따로 구별하면서 결과적으로 중심과 주변의 거리가 발생하게 된다. 이는 태어난 곳을 기준으로 사람과 동물을 구별한 한족 지식인 증정의 논리와 크게 다르지 않다. 나 자신과 멀고 가까움을 기준으로 세계를 차별적으로 구분하고 있기 때문이다. 태어난 지역에 상관없이 모든 인간을 동일한 존재로 인식한 옹정제의 관점에서 히에로클레스의 주장은 로마의 시민을 세계 인류 가운데 가장 안쪽의 동심원에 위치시킨다는 점에서 결코 보편적일 수 없다.

[문항 2] 제시문 [다]의 'induction'의 의미를 설명하고, 인지 과정이라는 측면에서 제시문 [다]와 제시문 [라]를 비교하시오. [30점]

제시문 [다]의 'induction' (유도/이끌어냄)이란 인간의 두뇌가 작동하는 방식으로 현실을 수용하기보다 그것과 대조되는, 또는 반대되는 여러 가능성을 상상하고 추구하게 만드는 인지 과정이다. 이것은 우리가 빨간색의 물체를 보는, 즉 시각을 통한 인지 활동은 물론 사회적 금기에 반발하는 예로도 나타나며, 궁극적으로는 인간의 전반적인 인지 과정을 의미한다.

제시문 [다]는 두뇌활동의 특징으로 현실로 존재하는 대상에 대한 대조 또는 반대의 가능성을 상상하고 추구한다는 점을 강조한다. 이 글은 'induction'으로 표현된 두뇌 활동의 영향이 시각을 통한 인지 과정에서만 국한되지 않고, 대상에 대한 개념화, 또는 사회적 금기에 대한 즉각적인 거부 행동 등에도 나타나며, 따라서 우리의 인지 과정은 선천적이라고 주장한다.

제시문 [라]는 들뢰즈가 새로운 인식의 매개체라는 철학적 지위를 부여한 영화의 카메라가 비록 인간의 눈이라는 시각기관을 따라 만든 것이지만, 개념, 관습, 신체적 구속으로부터 자유롭기 때문에 인간의 지각으로는 감지되지 않는 미세한 움직임을 통해 드러나는 대상의 실재를 더 정확하게 포착할 수 있다고 주장한다.

제시문 [다]와 [라] 모두 인지 과정을 고찰하면서, 현실이라는 틀에서 벗어나야 함을 공통적으로 강조한다. 즉, 제시문 [다]는 두뇌활동을 통해서 현실과는 대조적인 또는 반대의 가능성을 상상하고 추구한다고 주장하고, 제시문 [라]는 들뢰즈의 예를 통해 현실성과 대립되는 대상의 실재성을 파악하기 위해서 영화의 카메라처럼 기존의 개념, 관습, 신체적인 제약으로부터 벗어나야 한다고 강조한다.

이런 공통점에도 불구하고, 제시문 [다]는 우리를 현실로부터 자유롭게 만드는 것이 두뇌라는 선천적인 기관이라고 주장하고 있다. 즉, 현실과는 다른 가능성을 꿈꾸고, 그에 따라 행동하는 것이 인간의 타고난 인지 과정이고 그 결과라는 주장이다. 이와는 대조적으로 제시문 [라]는 들뢰즈의 주장처럼 인지과정은 현실 속 기존의 개념, 관습 또는 신체의 구속 때문에 대상의 미세한 실재를 파악할 수 없다고 주장한다. 이 글은 영화의 카메라도 대상의 실재를 완벽하게 파악하지는 못하지만, 기존의 개념, 관습 또는 신체의 구속으로부터 상대적으로 자유롭기 때문에 인간의 지각으로는 감지되지 않는 미세한 움직임을 통해 드러나는 대상의 실재를 더 정확하게 포착할 수 있다고 주장한다. 우리가 시각을 통해 성취할 수도 있는 지각의 궁극적인 가능성을 오히려 영화의 카메라가 실현하는 것이고, 현실의 개념, 관습 심지어 신체적 구속으로부터 탈피해야 우리에게 새로운 사유의 길이 열린다는 주장이다.

[문항 3]

(1) 제시문 [마]의 '진정한 나'와 제시문 [바]의 '참된 자아'에 이르는 길의 차이에 대해 논하시오. [20점]

(2) 제시문 [바]의 사르트르의 존재에 대한 설명을 바탕으로 제시문 [사]의 '남자'가 처한 상황에 대해 서술하시오. [20점]

[문항 3-(1)]

제시문 [마]는 '나는 누구인가?'에 대한 답을 찾기 위한 노력을 보여주고 있다. '나'가 맺을 수 있는 기본적 관계는 '나'와 '그것', '나'와 '너'의 둘뿐인데, '나'와 '그것'의 관계는 주체와 객체의 차등 관계인 반면, '나'와 '너'의 관계는 주체와 주체의 동격 관계이다. 이에 근거해 볼 때, 객체로서의 '인간'을 이해하는 것과 주체로서의 '나'를 이해하는 일은 같을 수 없으며, 진정한 '나'에 이르려면 '나'와 대등하며 유일한 존재인 '너'와의 관계를 맺어야만 한다.

제시문[바]에서 사르트르는 이 세상의 모든 존재를 의식을 가지지 않는 사물 존재인 '즉자 존재', 그리고 자기의식을 가지는 인간 존재인 '대자 존재'로 구분하고, 의식을 가진 인간이라고 하더라도 타인의 시선으로 규정되는 인간을 '대타 존재'로 다시 명명하였다. 이때 참된 자아를 찾기 위해 인간은 타자의 시선을 두려워하거나 피하는 대신 이를 극복하고 자신의 행위를 선택하여야 한다.

이를 통해 볼 때, 제시문 [마]와 [바]는 '너' 또는 '타자'에 대한 의미 부여에 차이를 보인다. 제시문 [마]의 '진정한 나'에 이르기 위해서는 '너'라는 타자가 반드시 필요하고 그의 반응이 필수적인 반면, 제시문 [바]의 시각에서 볼 때 타자의 시선과 반응에 좌우되는 대타 존재에 머물지 말고 타자의 시선을 극복하며 자유로운 선택을 통해 자신을 만들어갈 때 비로소 '참된 자아'에 이를 수 있다.

[문항 3-(2)]

제시문 [바]의 사르트르는 세계의 모든 존재를 의식의 유무에 따라 '사물 존재'와 '인간 존재'로 구분하고, 사물 존재를 '즉자 존재', 인간 존재를 '대자 존재'로 명명하였다. 그는 즉자 존재는 자기의식이 없기 때문에 그것인 상태로 남아 있다면, 대자 존재는 자기의식을 지니기에 자기 자신을 대상화하여 바라볼 수도 있고, 자유로운 선택을 통해 자신을 만들어 갈 수 있다고 말하였다. 또한 그는 인간 존재는 주체성을 지닌 대자 존재이면서 타인의 시선으로 규정되는 대타 존재이기도 하다고 설명하며, 인간은 참된 자아를 찾기 위해 타자의 시선을 두려워하거나 피할 것이 아니라 이를 극복하고 자신의 행위를 선택하며 살아가야 한다고 주장한다.

제시문 [사]의 '남자'는 사상 최대의 폭설로 회사에 갈 수 없는 상황이었지만 회사 상사들의 압박을 견디지 못하고 추위와 피로에 지쳤음에도 삽으로 눈을 파헤치며 회사로 향하고 있다. 이때 남자는 부장과 과장의 시선에 의해 회사 내 무능한 직원으로 규정되는 대타 존재라고 할 수 있으며, 출근을 위해 기계처럼 삽질을 하는 그의 모습은 그가 회사 내 부품으로 객체화되고 있음을 나타낸다. 또한 그는 편의점 앞에 서 있는 눈사람의 웃는 입 모양을 자기도 모르게 흉내내고 있는데, 이는 즉자 존재처럼 취급되고 있는 남자의 모습을 상징적으로 보여준다. 폭설과 상관없이 웃고 있는 눈사람의 모습은 재앙 같은 폭설 속에서도 회사에 출근하기 위해 기계적인 삽질을 하는 남자의 모습과 겹쳐지고 있는 것이다. 결국, 극심한 경쟁 속에서 인간이 사물화되는 현상은 사르트르가 말한 대자 존재로서의 인간이 즉자 존재, 즉 비인간화됨을 보여주고 있다. 사르트르는 인간이 참된 자아를 찾기 위해서는 타자의 시선을 극복하고 자유로운 선택을 통해 자신을 만들어가야 한다고 주장했지만, 이 소설 속 남자는 자신을 물화시키는 현대사회에 저항하지 못하고 무비판적으로 순응하는 모습을 보인다. 정리하면, 이 소설은 폭설이라는 재앙적 상황에서 사물화되는 인간의 모습을 보여줌으로써 인간을 소외시키는 폭력적 현대 문명을 비판적으로 조망하고 있다고 볼 수 있다.

2. 2024학년도 이화여대 수시 논술 (인문 II)

[문항 1]

(1) 위 ㉠과 ㉡의 소비에 대해 제시문 [나]의 '지불용의 가격' 측면에서 논하시오. [20점]

(2) 제시문 [다]의 관점에서 제시문 [가]의 동조 행위와 제시문 [나]의 코끼리 구매 행위를 평가하시오. [20점]

(1)

제시문 [가]의 명품과 제시문 [나]의 대체 교통수단은 모두 상황에 따라 일부 소비자들이 아주 높은 지불 용의 가격을 상정한 상품이다. 제시문 [가]의 명품 구매에 대한 지불 용의 가격이 일부 소비자들에게 높은 이유는 이들이 명품을 외부에 과시함으로써 지위 상승 욕구를 충족하려 하기 때문이다. 즉, 물적 자기와 사회적 자기를 높여 자아존중감을 높이고자 하는 이들은 높은 가격을 지불하면서 명품을 소비하려 할 가능성이 크다. 반면, 제시문 [나]에서 포그의 대체 교통수단에 대한 지불 용의 가격이 높았던 이유는 내기 상금을 고려할 때 대체 교통수단의 경제적 투자 가치가 높았기 때문이다. 높은 수익 창출을 위해 대체 교통수단의 필요성이 강했기 때문에 포그는 시장가보다 훨씬 높은 가격을 지불하면서까지 대체 교통수단을 소비하였다.

(2)

제시문 [다]의 저자는 비판적 논의를 통한 학습을 강조한다. 즉, 다른 사람의 생각을 비판적으로 판단하여 이를 받아들일지 여부를 결정하는 것이 합리주의적 태도에서 중요하다고 주장한다. 그리고 이러한 비판적 논의는 나와 타인 간의 '주고 받기'에 기반하여 이루어진다고 본다. 이러한 제시문 [다]의 입장에서 제시문 [가]의 동조 행위는 합리주의적 태도라 할 수 없다. 제시문[가]의 동조 행위는 자신이 내린 판단에 대한 확신을 외부에서 찾으며, 무비판적으로 타인의 의견을 수용한다. 반면 제시문 [나]에서 포그는 동행한 영국 육군 준장의 조언을 경청하여 숙고한 뒤 내기에서의 승리를 위해 과감하게 코끼리를 구입하기로 결정한다. 물론 포그는 시장가보다 상당히 높은 가격으로 코끼리를 구입하였다. 하지만 이는 제시문 [다]의 저자가 언급한 비판적 논의에 따라 결정한 것이라 할 수 있다. 그러므로 제시문 [다]의 저자는 제시문 [가]의 동조 행위에 비해 제시문 [나]에 나타난 포그의 코끼리 구매를 상대적으로 합리주의적 태도에 가깝다고 평가할 것이다.

[문항 2]

제시문 [라]에 제공된 생태학적 오류의 사례를 참고하여 [그림 a]와 [그림 b]가 보여주는 변수 간의 관계를 각각 설명하시오. 또한 제시문 [마]의 두 그림 중 연구자의 목적에 부합하는 그림을 선택하고, 그 이유를 밝히시오. [30점]

제시문 [라]에 제시된 생태학적 오류는, 미국의 대선 결과에서 개인의 소득수준과 정치성향의 관계를 분석하고자 하는 목적이 있었으나, 주(state)의 소득 평균과 정당지지도를 이용한 오류이다. 우리가 추론하고자 하는 분석의 기준이 개인이라면, 개인의 경제적 조건과 투표 패턴을 분석해야 한다. 주의 경제적 조건과 주의 투표 패턴을 이용하여 얻은 결과를 개인에게 적용하는 것은 문제가 있을 수 있다.

그림 a를 보면, 전체적으로 교육수준이 증가함에 따라 소득이 감소하는 패턴이 있다. 이는 각 집단의 평균점을 이용하여 그은 선의 방향과 일치한다. 즉, 각 직업군의 교육수준 평균과 소득 평균을 이용하여 교육수준과 소득의 관계를 보여준다. 반면 그림 b는 각 직업 집단별로 개인의 교육수준과 소득의 관계를 보여주고 있다. 각 집단 내에서 직장인들은 교육수준이 증가함에 따라 소득도 증가하는 패턴을 보여주며, 이는 집단의 평

균들을 이용하여 분석한 패턴과 다르다.

개인적 관계란 개인을 분석의 단위로 해서 보는 개인들의 두 속성(또는 변수) 간의 관계를 말한다. 만일 이러한 개인들이 집단으로 묶이고, 집단 수준에서 특정한 관계를 찾아낸다면, 그 결과는 단위로서 집단을 사용한 생태학적(집단적) 관계이다. 개인 수준에서 교육 수준과 소득의 관계를 판단하기 위해서는 제시문 [나]의 두 그림 중 b를 선택해서 해석해야 한다. 생태학적(집단적) 관계는 개인적 관계와 아무런 관련이 없을 수도 있고, 심지어 그것은 그림 a와 b처럼 정반대의 관계를 보여줄 수도 있기 때문이다.

(1) A국과 B국에서 국민들이 소비하는 상품은 쌀과 소고기뿐이고, A국과 B국 간에는 무역 및 노동 이동이 없다고 가정한다. 상품 가격 및 상품별 지출 비중은 아래의 표와 같다. 두 국가의 화폐 단위는 각각 α와 β이다. 2020년을 기준으로 하여 2021년 두 국가의 소비자물가지수를 각각 구하시오. [12점]

A국과 B국의 상품 가격 및 상품별 지출 비중

A국	쌀	소고기	B국	쌀	소고기
2020년 가격	1000α	$1,000\alpha$	2020년 가격	100β	$1,000\beta$
2021년 가격	102α	$1,030\alpha$	2021년 가격	130β	$1,200\beta$
2020년 지출 비중(단위: %)	60%	40%	2020년 지출 비중(단위: %)	40%	60%

(2) 두 국가의 2021년 물가상승률을 구하고, 두 국가의 화폐의 구매력 변화를 비교하시오. [8점]

(3) A국의 2022년 물가상승률이 앞서 구한 2021년 물가상승률과 동일하게 될 확률은 0.5이고, 2.6%가 될 확률은 0.5이다. 반면 B국의 경우, 2022년의 물가상승률이 앞서 구한 2021년 물가상승률과 동일하게 될 확률은 0.5이고, 25%가 될 확률은 0.5이다. A국의 1년 만기 명목 이자율 5% 예금과 B국의 1년 만기 명목 이자율 26% 예금 중에서 이익이 되는 쪽을 선택하고 그 이유를 설명하시오. (단, A국과 B국 간의 환율은 일정하고, 예금과 관련된 다른 추가 비용 및 예금 이외의 다른 투자 방식은 없으며, 2022년 물가상승률 이외에 다른 불확실성은 없다고 가정한다) [10점]

(1)

- **2021년 소비자물가지수**

- A국: $\left[0.6\times\left(\frac{102}{100}\right)+0.4\times\left(\frac{1030}{1000}\right)\right]\times 100 = 102.4$

- B국: $\left[0.4\times\left(\frac{130}{100}\right)+0.6\times\left(\frac{1200}{1000}\right)\right]\times 100 = 124$

2)

- **2021년 소비자물가상승률**
- **A국은 소비자물가지수가 100에서 102.4로 증가하여 물가상승률은 2.4%가 됨.**
- **B국은 소비자물가지수가 100에서 124로 증가하여 물가상승률은 24%가 됨.**
- **2021년 구매력 변화 비교**

• A국: 2020년에 100로 구입할 수 있었던 소비자물가지수 구성 상품(바구니)을 구입하기 위해서는 2021년에는 102.4가 필요하다. 즉, 전년과 동일한 상품 묶음을 사기 위해서는 2021년에 2.4가 더 필요한 상황이 되었다. 이는 A국 화폐의 구매력이 2.4% 줄어든 것을 의미한다.

• B국: 2020년에 100로 구입할 수 있었던 소비자물가지수 구성 상품(바구니)을 구입하기 위해서는 2021년에는 124가 필요하다. 즉, 전년과 동일한 재화 묶음을 사기 위해서는 2021년에 24가 더 필요한 상황이 되었다. 이는 B국 화폐의 구매력이 24% 줄어든 것을 의미한다.

• 따라서, 구매력의 측면에서 2021년의 B국 화폐(β)의 구매력은 전년에 비하여 24% 줄어들어 2.4%가 줄어든 A국 화폐(α)보다 훨씬 크게 감소하였다. 이는 B국의 화폐 가치가 A국에 비하여 훨씬 크게 떨어졌음을 의미한다.

문항 3-(3)

• A국의 2022년 예상 물가 상승률= 0.5×2.4%+0.5×2.6%=2.5%.

• B국의 2022년 예상 물가 상승률= 0.5×24%+0.5×25%=24.5%.

• A국에서 기대되는 실질 이자율= 5%-2.5%=2.5%.

• B국에서 기대되는 실질 이자율 = 26%-24.5%=1.5%.

따라서, A국에 예금할 때 기대되는 실질 이자률은 2.5%로 B국에 예금할 때 기대되는 실질 이자율 1.5%보다 1.0%p 더 높다. 따라서 예금으로부터 기대하는 수익률이라 할 수 있는 예상 실질 이자율이 더 높은 A국에 명목 이자율 5%로 예금한다.

3. 2024학년도 이화여대 모의 논술 (인문 Ⅰ)

1. 제시문 [가]의 관점에서 제시문 [나]에 나타난 '우리'의 주장을 비판하시오. [30점]

제시문 [가]에서 한비자가 주장한 통치론의 핵심은 지위나 인맥과 상관없이 평등하게 적용되는 법을 마련하고 이 법을 통해 악행을 처벌하는 법치이다. 유교의 인의를 권장하는 덕치는 소수의 사람에게만 효과가 있기 때문이다. 이기적인 다수의 인간을 통제하기 위해서는 자연적이면서 명시적인 법을 통해 효율적으로 국가가 운영되어야 한다. 이때 군주는 신중하고 이익에 흔들리지 않는 존재이고, 미혹에 빠지기 쉬운 모든 신하와 백성은 군주와 법의 통제를 받아야 하는 대상이다.

제시문 [나]의 '우리'는 군신과 부자의 인륜을 강조하면서, 지금 혼란하고 위태로운 현실을 초래한 책임을 제 역할을 다하지 않고 사사로운 욕심만 취하는 신하들에게 돌리고 있다. 국가에 보답하고 국가의 근본인 백성을 잘 돌보아야 할 신하들이 어진 군주를 보좌하지 않고 현실을 돌보지 않았기 때문에, 초야의 유민들인 '우리'가 의로운 깃발을 내걸고 보국안민에 나설 수밖에 없는 상황에 직면한 것이다.

이러한 '우리'의 주장은 한비자의 관점에서 쉽게 받아들일 수 없는 인식의 차이를 보인다. 우선 '우리'의 주장처럼 유교의 인륜을 앞세우는 것은 혼란기에 맞지 않는 비현실적인 통치

방법이다. 또한 혼란을 해결하기 위해서는 이기심으로부터 자유로운 군주가 명시적인 법을 통해 악행을 저지르는 신하들을 처벌해야 한다. 이때 법을 마련하고 악행을 규탄하는 역할은 오로지 군주에게만 주어진 배타적인 권리이자 의무이고, 여기에 백성이 개입하여 마음대로 판단하거나 섣불리 개혁을 주장해서는 안 된다. 왜냐하면 한비자의 관점에서 국가의 근본은 오로지 군주이고, 신하와 백성은 통제와 교화의 대상이기 때문이다. 따라서 '우리'의 주장은 한비자의 입장에서 군주의 권위에 대한 도전이며 본분에 맞지 않는 선동으로 보일 것이다. 이러한 맥락에서 당시 전봉준을 비롯한 동학 농민 운동 지도부의 주장은 전통적인 덕치와 법치의 주장을 초월한 적극적인 현실 인식과 실천 노력을 잘 보여준다고 할 수 있다.

2 제시문 [다]에 나타난 롤스의 관점에서 제시문 [라]에 나타난 '학급'이라는 사회의 운영 방식을 비판하시오. [30점]

제시문 [다]에 따르면 롤스는 모든 개인이 자유롭고 평등한 존재이기에 소수 혹은 사회적 약자가 강자의 권력 때문에 자신들에게 주어진 정치적 권리를 침해받아서는 안 된다고 생각하며, 어떠한 제도가 아무리 효율적이라고 해도 그것이 정의에 부합하지 않으면 개혁되거나 폐기되어야 한다는 입장을 취한다. 특히, 그는 정의의 핵심이 절차적 공정성이라고 보고, 사회 구성원들이 사회를 운영해 나갈 법과 제도를 합의할 때 원초적 상황 하에서 절차적 공정성을 지켰는지의 여부가 정의를 판단하는 원칙임을 밝히고 있다.

제시문 [라]에 제시된 소설의 담임 선생님은 겉으로는 교실 내 모든 구성원들이 사랑과 신뢰를 바탕으로 결속해야 하며 각자가 자율적으로 자신을 제어해야 한다는 민주주의적 태도를 취하는 듯하지만, 뒤에서는 서술자 '나'(유대)에게 반에서 문제를 일으키는 기표에 대한 정보를 달라고 요구하는 모습을 보임으로써 비가시적인 방식으로 반 학생들을 통제하려는 의도를 드러낸다.

롤스의 관점에서 볼 때, 이러한 학급이라는 사회의 운영 방식은 두 가지 측면에서 비판할 수 있다. 첫째, 자유주의적 평등주의자인 롤스는 개인이 강자의 권력에 의해 주어진 정치적 권리를 침해받아서는 안 된다는 기본 원칙을 주장하고 있는데, 이 학급을 통솔하는 담임 선생님의 경우 겉으로는 학생들 모두의 자유와 권리를 존중하는 듯하지만, 뒤에서는 자신이 지정한 한 학생을 통해 각 학생들을 감시함으로써 개인의 권리를 침해하고 있다. 둘째, 롤스는 사회 운영에 있어 절차적 공정성이 정의의 핵심임을 밝히고 있는데, 이 학급의 경우 절차적 공정성에 입각하여 구성원들이 사회를 운영할 법과 제도에 합의하는 과정을 거치지 않은 채 담임 선생님의 위선적인 운영에 따르고 있다. 그러므로 롤스의 관점에서 이 학급의 운영 방식은 개인을 자유를 존중하고 있지도 않고, 정의에 부합하지도 않는다고 비판할 수 있다.

3. (1) 제시문 [마]와 제시문 [바]에 나타난 인간관을 대비하시오. [20점]

(2) 제시문 [사]를 요약하고, 권리 양도라는 관점에서 제시문 [바]와 제시문 [사]를 비교하시오. [20점]

(1)

제시문 [마]에서 인간은 신을 찬미하고 신의 계명을 집행하며 신의 영광을 드러내기 위한 존재이다. 인간은 신의 계명에 따라 사회적 노동을 통해 신의 영광을 드높이는 삶을 살아야 한다. 인간이 사회에서 행하는 직업 노동도 오로지 신을 위한 것일 뿐아니라 신에 의해 완벽하게 기획된 것이라고 본다. 여기서 인간은 철저하게 신에게 종속된 피동적 존재다.

제시문 [바]에서 인간은 본래 이기적 존재로 태어나며, 자기 보존을 위한 이익 추구의 욕구와 자발적으로 자기 보존을 도모하는 자유 의지, 자신에게 가장 유리한 방안을 선택하는 합리적 행동의 근거인 이성을 가진 존재로 본다. 한정된 자연 속에서 인간은 서로의 권리를 침해하면서 끝없는 갈등의 상황에 놓이게 되고, 이성적 판단에 따라 권리의 양도가 이루어지게 된다.

제시문 [마]에서 신에 종속된 피동적 인간관을, 제시문 [바]에서는 신과는 별개로 이기적 인간관에 기반한 인간 중심주의를 주장한다는 점에서 두 제시문에서 나타난 인간관은 뚜렷하게 대비된다.

(2)

제시문 [사]는 아리스토텔레스가 주장한 민주주의의 핵심이 동등한 구성원들의 정치 참여와 그들이 공유한 정치영역에 두루 적용되는 일치된 가치관이었다고 주장한다. 그러나 사회 변화에 따라 정치영역에 대한 전문화된 지식이 요구되면서 구성원들의 부담이 증가하고, 이를 해소하기 위해 자신들의 결정권을 양도하게 되었으며, 이들의 대리인으로서 전문적인 정치인들이 등장했다고 주장하고 있다. 그 결과 구성원들은 일상적으로 정치에 참여해야 하는 의무에서 자유롭게 되었으나, 이들의 결정권 양도가 영구적인 것은 아니라고 주장한다.

제시문 [바]와 제시문 [사]는 주체로서의 인간이 가지는 권리가 어떻게 양도 되었는지에 대해 설명하는 공통점을 가진다. 그러나 이런 공통 주제를 다룸에도 불구하고 두 글은 다음과 같은 차이점이 있다. 첫째, 제시문 [바]는 사회 계약론을 통해 홉스가 모든 인간을 대상으로 그들이 이기적인 존재이고, 자기 보존을 위해 부단히 다른 인간들과 싸워야 하는 '만인의 만인에 대한 투쟁'을 초래한다고 주장한다. 반면 제시문 [사]에서는 아리스토텔레스의 직접 민주주의를 예시로 정치 영역에 참여하는 동등한 권리를 가진 인간을 대상으로 논지를 진행하며, 이들은 정치 영역에 대한 가치관을 공유한다고 주장한다. 둘째, 제시문 [바]는 권리 양도가 '만인의 만인에 대한 투쟁'을 피하고 비인격체인 국가의 보호 아래에서 가능한 안정적인 삶을 위한 선택이었다고 주장함으로써 필연성을 강조하는 반면, 제시문 [사]는 정치의 주체들이 감당해야 할 참여의 부담을 줄이고 자유로운 삶을 살기 위한 선택이었다고 주장함으로써 자유로운 결정임을 부각시키고 있다. 마지막으로, 제시문 [바]는 권리를 양도 받은 국가의 통치자인 절대 군주가 주권을 가지며 이 주권은 절대 양도되거나 분리될 수 없다고 강조함으로써 양도의 상태가 영구적이라고 주장하는 반면, 제시문 [사]는 결정권의 양도가 영구적인 것이 아니라 한정된 기간을 전제한 조건적이라는 점을 강조하고 있다.

4. 2024학년도 이화여대 모의 논술 (인문 II)

1. 제시문 [가] ~ [다]를 읽고 다음 물음에 답하시오. [40점]

(1) 제시문 [가]와 제시문 [나]에 나타난 지도자가 가져야 할 태도를 비교하시오. [20점]

(2) 제시문 [나]의 불평등에 대한 관점에서 제시문 [다]의 「짐 크로법」에 대해 논하시오. [20점]

(1)

제시문 [가]의 저자는 지도층 인사들이 솔선수범하여 모범을 보이는 자세를 취해야 한다고 말한다. 즉, 노블레스 오블리주 정신에 따라 지도자가 먼저 희생하는 모습을 보여야 시민들이 자신들의 지도층을 믿고 따를 수 있음을 강조하고 있다. 반면, 제시문 [나]의 저자는 권위는 복종이 따라야 유지될 수 있으므로, 추종자의 복종 정신과 존대 개념을 고려하여 통치하는 것이 지도자에게 중요하다고 역설한다. 즉, 지도층 인사들이 추종자들의 문화와 생각을 고려하는 태도를 견지하는 것이 필요하다고 주장한다. 두 제시문 주장들을 비교하여 정리하면 제시문 [가]는 지도층 인사들이 하향적으로 모범을 보이고 희생할 것을 강조했음에 반해, 제시문 [나]는 지도자와 추종자들의 상호적 관계를 보다 중요하게 생각한다.

(2)

제시문 [나]의 저자는 불평등은 어느 사회에나 존재하지만, 불평등을 받아들이는 사람들의 의식은 사회마다 다르다고 주장한다. 이러한 주장에 따르면 불평등을 수용해야 하는 사람들이 당연하게 여기는 불평등은 큰 문제 없이 유지될 수 있지만, 그렇지 못한 불평등은 사회에서 받아들여지지 못할 것이다. 제시문 [다]에 나타난 짐 크로법을 비롯한 흑인에 대한 인종 차별 제도들은 미국 사회를 구성하는 시민들이 받아들이기 힘든 내용을 담고 있다. 그렇기 때문에 흑인들뿐 아니라 다수의 백인들도 오랜 기간에 걸쳐 짐 크로법 폐지를 주장해 온 것이라 할 수 있다. 그리고 그 결과 짐 크로법은 시민권법, 투표권법 등과 같이 미국 시민들이 받아들일 수 있는 시민 평등을 규정한 법률들로 대체되었다.

2. 제시문 [마]의 두 가지 사례를 바탕으로 제시문 [라]에 나타난 예측과 실제의 차이를 설명하시오. [30점]

제시문 [마]의 귀뚜라미의 한계는 귀뚜라미의 울음 속도와 온도 사이의 관계라는 것이 일정한 범위 안에서는 유효하지만, 그 범위를 벗어나면 사라질 수도 있다는 것을 보여준다. 즉, 10도씨 이상에서는 온도가 높을수록(낮을수록) 귀뚜라미 울음의 속도가 빨라지지만(느려지지만), 10도씨 아래에서는 그런 관계가 존재하지 않는 것이다.

제시문 [마]의 은유검증위원회는 주식시장의 미래를 예측하는 데 있어서 과거에 발생한 패턴에 기반하여 미래를 예측하는 것을 경계하여 만든 위원회다. 지금까지 한 번도 틀리지 않은 패턴이라고 하더라도 미래에는 그 패턴대로 주식시장이 움직이지 않을 수 있다는 것을 의미하고 있다.

제시문 [라]에 나타난 미국과 중국의 GDP 규모의 예측과 실제 사이에 나타난 괴리는

이코노미스트가 예측한 2010년 이후 중국의 GDP 규모의 변화가 실제와 달랐기 때문에 발생하였다. 2010년 이코노미스트는 2000년에서 2010년까지의 중국 GDP 성장률에 기반하여 2010년 이후를 예측하였고, 그 예측은 실제와 매우 달랐다.

귀뚜라미의 한계 및 은유검증위원회가 함축한 의미를 통해 이 괴리를 해석해 보면, 이코노미스트가 가진 중국의 높은 성장률이란 1990년과 2010년 사이에서는 유효할 수 있어도, 자료가 수집된 범위를 벗어난 2010년 이후에서는 작동하지 않았다는 것을 보여준다. 즉, 과거의 자료를 이용해서 미래를 예측했을 때, 미래가 과거의 패턴대로 움직이지 않을 가능성을 보여주고 있다. 오늘까지의 주가를 이용해서 내일의 주가를 예측한다든지, 현재까지의 인구변화를 바탕으로 100년 후의 인구를 예측한다든지 하는 방식은 상당히 위험한 예측이 될 수 있음을 보여준다.

3. 다음 글을 읽고 물음에 답하시오. [30점]

(1) [I]을 읽고 2020년 A국의 경제활동참가율, 실업률, 고용률을 구하시오. [12점]

2020년 A국의 경제 상황

연령	15세 미만	15세 이상 20세 미만	20세 이상 65세 미만	65세 이상	총합
인구수	200	200	500	300	1200
경제활동인구	N.A.	150	400	170	720
비경제활동인구	N.A.	50	100	130	280
취업자	N.A.	135	373	140	648
실업자	N.A.	15	30	27	72

주: N.A.는 해당 수치가 없음을 의미한다.

(2) 2021년의 경제 상황에 대하여 경제학자 B씨는 "2020년에 비하여 고용 상황은 개선되었다."라고 주장하였다. 경제학자 B씨의 주장에 대하여 [I]에서 설명한 실업률과 고용률에 기초하여 평가하시오. [12점]

2021년 A국의 경제 상황

연령	15세 미만	15세 이상 20세 미만	20세 이상 65세 미만	65세 이상	총합
인구수	200	200	500	300	1200
경제활동인구	N.A.	100	350	150	400
비경제활동인구	N.A.	100	150	150	400
취업자	N.A.	90	330	130	550
실업자	N.A.	10	20	20	50

주: N.A.는 해당 수치가 없음을 의미한다.

(3) [II]에 등장하는 허생의 고용 상황을 [I]에서 소개한 개념을 이용하여 설명하시오. [6점]

(1)

A국의 2020년 경제활동참가율은 경제활동인구/노동가능인구=720/1000=0.72로서 72%이다. 실업률은 실업자/경제활동인구=72/720=1/10=0.1로 10%이며, 고용률은 취업자/노동가능인구=648/1000=0.648로 64.8%이다.

(2)

A국의 2021년 실업률은 약8.3%(=50/600=1/12)로 2020년 실업률은 10%보다 약 1.7%p개선되었다. 2021년 고용률(=550/1000=0.55)은 55%로 2020년 64.8%보다 9.8%p 악화되었다. 2020년에 비하여 실업률은 낮아져 고용 상황이 호전된 것으로 보일 수 있지만, 고용률도 낮아져서 실제 고용 상황은 개선된 것으로 보기 어렵다. 따라서, 경제학자 B씨의 주장은 타당성이 약하다.

(3)

아내가 제안한 일(공장, 장사치 등)에 대하여 허생 자신이 그러한 일을 할 수 있는 능력이 없다고 말한 점, 그리고 십 년 기한으로 책을 읽으려 하였다는 점에서 일할 의사가 없음을 알 수 있다. 따라서, 허생은 일할 능력이나 의사가 없는 비경제 활동 인구에 해당된다.

5. 2023학년도 이화여대 수시 논술 (인문 Ⅰ)

1. 제시문 [가] ~ [다]를 읽고 다음 물음에 답하시오. [40점]
   (1) 제시문 [나]를 요약하고 'certainty' 관점에서 제시문 [가]의 비물질화를 설명하시오. [20점]
   (2) 제시문 [나]의 관점에서 제시문 [다]의 '선과 악에 대한 논증'을 설명하시오. [20점]

(1)

제시문 [나]는 불안한 삶과 환경을 통제하기 위해 인류가 'certainty'(확실성 또는 확신)를 추구해 왔다고 주장한다. 비록 현실에서는 확실성이 적용되지 않는 경우가 있지만, 그것이 우리에게 안전함, 안정성, 신뢰성, 예측 가능성, 행동 규칙을 제공하기 때문이다. 예를 들자면 인류학자인 Frazer는 원시인들에게 마법은 불안한 환경을 통제할 수 있는 확실성이었고, 소의 내장을 태우는 기우제는 Bantu족에게 구름을 모으고 비를 내리게 하는 확실성이었다. 그리고 자신을 위해 타인을 희생시키는 것이 반윤리적인 행동이라고 확신하는 경우처럼 확실성이 개인의 행동 지표가 될 수 있고, 또한 Augustine(어거스틴 또는 아우구스티누스)의 경우처럼 신학과 윤리에 대한 절대적인 믿음으로도 확대, 추상화될 수 있다고 주장한다.

제시문 [가]에 제시된 '비물질화'는 고정되지 않고 움직이는 키네틱 아트에서 대상의 본질을 파악하는 데 있어서 확실성이었다. 이는 1910년대 이탈리아 미래파에서 연원을 찾을 수 있는데, 미래파는 당초 대상의 진정한 본질을 움직임, 속도, 에너지 등이라고 보고 여기에 확실성을 두었다. 그리고 그것들을 표현하기 위하여 회화에 시간적 요소를 도입하였다. 하지만 미래파의 회화 작품에는 대상의 본질인 움직임 자체가 작품 속에 들어가 있지 않았다는 한계가 있었다. 이를 극복하는 차원에서 움직임 자체를 조형 예술로 탄생시킨 키네틱 아트가 등장하였다. 여기서는 작품 자체가 움직여서 어떤 공간의 특정한 영역을 윤곽 짓거나 그 움직임의 결과로 어떤 형태나 영상을 방법이 시도되었다. 키네틱 아트에서 보자면, 종래 정지된 물체는 고정되어 있기 때문에 물질화되어 있다고 본 반면, 움직이는 물체는 형체가 고정되어 있지 않아서 '비물질화'된 것으로 파악한다. 대상의 본질을 움직임에 둔 확실성이 키네틱 아트에서는 '비물질화'로 이행하게 된 것이다.

(2)

제시문 [나]는 불안한 삶과 환경을 통제하기 위해 'certainty'(확실성 또는 확신)를 추구해 온 인류의 공통된 욕구가 역사적으로 다양한 형태로 나타나며, Augustine(어거스틴 또는 아우구스티누스)의 경우처럼 신학과 윤리에 대한 절대적인 믿음으로도 확대, 추상화되었다고 볼 수 있다고 주장한다. 제시문 [다]는 기독교가 지배한 중세 시대에서 절대적으로 선한 존재인 신에 대한 믿음을 지키기 위해서 선과 악에 대한 논증이 필요했다고 주장한다. 즉, 긍정 신학이나 부정 신학 모두에서 전지전능한 신에 대한 믿음은 확실성 또는 확신의 대상이지만 '세상에는 왜 악이 존재할까?'라는 문제에 봉착했다는 주장이다. 왜냐하면 세상에 악이 존재하지 않는다고 말하면 현실에서 경험하는 악을 도외시하는 것이고, 만약 악을 인정한다면 전지전능한 신의 결함을 인정하는 모순에 빠지기 때문이다.

아퀴나스는 절대적인 신에 대한 확신을 변호하기 위해서 존재와 작용이라는 개념으로 선과 악의 공존을 설명했다. 즉, '사과'는 신의 창조물로 선한 존재이나, 썩은 사과는 존재를 부정하는 악이다. 또한 사과를 존재하게 만드는 과정인 작용이란 면에서 양분이 부족하여 사과가 열리지 않게 된다면 그것은 사과에 대한 악이라는 주장이다. 그 결과 신에 대한 절대적인 확신을 변호하기 위한 아퀴나스의 신학적 질문은 선과 악이라는 추상적, 윤리적 판단과 불가분의 관계를 가지게 된다.

이런 맥락에서 제시문 [다]의 '선과 악에 대한 논증'은 절대적인 확실성을 변호하기 위한 아퀴스의 노력이며, 이때 확실성은 제시문 [나]가 언급하고 있는 'certainty'나 그 연장선 상에서 이해되고 있는 어거스틴(또는 아우구스티누스)의 신과 윤리에 대한 절대적인 믿음과 궤를 같이 한다고 볼 수 있다.

2. 제시문 [라]의 관점과 제시문 [마]의 '엇박자 D'의 공연 기획 의도를 각각 설명하고, 공통적으로 의미하는 바를 서술하시오. [30점]

제시문 [라]에서는 함께 산다는 것은 속도를 맞추며 사는 것이나 각기 다른 속도를 어느 하나에 일치시키려 하는 것은 각자의 속도에 대한 억압이 됨을 이야기한다. 특히, 시간이 돈이 되는 현대 사회에서는 빠른 속도가 누구나 따라야 할 강제와 강박이 되어 버리는 '속도의 파시즘'의 경향이 나타난다. 그러나 이 글의 필자는 '자신의 춤'이라는 비유를 통해 세상에서 강요하는 속도에 끌려가기보다는 자신의 속도를 가져야 함을 주장하고 있다.

제시문 [마]의 '엇박자 D'는 음치라는 이유로 고등학교 합창 공연에서 차별과 폭행을 경험한 상처를 지니고 있는 인물로, 20년 후 자신이 기획한 음치들의 합창 공연을 통해 자신의 상처를 극복하려고 한다. 그가 기획한 음치들의 노래 공연은 서로 음과 박자가 맞지 않은 노래였으나 절묘하게 어우러지며 아름다운 화음을 만들어 낸다. '음치'는 전체를 이루는 다수들과는 다른 소수자를 상징하는 것이며, 음악선생의 폭력과 다른 친구들의 동조는 '다름'이 '틀림'으로 여겨지는 억압적인 사회를 의미하는 것이다. 결국 이 소설에서는 '엇박자 D'가 기획한 음치들의 노래를 통해 통일되지 않은 다양성 역시 아름다운 조화를 만들 수 있으며, 우리 사회에 다양성의 존중이 필요함을 보여주고 있다.

[라]의 관점과 [마]의 '엇박자 D'의 공연이 지닌 의도는 획일화를 강요하는 사회적 억압을 비판적으로 성찰하며, 다수인 '전체'에 소수인 '개인'이 수동적으로 맞출 필요가 없음을 말하고 있다. 전체와 다른 것은 '틀림'이 아닌 '다름'일 뿐, 차별의 대상이 되거나 억압받아서는 안 된다는 것이다. 즉, 두 글은 사회가 개인에게 같음을 강요할 수 없으며, 개인은 각자의 고유성을 찾음으로써 진정한 자신의 삶을 영위할 수 있음을 보여주고 있다는 점에서 공통점을 갖는다고 할 수 있다.

3. 제시문 [바] 와 제시문 [사]에 나타난 삶에 대한 태도를 비교하시오. [30점]

먼저 두 제시문에 나타난 공통점부터 보기로 하자. 유교 지식인일 것으로 추정되는 제시문 [바]의 '나'와 아우슈비츠 수용소 수감자였던 제시문 [사]의 빅터 프랭클은 각기 처한 한계 상황 속에서도 노력을 포기하지 않고 고양된 삶에 대한 의지를 작동시켜 인간으로서의 존엄과 품위를 지켜 냈다는 점에서 공통점을 보인다. 제시문 [바]의 '나'와 제시문 [사]의 프랭클은 자신이 맞닥뜨린 문제 상황에 좌절하지 않고 삶을 긍정하는 정신과 태도를 통해 '나'는 여유롭고 즐거운 노인의 삶을 지향할 수 있게 되었고, 프랭클은 아우슈비츠 수용소에서 살아남을 수 있었다.

두 제시문에 나타난 차이점을 보면, 제시문 [바]와 제시문 [사]는 문제 상황부터 차이가 있다. 제시문 [바]의 '나'가 처하게 되는 문제는 문득 앞니가 빠지는 신체적 한계에 처하게 되는 것이다. 이같이 노화로 인한 신체 능력의 결핍과 한계는 생명이 있는 존재라면 어떤 개체도 피해 갈 수 없는 자연스러운 변화에 속한다. 이에 비해 제시문 [사]의 프랭클이 처한 문제 상황은 아우슈비츠 수용소 수감이라는 실존적 한계 상황에 처하게 된 것이다. 제시문 [바]의 노화와는 달리 아우슈비츠 수용소 수감은 집단이 개인에게 가한 부당한 폭력이자 억압이다.

두 글은 문제 해결 방식에서도 차이점을 보인다. 제시문 [바]의 《예기》에 대한 언급을 보면 '나'는 60세가 넘은 노인이었지만 그때까지도 노인으로서의 삶의 방식을 선뜻 받아들이려 하지 않았던 것으로 보인다. 처음 앞니가 빠졌다는 사실을 인지한 순간 그는 눈물이 날 정도로 충격에 빠졌다. 그러나 이 사건은 그에게 성찰의 계기가 되었고 자신이 읽었던 《예기》의 내용과 주자의 사례를 통해 그는 자신의 노화, 노인 됨을 수용하기에 이르렀다. 그리고 감각적 세계를 극복하고 삶과 죽음에 얽매이지 않는 자유와 세계와의 조화 속에서 담담하고 평안하게 노인으로서의 삶을 기꺼이 즐기며 삶의 도를 터득해 갈 수 있었다. 제시문 [바]의 '나'는 '마음 속 독서'와 자연의 섭리, 순리에 순응하고 따르는 방식으로 노년이라는 자신의 생애 주기를 고양된 인간으로서의 품위를 지키며 살아 갈 수 있게 된다.

제시문 [바]의 '나'가 노화에 순응하는 방식으로 문제에 대처해 간 데 비해 제시문 [사]의 프랭클은 아우슈비츠 수용소의 공포와 실존적 한계 상황에 굴복하지 않고 저항하는 방식으로 그 문제 상황에 대처하였다. 의미를 추구하는 의지를 잃지 않았고, 프랭클이 그렇게 할 수 있었던 이유는 그가 삶에서 애써 의미를 지어 나가는 노력을 포기하지 않았기 때문이다. 그는 수용소 상황 속에서도 자신만의 안위를 생각하는 것이 아니라 같이 수감된 동료들에 대한 책임감을 발휘했다. 자유가 남아 있다는 사실을 환기했다. 그는 마지막 순간에도 인간에게는 선택할 수 있는 이런 그의 선택은 그가 실존적 주체로서 삶을 대하고 있는 것으로 보인다. 그는 가장 마지막까지도 인간에게 남아 있는 자유, 즉 선택의 자유를 기억하며 의지를 완성하고 인간으로서의 품위를 지켜 내며 살아남을 수 있었다.

6. 2023학년도 이화여대 수시 논술 (인문 II)

※ 제시문 [가] ~ [다] 를 읽고 다음 물음에 답하시오. [40점]

(1) 제시문 [가]에 나타난 맹자와 순자의 관점에서 제시문 [나]의 현실주의의 타당성을 각각 평가하시오. [20점]

(2) 국제 평화를 이루는 방법과 관련하여 제시문 [나]의 집단 안보 전략과 제시문 [다]의 주장을 대조하시오. [20점]

(1)

맹자는 인간이 선천적으로 착한 성품을 타고난다고 보았다. 그러므로 맹자의 인간관에 입각할 때 인간이 이기적이라 생각하는 현실주의는 인간의 본성을 폄하하고 있으며, 국제 사회가 '만인의 만인에 대한 투쟁'에 놓여 있다는 주장 역시 타당성이 없다고 평가할 수 있다. 반면, 순자는 인간이 이기적 욕구로 인해 악한 본성을 갖는다고 주장한다. 그리고 이기적인 본성 때문에 국가 간 분쟁과 사회 혼란이 야기된다고 보았다. 그러므로 순자의 인간관에 기반할 때, 인간의 이기심으로 핵무기 개발과 같은 국제 문제들이 발생할 수 있다는 현실주의의 주장은 일견 타당하다고 볼 수 있다. 하지만 순자는 인간이 이기적이기만 한 존재는 아니며, 의지적 실천을 통해 도덕적 판단을 할 수 있다고 하였다. 그러므로 인간을 단순히 이기적일 뿐인 존재로만 가정하는 현실주의는 인간의 후천적 의지를 무시한다는 점에서 타당성에 결함이 있다고 평가할 수 있다

(2)

제시문 [나]의 집단 안보 전략은 국제 평화를 이루기 위해 국제기구를 설립하여 공동으로 침략국을 응징하는 것이 필요하다고 본다. 즉, 집단 안보 전략은 다수의 국가들이 보편적인 규범을 형성하고 이에 위반하는 국가들에게 제재를 가함으로써 평화를 이루는 것이 가능하다고 보고 있다. 반면, 제시문 [다]의 저자는 국제기구 설립과 침략국에 대한 응징보다는 전쟁 당사국 간의 적극적인 타협을 강조하고 있다. 즉, 전쟁 당사국끼리 서로를 이해하여 원하는 것이 무엇인지 역지사지하여 파악하고, 이를 바탕으로 적극적으로 협상에 임할 경우, 당사국 간의 타협만으로 평화로운 분쟁 해결이 가능하다고 주장한다.

2. 제시문 [라]~ [마]를 읽고 다음 물음에 답하시오. [30점]

(1) 제시문 [라]에서 <표 1>의 대학원 전체 합격률을 보면 남녀 간 현격한 차이가 있음을 알 수 있다. 그러나 대학 당국은 <표 2>, <표 3>, <표 4>를 근거로 대학원 입학전형 과정에서 남녀 차별은 없었다고 판단하였다. 그와 같이 판단한 이유를 제공된 숫자를 이용하여 분석하시오. [15점]

(2) 제시문 [라]의 불일치 현상을 해석하는 방법에 근거하여 제시문 [마]에 기술된 '군집 분석'의 유용성을 설명하시오. [15점]

(1)

대학원 전체의 평균적인 합격률을 보았을 때, 남학생의 합격률이 확연히 높은 것은 사실이다. 하지만 사회과학대학원, 공학대학원, 인문대학원을 따로 확인하였을 때는 남학생과 여학생의 합격비율이 매우 비슷하거나 여학생의 합격률이 살짝 높다. 이와 같은 현상은 실질적인 합격률 차이의 원인이 (성별이 아닌) 단과대학에 있기 때문에 발생한 것이다. 정원이 많고 합격률도 높은 공학대학원에는 남학생들이 상대적으로 여학생보다 훨씬 더 많이 지원했고, 정원이 적고 합격률이 낮은 사회과학대학원에는 여학생이 훨씬 더 많이 지원했기 때문에 발생한 현상이다.

각 단과대학을 지원한 것은 학생들의 개인적인 선택이고, 입학전형이 진행된 단위인 단과대학의 관점에서 보면 지원한 학생 대비 모두 여학생의 합격률이 조금 더 높으므로 입시 과정에서 남학생이 특별히 더 호의적인 평가를 받았다고 볼 수 없으며, 남녀 차별적인 요소는 없다고 판단하는 것이 타당하다.

(2)

제시문 [라]를 보면, 사회적 현상을 명확히 이해하기 위해서는 전체의 평균 비율을 확인하거나 전체 집단을 동질적인 것으로 간주하고 분석하는 것만으로는 부족할 수 있음을 알 수 있다. 전체 자료의 통계치가 부분 집단의 통계치를 완전하게 대표하지 못할 수 있으며, 사회적 현상을 명확하게 이해하기 위해서 자료를 집단별로 살펴보는 것이 도움이 될 수 있음을 시사한다.

군집 분석은 주어진 자료를 하나의 집단으로 가정하고 분석 및 해석하는 것이 아니라, 전체 집단을 세부적인 여러 개의 유사한 집단으로 나누어 자료가 가진 본질에 더 근접하려는 방법이다. 다시 말해, 군집 분석은 하나의 통계치가 자료 전체를 대표하지 않을 수도 있다는 사실을 고려하여 탄생한 통계분석 기법이다.

제시문 [라]에서 자료를 분할하여 분석하는 방법이 진실에 더 접근할 수 있다는 측면에서 봤을 때, 전체 집단을 그룹화하여 분석하는 군집 분석이 자료의 진실을 파악하는 데 유용할 수 있다.

3. 다음 글을 읽고 물음에 답하시오. [30점]

[Ⅰ] 국가의 밀가루 시장에서 수요 곡선은 $Q_d = 12 - P$이고 공급 곡선은 $Q_s = P$이며, 아래의 〈그림 1〉과 같다. Q_d와 Q_s는 각각 가격 P에서의 시장의 수요량과 공급량을

의미한다. 현재 A국 정부는 밀가루에 대하여 자급자족 정책을 시행하고 있으며, 균형 가격과 균형 거래량은 점 (P*,Q*)이다. 수요 곡선 및 공급 곡선에는 변동이 없으며, 국제 밀가루 가격은 단위당 4원으로 일정하다고 가정한다.

<그림 1> A국 밀가루 시장의 수요 및 공급 곡선

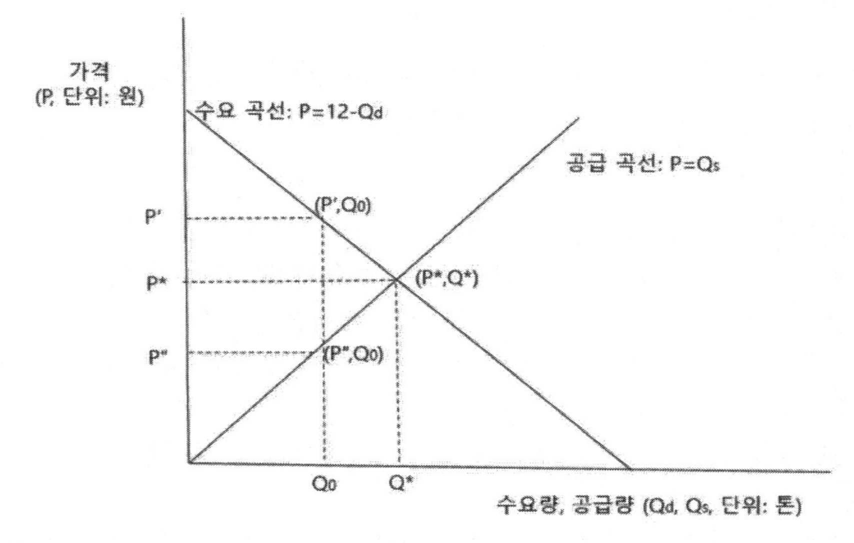

[Ⅱ] 소비자는 누구나 어떤 재화나 서비스를 구입함으로써 얻는 효용만큼의 금액을 지불할 용의가 있다. 소비자가 어떤 재화나 서비스를 구입하기 위해 지불할 용의가 있는 최고 금액에서 실제로 지불한 가격을 뺀 나머지 금액을 소비자 잉여라고 한다. 예를 들어, <그림 1>의 수요 곡선 위의 점 (P', Q_0)에서 소비자 잉여는 지불할 용의가 있는 최고 금액 P'과 균형 가격 $P*$의 차액이다. 수요 곡선은 소비자의 효용을 반영하므로, 수요 곡선 상의 가격은 소비자가 어떤 재화를 구입하기 위해 지불할 용의가 있는 최고 금액을 나타낸다. 시장에 참여한 소비자 전체가 얻는 소비자 잉여는 수요량 Q_0가 0에서 $Q*$까지 변할 때 각 수요량에서의 소비자 잉여를 모두 더한 것이므로 수요 곡선과 시장 균형 가격 사이의 면적이 된다.

생산자들은 누구나 어떤 재화나 서비스를 판매할 때 최소한 받고자 하는 금액이 있다. 그 재화를 생산하기 위하여 들어간 생산비 때문이다. 생산자가 어떤 재화나 서비스를 공급하면서 실제로 받은 가격에서 최소한 받고자 하는 금액을 뺀 나머지를 생산자 잉여라고 한다. 예를 들어, <그림 1>의 공급 곡선 위의 점 (P'', Q_0)에서 생산자 잉여는 균형 가격 P*에서 최소한 받고자 하는 금액 P''의 차액이다. 시장 공급 곡선은 생산자의 생산비를 반영하므로, 공급 곡선상의 가격은 생산자가 어떤 재화를 공급하면서 최소한 받고자 하는 금액을 나타낸다. 시장에 참여한 생산자 전체가 얻는 생산자 잉여는 공급량 Q_0가 0에서 $Q*$까지 변할 때 각 공급량에서의 생산자 잉여를 모두 더한 것이므로 시장 균형 가격과 공급 곡선 사이의 면적이 된다. 소비자 잉여와 생산자 잉여의 합을 사회적 잉여라고 한다.

(1) 자급자족 정책 하에서 A국의 밀가루 균형 가격(P^*)과 균형 거래량(Q^*)을 구하시오. [8점]

(2) 자급자족 정책을 고수하던 A국 정부는 특별한 무역장벽 없이 밀가루를 국제 가격으로 수입하기로 결정하였다. 자유 무역 정책 하에서의 균형 가격, 균형 거래량, 생산자 잉여, 소비자 잉여 및 사회적 잉여를 구하시오. [12점]

(3) 자급자족 정책을 고수하던 A국 정부는 국내 밀가루 가격을 낮추기 위하여 최고 가격제 시행을 결정하고 최고 가격을 단위당 4원으로 설정하였다. 최고 가격제 하에서의 소비자 잉여, 생산자 잉여 및 사회적 잉여를 구하고, 자유 무역 정책 하의 결과와 비교하시오. [10점]

(1)

자급자족 균형 - 균형 조건 $Q_d = Q_s$를 만족하는 균형 가격(P*)은 6, 균형 거래량(Q*)은 6이다.

(2)

자유 무역 균형 - 자유 무역 정책 하에서 균형 가격은 4원이 되며, 균형 가격 4원에서의 균형 거래량은 8톤이고, 그 중 국내 공급량은 4톤, 해외 공급량은 4톤이 된다.

소비자 잉여 : 1/2×(12-4)×8=32원

생산자 잉여 : 1/2×4×4=8원

사회적 잉여 : 32원+8원=40원

(3)

자급자족 정책, 즉, 폐쇄경제 하에서 4원의 최고 가격 설정

- 설정된 최고 가격 4원이 균형 가격이 되며, 국내 공급에만 의존하기 때문에 균형 공급량은 4톤이 된다.

- 생산자 잉여 : 1/2×4×4=8원

- 소비자 잉여 사다리꼴 모양 : (P=4, Q=4 및 수요 곡선으로 둘러싸인 부분)의 면적에 해당하므로 1/2×4×(8+4)=24원

사회적 잉여 : 24원+8원=32원

- 소비자 잉여는 자유 무역 정책 결과에 비하여 8원 감소(32원→24원)하며, 생산자 잉여는 두 제도 하에서 8원으로 동일하다. 즉, 최고 가격제 설정은 자유 무역에 비하여 생산자 잉여에는 변화를 주지 않았지만, 소비자 잉여를 감소시켜 사회적 잉여를 축소시키는 결과를 낳게 된다.

7. 2023학년도 이화여대 모의 논술 (인문 Ⅰ)

1. (1) 제시문 [가]의 '사회 정체감 이론'으로 제시문 [나]의 서술자가 느끼는 갈등을 서술하시오. [20점]

   (2) 제시문 [다]의 나타난 묵자의 입장을 요약하고, 그 관점에서 제시문 [가]의 실험 결과에 대해 비판 하시오. [20점]

(1)

제시문 [가]에서는 타지펠의 정립한 사회 정체감 이론에 대해 설명한다. 이는 사람들이 자신을 특정 집단 성원으로 범주화하게 되면, 그 집단의 특성을 자기에 적용하여, 타자에 대해 차별적인 태도를 보인다는 것이다. 타지펠은 교류 가능성이 없는 최소 집단 상황에서의 실험을 통해 이를 증명하는데, 사람들은 자신의 개인적 모습뿐 아니라 사회적 모습에서도 자긍심을 얻고 싶어하기에 내집단에 대한 차별적인 편애 현상이 일어난다고 설명한다.

제시문 [나]에 제시된 소설 속 서술자는 중국에서 살고 있는 조선족으로 완전한 중국인도 아니고, 한국인도 아닌 경계적 정체성을 지닌 인물이다. 경계인으로서의 갈등은 아들 준표의 유치원 문제에 대한 고민에서도 살펴 볼 수 있다. '나'는 한국인인 '연주'에게는 중국어를 잘해서 좋겠다는 이야기를 듣고, 중국인인 '닝'에게는 한국어를 잘해서 좋겠다는 이야기를 듣지만, “차라리 그들처럼 한가지 말만 '제대로' 했으면 좋겠다고 생각" 하는 것이다. 타지펠의 사회 정체감 이론에 따르면, 사람들은 어떠한 식으로든 편이 갈리면 어느 편이냐에 따라 차별적인 태도를 보이며, 내집단에 대한 편애 현상을 보인다. 이러한 사회 정체감 이론으로 [나]의 서술자의 입장을 살펴보면, '나'는 완전한 한국인도, 완전한 중국인도 아니기에 어느 내집단에도 완전히 소속감을 느끼지 못하고, 양쪽의 집단에서 차별을 경험했을 수 있다. 그러므로, '나'는 중국과 한국 모두에서 소외감을 느끼고 있으며, 이러한 경계적 정체성으로 인해 갈등을 겪고 있는 것이다.

(2)

제시문 [다]에서 묵자는 전국 시대의 계속되는 전쟁으로 인한 사회 혼란의 원인을 사람들이 서로 사랑하지 않고 다른 사람을 해치면서 자신의 이익만을 추구하기 때문이라고 보았다. 그리고 이러한 문제를 해결하기 위한 방안으로 홍리제해와 겸애를 주장했다. 홍리제해는 모든 사람들에게 이로움을 가져오는 반면 해로움을 없애는 것이다. 겸애는 차별애와 대비되는 개념으로 모든 사람을 동등하게 사랑하는 것이다. 묵자는 이를 통해 사회 질서를 확립할 수 있다고 보았다.

제시문 [가]에서 제시하고 있는 타지펠의 최소 집단 상황 실험은 자기가 소속한 내집단과 그 바깥의 외집단을 구분하면서 내집단에 대한 차별적 편애 현상을 다루고 있다. 이러한 차별적 편애 내지 선호 현상은 묵자의 입장에서 본다면 차별애 즉 별애에 해당된다. 차별적 편애 내지 선호는 혈연과 지연의 친소에 따른 사랑으로, 다른 사람을 해치면서 자신만의 이익을 추구하기 때문에 결국 사람들에게 이익을 가져다주지 못하고 사회 혼란을 야기할 수 있다.

2. 제시문 [라]의 'classification'과 제시문 [마]의 '삶에의 주의'를 비교하시오. [30점]

제시문 [라]는 인간이 언어로 사물을 대상으로 인지하는 과정을 슈퍼마켓에서 소비자의 편의를 위해 물품을 분류하여 진열하는 행위로 비유하고 있다. 예를 들어 토마토수프나 빵 같은 식품들은 60와트 전구와 같은 공산품과는 같이 진열되지 않고, 또한 치즈라면 다른 종류일지라도 같이 진열된다고 주장한다. 인간의 언어에도 이런 분류화가 내재하는 데, 예를 들면 '개'라는 말은 특정 동물들을 하나의 집단으로 묶어 지칭하며, 이를 통해 다른 집단의 동물들과 구분한다는 주장이다. 따라서 교육을 통해 언어를 습득하지 않으면 세상이 마치 무작위로 물품을 진열한 슈퍼마켓과 같이 혼란스러울 것이라고 주장한다.

제시문 [마]는 베르그송의 '삶에의 주의'라는 개념을 중심으로 지상의 모든 유기체들이 불연속적이고 혼란스러운 세상에서 생존하기 위해 지속적인 일상 세계를 유지해줄 견고한 질서를 구축한다고 주장한다. '삶에의 주의'란 생존을 위해 변화하는 것으로 고정된 것으로, 동체를 부동체로 바꾸어 수용함으로 현재 상황의 요구에 적절하게 대응하는 것을 가능하게 한다. 그 예로 인간은 지각과 인식을 통해 대상의 고유한 속성을 무시하고 범주화하여 유개념을 창출하고, 이 과정 속에서 인간을 위한 유용성의 논리에 함몰되어 사물들을 분류, 관리하여 왜곡한다고 비판한다.

제시문 [라]와 제시문 [마]는 인간이 주변의 대상을 인지하고 이해하는 과정을 공통적으로 설명하고 있다. 제시문 [라]는 인간의 언어에 내재하는 분류화의 효율성을 긍정적으로 평가하고, 학습을 통한 습득을 강조하고 있다. 제시문 [마]도 베르그송의 '삶에의 주의'라는 개념을 중심으로 인간의 지각과 인식 과정을 설명하고 있으며, 이 과정의 핵심이 범주화라고 주장한다. 즉, 감각을 통해 대상을 파악하는 인간의 지각과정이나 이성적 사유를 통해 대상을 이해하는 인식과정 모두 대상의 개별 고유 특이성이나 차이를 배제한다고 주장한다.

그러나 이런 공통 주제를 다름에도 불구하고 두 글은 다음과 같은 차이점이 있다. 첫째, 제시문 [라]는 분류화를 인간의 언어에 초점을 두고 학습을 통한 습득을 강조하는 반면, 제시문 [마]는 '삶에의 주의'라는 개념에 의거해서 분류화가 지상의 모든 유기체에 공통적인 현상이며, 생존을 위한 본능이라고 주장한다. 또한 제시문 [마]는 '삶에의 주의'가 적용되는 인간의 지각과 인식과정을 설명하면서 지각과정에서 발생하는 범주화나 인식과정에서 발생하는 추상화 및 일반화를 설명함으로써 인간의 분류화를 더 정밀하게 설명하고 있다. 둘째, 제시문 [라]는 분류화의 긍정적 측면만을 강조하는 반면, 제시문 [마]는 인간의 인식과정에서 생기는 추상화와 일반화를 통해 창출된 유개념이 개체들의 차이나 특이성을 배제한 결과이며, 오히려 이 유개념에 따라 대상의 정체를 재단한다고 주장한다. 그 결과 일반화나 추상화에 따라 모든 대상에 적용된다는 보편 법칙을 발견하는 수단으로 여겨진 논증 체계가 절대적인 지식을 제공하지 못하며, 결국 인간은 자신을 위한 유용성의 원리에 매몰되어 사물들을 분류하고 관리하는 왜곡이 발생한다고 주장한다. 비록 제시문 [마]가 인간의 언어활동을 구체적으로 언급하고 있지는 않으나 범주화, 추상화, 일반화라는 인지과정에서 발생하는 현상이 제시문 [라]에서 주장하는 언어에 내재한 원리라는 점을 고려하자면 제시문 [라]가 보편적 가치로 주장하는 언어가 대상에 대한 절대적인 지식을 제공하지 못한다고 비판하고 있다고 볼 수 있다.

3. 제시문 [바]와 제시문 [사]에 나타난 물건에 대한 태도를 대비하시오. [30점]

제시문 [바]와 [사]는 물건을 대하는 태도가 나타난다는 점에서는 공통점이 있으나 각 제시문에 나타난 물건을 대하는 태도에서는 차이점을 보인다.

제시문 [바]는 조선 시대의(조선 후기의) 한 여성이 자신이 27년간 사용하던 바늘이 부러지자 바늘을 의인화하여 부러진 바늘에 대한 자신의 소회를 애도의 형태로 적은 글이다. 이 글의 화자는 바늘과 같은 작은 물건 하나도 소중하게 오래 사용하며 물건을 아껴서 사

용하는 태도를 보여준다. 이 글의 화자가 바늘을 대하는 태도로 미루어 제시문 [바]에 나타난 소비는 필요를 충족시키는 측면에서의 소비에 해당하며, 바늘을 애도하는 이 글은 상품 생산과 소비가 사회적 문제로 대두되기 이전에 쓰인 글이다.

이에 비해 제시문 [사]는 대량 생산과 대량 소비에 대한 문제의식을 보여주며, 인류의 미래가 지속 가능하기 위해서는 개인이 윤리적 소비를 해야 한다고 촉구하고 있다. 패션 분야를 다룬 제시문 [사]에서 나타나는 물건을 대하는 태도는 제시문 [바]의 경우와는 달리 필요에 의한 소비가 아니며, 물건을 아껴 사용하지 않는 소비 행태로 언급된다. 오늘날 자본주의 사회에서의 소비는 상품의 원래 필요와 목적을 충족시키는 수준에서의 소비가 아니라 상품으로 자신의 사회적 지위를 드러내기 위한 상징 소비, 과시 소비 등으로 필요 이상의 소비를 부추기는 소비 행태를 보이거나 아니면 싼 가격을 내세우는 패스트 패션으로 인한 과소비와 쓰레기를 양산하는 소비 행태 등으로 그 문제가 거론되고 있다. 이 같은 소비 행태는 그것이 명품 소비가 되었든 아니면 패스트 패션 소비가 되었든 간에 물건을 필요 이상으로 과잉 소비하게 된다는 점에서 문제적이다. 제시문 [사]에서 보듯 오늘날 사회에서 개인이 물건을 대하는 태도, 개인의 소비 행태 등은 더 이상 개인적 차원에서 머무르지 않으며 전 지구적으로 연결되는 선택이 되었다는 점에서 더 신중을 기해야 하는 일이 되었다.

오늘날 시점에서 두 제시문에 나타난 물건에 대한 태도를 보면, 제시문 [바]에 나타난 물건에 대한 태도는 긍정적인 것으로 간주될 수 있는 데 비해 제시문 [바]에서 언급하고 있는 과시 소비, 상징 소비, 패스트 패션 소비 등에서 보이는 물건에 대한 태도는 지양해야 하는 태도라고 하겠다. 제시문 [사]는 지속 가능한 윤리적 소비 생활에 대해 설명하고 있는데, 지속 가능한 미래를 대비해야 하는 오늘날 시점에서 볼 때 제시문 [바]의 화자처럼 바늘 같은 작은 물건 하나도 아끼고 오래 쓰는 태도는 새삼 중요하게 환기되는 소비 태도로 간주될 수 있겠다.

8. 2023학년도 이화여대 모의 논술 (인문 II)

1. (1) 제시문 [가]와 [나]에 나타난 사회 변화의 동인을 비교하시오. [20점]
   (2) 제시문 [다]에 나타난 정치 논리와 경제 논리를 바탕으로, 제시문 [가]의 '브라운 대 토피카 교육위원회 사건'에 대한 판결을 평가하시오. [20점]

(1)

제시문 [가]와 [나]의 저자들은 공통적으로 국가가 결정한 규율과 원칙만으로는 사회의 변화를 이끄는 것이 한계가 있으며, 사회에 참여하는 사람들이 직접 나서서 변화를 이끄는 것이 사회 변화의 주요한 동인임을 강조하고 있다. 하지만 [가]의 저자는 '브라운 대 토피카 교육 위원회' 사건에 대한 대법원의 판결과 같은 국가의 제도적 결정이 개인의 항거를 촉진하여 국가·사회 변혁의 전기를 마련할 수 있다고 본다. 반면, [나]의 저자는 제도의 변화보다는 개인이 모범을 보임으로써 사회를 변화시킬 수 있다는 점을 강하게 주장한다. 또한, 개인이 사회 변화를 촉진하는 과정에서도 [가]의 저자는 아래로부터의 항거를 통해 부적절한 관습을 타파할 수 있음을 말함에 반해, [나]의 저자는 위정자가 모범을 보임으로

써 국가 사회를 조금 더 바람직한 방향으로 이끌 수 있다고 주장한다.

(2)

정치 논리 차원에서 공공 혜택의 배분에 있어 백인뿐 아니라 흑인들도 공평한 대접을 받는 것이 중요하다. 그러므로 인종 차별에 입각하여 린다 브라운을 먼로 흑인 초등학교에 배정한 것은 정치 논리상 적절하지 않다. 또한, 경제적 측면에서도 집 앞의 초등학교를 두고 멀리 떨어져 있는 초등학교를 다녀야 한다는 것은 '최소의 비용으로 최대의 효과'를 얻고자 하는 경제 원칙을 고려할 때, 비효율적이다. 그러므로 기존의 초등학교 배정 결정을 뒤집어 린다 브라운으로 하여금 가까운 곳에 있는 초등학교를 다녀도 좋다고 결정한 '브라운 대 토피카 교육 위원회' 대법원 판결은 정치적 배분과 경제적 효율성 측면에서 모두 바람직하다고 할 수 있다.

2 제시문 [라]에 나타난 문제의식에 입각하여, 제시문 [마]의 그림과 표에 제공된 통계치를 해석하여 서술하시오. [30점]

제시문 [라]는 한 집단의 성격과 특성을 평균만으로 규정할 수는 없음을 설명하고 있다. 사람이 마른 사람부터 뚱뚱한 사람, 키가 작은 사람부터 큰 사람 등 매우 다양한 체형을 지니고 있는데, 전투기의 조종석을 평균에 맞추게 되면 그 평균적인 체형을 가지고 있지 않은 많은 조종사에게는 불편할 수밖에 없다.

이와 같은 관점에서 제시글 [마]의 코로나 사망률과 코로나 이후 소득 변화는 평균으로 전체 자료의 분포를 단순화했을 때 발생하는 문제를 보여주고 있다. 코로나 사망률은 전체 표본을 관찰했을 때는 1% 안팎으로 아주 심각한 전염병은 아닌 것처럼 보이지만, 70 ~ 79세는 2%를 넘어서고, 80세 이상은 6%를 넘어가는 등 노년층에게는 매우 심각한 치명률을 가진 전염병임을 알 수 있다. 또한 코로나 이후 소득 5분위별 변화를 보았을 때도 전체적으로는 소득이 소비지출 증가에 비해 200만 원 정도 더 커서 사람들의 삶에 나쁜 영향을 주지 않은 것으로 착각할 수 있으나 실제로는 소득의 증가가 주로 4, 5분위에서만 이루어졌음을 확인할 수 있다. 전체 평균으로는 잉여소득이 증가했지만, 가장 하위계층인 1분위의 경우에 오히려 소득증가 대비 지출 증가가 더 커서 어려운 상황에 처해있음을 볼 수 있다.

종합하면, 평균은 전체 자료의 분포를 매우 단순화해서 자료의 특성에 대한 오해를 불러일으킬 수 있다. 이런 실수를 하지 않기 위해 범주를 나누어 각 범주의 비율을 고려하고 사실을 이해하려 할 수 있으며, 히스토그램 등의 그래프를 이용하여 자료의 빈도, 치우침, 중앙값 등의 위치, 범위 등 산포에 대한 전반적인 특징을 판단할 수도 있다.

3. 다음 글을 읽고 물음에 답하시오. [30점]

(1) A국에서는 t년도에 전염성이 매우 강한 1급 감염병이 발생하였다. 그에 대한 대응으로 보건당국은 감염병 발생률이 일정 수준 이하가 될 때까지 긴급한 상황을 제외하고는 전 국민의 외출 금지 조치를 결정하였다. 이러한 결정이 t년도 A국의 총공급 곡선에 미칠 영향에 대하여 기술하시오. [15점]

(2) B국의 총수요를 구성하는 소비(C), 투자(I), 정부지출(G) 및 순수출(NX)은 아래와 같으며, Y는 총공급인 국내 총생산량이라고 가정하자. B국의 균형 국내 총생산량을 구하시오. [10점]

(소비) C = 0.8Y, (투자) I = 90, (정부지출) G = 20, (순수출) NX=100-0.5Y

(3) B국의 총수요를 구성하는 소비(C), 투자(I), 정부지출(G) 및 순수출(NX)은 문항(2)와 동일하다. 만약 총공급이 200이라면, 물가 수준에는 어떤 영향을 줄 것인지 기술하시오. [5점]

(1)

외출금지는 해당 조치가 취해지는 기간 동안 투입 노동이 줄어들기 때문에 총공급은 줄어들게 된다.

(2)

총수요는 소비, 투자, 정부지출과 순수출의 합으로 주어진 조건을 이용하면 다음과 같다.

총수요= $C + I + G + NX$ =210+0.3Y

한편, 총공급은 Y이다. 지문에서 언급된 바와 같이 균형 조건은 총수요와 총공급이 같은 것이다. 즉, 균형 조건은 210+0.3Y=Y이며, 이를 만족시키는 균형 국내 총생산량 Y는 300이다.

(3)

만약 총공급이 200이라면, 이 때의 총수요는 210+0.3×200=270이 된다. 총수요는 270인 반면, 총공급은 200이므로 물가 상승 압력이 발생한다.

9. 2022학년도 이화여대 수시 논술 (인문 Ⅰ)

1. 제시문 [가] - [다]를 읽고 다음 물음에 답하시오. [40점]
   (1) 제시문 [가]의 '세잔'과 제시문 [나]의 '관상가'가 보여 주는 사고의 공통점을 설명하시오. [20점]
   (2) 제시문 [다]의 주요 개념을 정리하고, '유사성'의 시각에서 제시문 [가]의 '세잔'의 작품 세계를 설명하시오. [20점]

(1)

제시문 [가]의 세잔은 르네상스 이래 지켜온 인간 시점 중심의 원근법적 조형 세계에 질문을 던지고 이를 물체 중심의 조형 세계로 변화시켰으며, 자연 속 대상의 형태에 대한 새로운 해석을 제시하고 감각적 경험과 지적 원리가 결합된 미술이라는 자신의 작품 세계를 구축하였다. 즉 그는 대상을 인지하고 표현하는 기존의 방식과 관점 대신 자신의 관점으로 물체들을 표현하고자 한 것이다.

제시문 [나]의 관상가의 설명에 의하면 그는 관상에 대한 기존의 통념이나 고정적 해석에서 탈피하여 역발상적인 접근과 해당 인물의 미래에 대한 합리적 해석을 토대로 관상을 보려 하였다. 즉 그는 발상의 전환을 통해 기존의 투식적인 해석법을 극복하고 자신의 관

점에서 해석하는 관상법을 제시한 것이다.

제시문 [가]의 세잔과 제시문 [나]의 관상가에게서 보이는 공통점은 둘 다 발상의 전환을 통해 대상을 새롭게 해석하고자 했다는 점이다. 세잔은 회화에서 기존의 인간중심적인 시점이 아니라 물체가 중심이 되는 새로운 관점을 도입했고, 관상가는 기존 관상법의 통념적 한계를 극복하고 자신의 관점에서 인간의 본질에 접근하려 시도한 것이었다. 즉 세잔과 그에게서 보이는 공통점은 익숙한 기존의 관점을 추수하는 대신 발상의 전환을 통해 대상의 본질에 접근하려 했다는 점이다.

(2)

제시문 [다]에서는 원본을 전제로 가까움을 추구하는 유사성과 원본이 없는 복제인 상사성이라는 두 개념이 제시되어 있다. 유사성은 근대 의식 철학의 주된 원리로, 세계에 대해 유일하고 올바른 객관적 기술이 존재한다는 믿음을 바탕으로 하였다. 예술에서는 자연의 모방을 추구한 르네상스에서 19세기 이전 유럽의 전통회화에서 나타났다. 상사성은 현대 언어 철학의 원리로, 절대적 기술은 존재하지 않으며 대신 다양한 해석들만 인정된다고 보았다. 그림 밖의 원본을 재현할 의무를 지니지 않는 현대 예술에서 주로 나타나는데, 여기서는 닮음이 있다고 하더라도 원본이 없는 복제들 사이의 닮음이다.

제시문 [가]에 의하면, 세잔은 자연 속 대상을 변하지 않는 영구적인 존재로 보고 이를 재현한다는 점에서 원본을 전제로 한 유사성을 추구한 것으로 볼 수 있다. 인상주의와 달리 빛의 변화에 의해 대상 표면의 색이 변하더라도, 입체적인 구조는 변하지 않는다고 보았다. 이런 관점에서 세잔은 모든 자연 속 대상을 원통, 원뿔, 구로 환원하여 표현하였다. 감각적 경험과 지적 원리가 결합된 미술을 통해 견고하고 영구적인 모습으로 물체를 표현하고자 한 것이다. 그리고 종래 인간의 시점을 중심으로 한 원근법에서 벗어나, 대상이 되는 물체를 중심에 두는 공간 구성법을 실현하였는데, 객관적 존재의 충실한 묘사를 의도한 것이었다. 이러한 세잔의 기하학적 사유와 대상 중심의 공간구성법은 원본의 재현을 추구한 유사성의 예술을 기반으로 한 것이었다.

2. 제시문 [라]를 요약하고, 제시문 [라]와 제시문 [마]의 발전에 대한 관점을 대비하시오. [30점]

제시문 [라]는 드론, 로봇과 빅데이터 등 ICT 기술을 활용하는 스마트 농업이 혁신적인 발전을 초래하고 있다고 주장한다. 이 글은 구체적인 예로 소와 같은 가축의 상태나 농장의 상황을 감지하여 알려 주는 장치를 통해 정보를 수집하고, 수집된 방대한 정보를 분석한 결과를 농업인에게 전달해 줌으로써 가축의 질병을 미리 예방하여 병원비 등 관리 비용을 줄이고, 임신 등 가축의 상태를 일일이 관찰하느라 사용해야 할 시간을 절약할 수 있다고 주장한다. 결국 이렇게 수집되고 분석된 데이터는 농장 운영을 위해 필요한 결정에 중요한 근거가 되고, 스마트 농업을 통해 가축 복지의 증대는 물론 효율성을 높이고 이윤을 창출하는 발전을 초래한다고 주장한다.

제시문 [라]와 제시문 [마]는 공통적으로 발전에 대해 논하고 있다. 우선 공통점으로는 발전을 긍정적으로 평가하고 있다는 점이다. 제시문 [라]는 스마트 농업의 예를 들어

ICT 기술이 농업 경영에 투여할 비용과 시간을 줄여 주고, 빅데이터에 기반한 정확한 정보로 경영 효율성과 이윤 창출이라는 경영의 발전을 이룰 수 있다고 주장한다. 제시문 [마]도 현세대의 삶을 풍요롭게 하는 경제 성장과 함께 후대를 위해 환경 보존과 사회 안정 및 통합이 균형을 이루는 발전의 긍정성을 주장하고 있다. 또한 제시문 [라]는 스마트 농업을 통해서 이윤만을 추구하는 과거의 약탈적인 방식에서 벗어나 동물의 복지를 고려할 수도 있고, 더 효율적이고 더 많은 이윤 창출이 가능하다고 주장함으로써 경제, 사회, 환경 등의 자원 보존을 강조하는 제시문 [마]의 주장과 공통점을 가지고 있다.

그러나 제시문 [라]가 약탈적인 관행 농업 대신 동물의 복지, 효율적인 자원 이용을 언급하여 제시문 [마]의 주장과 비슷하지만, 제시문 [라]는 동물의 복지가 우유 생산을 향상시킨다고 주장함으로써 스마트 농업에서는 경제적인 효율성이나 이윤 창출이 발전의 목표라는 사실을 강조한다. 이런 맥락에서 제시문 [라]가 주장하는 발전은 단위 경제 체제의 이윤 극대화를 주장하는 기업 논리와 유사한 반면, 제시문 [마]는 발전과 보존의 균형 속에서 가능한 발전의 지속성을 강조함으로써 전 지구적인 공동체 의식을 보여주고 있다. 제시문 [마]는 현재를 위한 극대의 효율성과 이윤 추구를 위해 환경을 파괴하고 자원을 고갈하기보다는 미래 세대를 위한 보존이 중요하며, 경쟁적으로 단위 경제 체제의 최고 이윤을 추구하기보다는 사회 안정과 통합을 통해 발전을 하자고 주장함으로써 제시문 [라]와 다른 점을 보여 준다.

3. 제시문 [바]의 비어즐리와 스테커의 관점에서 제시문 [사]의 미술 작품 「남귀덕」에 대한 '나'의 생각을 각각 평가하시오. [3점]

제시문 [바]에 따르면 예술 작품을 해석할 때 비어즐리로 대표되는 일원론적 시각에서는 작품 외부의 것을 작품에 연관시켜 설명하는 것은 '해석'이 아니라 '부과'라고 보고 작품 자체의 의미를 추구한다. 반면 스테커와 같은 다원론적 시각에서는 일원론적 해석은 '보고'에 불과하며, 목적이나 해석 배경에 따라 다양한 해석이 가능하다고 본다.

제시문 [사]에서 '나'는 일전에 '그'와 함께 포도나무 뿌리를 함께 운반하면서 그에게 고모할머니의 이야기를 하였다. 시간이 흘러 포도나무 뿌리는 '그'의 작업을 거쳐 「남귀덕」이라는 제목의 예술작품이 되었고, '나'는 이 작품을 보면서 고모할머니의 손, 그리고 그의 삶을 떠올린다. 역사적인 아픔을 겪은 뒤 가족들로부터도 외면받았던 고모할머니의 삶이 곧 원래 자리에서 파헤쳐 내팽겨쳐진 뿌리의 의미라고 생각하며, 뿌리 뽑혀 떠돌던 그녀의 존재에게 가족이나 사회가 그녀를 품어 주는 흙 같은 역할을 하지 못했음을 깨닫는다.

비어즐리의 입장에서 볼 때 '나'는 작품 자체의 의미에 주목하기보다 해석자의 친족 관계에 기반한 경험이라는 작품 외부의 요인을 투사하여 작품을 보고 있기 때문에 '나'의 생각은 해석에 미치지 못하는 부과에 해당한다고 볼 수 있다. 반면 스테커의 관점에서 본다면, '나'는 일본군 위안부인 고모할머니에 대한 기억을 바탕으로 일종의 역사적 관점으로 작품을 해석하고 있으며, 흙을 떠나 전시장에 놓인 뿌리 작품을 통해 뿌리 뽑혀 떠돌던 존재였던 고모할머니의 아픔을 더 깊이 이해할 수 있게 되었다는 점에서 수용자의 감상이 잘 구현된 타당한 해석이라고 평가할 수 있다.

10. 2022학년도 이화여대 수시 논술 (인문 II)

1. 제시문 [가] [다]를 읽고 다음 물음에 답하시오. [40점]
   (1) 제시문 [가]의 이집트 벽화와 제시문 [나]의 벡의 지도에서 대상을 표현하는 방식을 각각 설명하고 둘의 공통점을 서술하시오. [20점]
   (2) 제시문 [나]에서 ㉠의 등장 배경을 제시문 [다]의 테일러의 관점으로 설명하시오. [20점]

(1)

제시문 [가]에서 이집트의 벽화는 얼굴과 다리는 측면에서 본 모습을, 가슴과 눈은 정면에서 본 모습을 그린 것으로서 해부학적으로 불가능한 구성 혹은 자세이다. 이집트인들에게 그림이라는 것은 시각적 경험이 가져다주는 이미지인 시각상이라기보다는 시각적으로는 모순되더라도 알고 있는 사실을 명확하게 전달하는 데 중점을 둔 이미지인 개념상이기 때문이다.

제시문 [나]의 기존 지하철 노선도에서는 호수와 숲 같은 지역적 특성을 고려하는 등 지리적 요인이 강조되고, 시·공간이 고정된 범주였다. 그에 반해, 벡의 지도는 공간 구분에서 탈피하여 지리적 공간을 재구성함으로써 노선은 실제 지리와는 무관한 관념적인 통로이며, 공간의 물리적 거리가 무시되고 현대 자본주의의 시간관념을 반영하고 있다.

이집트인의 벽화와 벡의 지도는 모두 눈에 보이는 것 혹은 실제 지리적, 물리적으로 존재하는 것을 뛰어넘고 있다. 둘 모두 시각적 사실의 재현이 아닌 세계에 대한 앎과 이해를 전달하고, 시대의 역사적 순간에 존재하는 핵심적인 개념을 포착하여 보여주고 있다.

(2)

제시문 [다]에서 나타나는 테일러의 관점은 시간이 돈 자체이며, 경영자가 노동자에게 사들인 시간에 대하여 합당한 가치를 얻어야 한다는 것이다. 노동이 시간에 의해 그 대가를 지불받고, 기업가들이 시간에 대하여 계산되는 생산성에 대해 민감해지면서, 시간이 하나의 자원으로 인식되고 있다는 것이다. 즉, 테일러를 비롯한 기업가들은 표준 작업 시간을 설정하여 노동자의 작업 시간 관리를 하는 등 시간이라는 것을 '조직의 효율성과 효과성을 위해서 측정되고 조작'되어야 하는 자원으로 생각하고 있다.

제시문 [나]의 ㉠에서 '자유롭게 시·공간을 변형해서 표현되었다'는 것은 벡의 지도가 공간의 물리적 거리를 무시하고 현대 자본주의의 시간관념을 정확하게 포착한 결과물이라는 것을 의미한다. 즉, 벡의 지도는 실제의 지리적 정보에 기반한 지도가 아닌 자본주의에서 자원으로서의 개념인 시간에 기반한 것이다. 과거에는 지하철이 지나가는 장소들의 특성과 실제적 지리가 중요했다면, 벡의 지도에서는 기차와 사람 및 자본의 흐름을 원활하게 하는 통로라는 관념이 중요하다.

2. 제시문 [라]와 제시문 [마]의 주장을 비교하시오. [30점]

제시문 [라]와 [마]의 글쓴이들은 공통적으로 자신이 속한 민족과 국가가 큰 고난에 직면해 있으며, 구성원들의 협력을 통해 이러한 어려움을 극복하자고 주장한다. 하지만 제시문 [라]와 [마]의 글쓴이들은 어려움의 원인에 대해서는 각각 상이한 진단을 하고 있다.

그리고 이를 극복하기 위한 방안 역시 달리 제시하고 있다.
제시문 [라]의 글쓴이는 민족이 흥하기 위해서는 정의가 필요하며, 이를 통해 유정한 사회를 형성해야 한다고 강조한다. 하지만 대한 민족은 오랫동안 더운 정이 없었기 때문에, 민족의 사활을 다루는 문제에까지 무정한 모습을 보였으며, 그 결과 나라가 쇠망했다고 주장한다. 그러므로 정의를 통해 유정한 사회를 이룬 서구의 삶을 본보기로 하여 다정한 사회를 만들고, 이를 통해 단결을 이루어 민족을 흥하게 하자고 주장한다.
반면, 제시문 [마]의 글쓴이는 인도가 어려움을 겪는 이유는 가까운 것을 챙기지 않고, 멀리 있는 것에만 관심을 두었기 때문이라고 주장한다. 그리고 그 결과 지식인과 민중 간 단절이 발생하고, 민중이 조직되지 못하면서 나라가 큰 어려움에 처하게 되었다고 말한다. 이러한 원인 진단에 근거하여 제시문 [마]의 글쓴이는 제시문 [라]의 주장과는 달리 외국의 문화와 문물을 받아들이기보다 전통을 지키고, 가까운 주변에 힘을 기울이는 '스와데시'를 실현함으로써 현재의 어려움을 극복할 수 있다고 주장한다.

3. 다음 글을 읽고 물음에 답하시오. [30점]

국가 E의 경제에서는 자동차와 쌀 두 재화가 생산된다. 각 재화의 초과 수요량은 아래의 [표 1], [표 2]와 같다. 국가 E에는 모두 10명의 노동자가 있으며, 자동차 산업에 5명, 그리고 쌀 산업에 5명이 종사하고 있다. 자동차 산업의 노동자는 자동차 판매 수입을 공평하게 나누어 노동소득으로 가져가며, 쌀 산업의 노동자도 쌀 판매 수입을 공평하게 나누어 각자의 노동소득으로 가져간다. 아래 표는 직선의 형태로 된 수요 함수와 공급 함수를 이용하여 자동차의 초과 수요량과 쌀의 초과 수요량을 도출한 결과이다. 자동차의 가격이 130원일 때 수요량은 7대이며 공급량은 13대이다. 쌀의 가격이 65원일 때 수요량은 2가마이며 공급량은 8가마이다. 한편, 자동차 시장의 균형 거래량은 10대, 그리고 쌀 시장의 균형 거래량은 5가마이다. (언급된 것 이외의 조건들은 고려하지 않기로 한다.)

[표 1] 자동차에 대한 가격대별 초과 수요량

가격(단위: 원)	70	80	90	100	110	120	130
초과 수요량(단위: 대)	6	4	2	0	-2	-4	-6

[표 2] 쌀에 대한 가격대별 초과 수요량

가격(단위: 원)	35	40	45	50	55	60	65
초과 수요량(단위: 대)	6	4	2	0	-2	-4	-6

(1) 자동차 산업에 종사하는 노동자와 쌀 산업에 종사하는 노동자의 노동소득을 구하고, 자동차와 쌀 시장의 생산자 잉여 및 소비자 잉여를 각각 구하시오. [16점]

(2) 정부는 쌀의 최저 가격을 60원으로 설정하였다. 이 경우 쌀 시장의 소비자 잉여, 생산자 잉여, 총 잉여를 각각 구하고, 이를 정부 정책 시행 이전과 비교하시오. [8점]

〈보기〉

노동 소득 분배의 불평등도를 하나의 숫자로 나타내기 위하여 여러 가지 불평등도 지수가 고안되어 왔으며, 십분위분배율은 그중 하나이다. 한 사회의 구성원을 소득이 가장 낮은 사람으로부터 높아지는 순서에 따라 차례로 배열한다고 할 때, 십분위분배율은 소득계층의 하위 40%가 전체 소득에서 차지하는 점유율을 상위 20% 사람들이 전체 소득에서 차지하는 점유율로 나눈 비율로서 그 수치가 낮을수록 보다 불평등한 분배 상태를 의미한다.

(3) 아래의 <보기>를 읽고 쌀 최저 가격제 시행 이후 E국의 소득 불평등도가 어떻게 변하였는지 십분위분배 율을 기준으로 평가하시오. [6점]

(1)

▶노동자 소득

-자동차 시장의 균형 가격 = 100원, 균형 거래량 = 10대

자동차 판매수입 = 100×10 = 1000원

자동차 산업의 노동자 1명당 소득 = 1000/5명 = 200원

-쌀 시장의 균형 가격 = 50원, 균형 거래량 = 5가마

쌀 판매수입 = 50×5 = 250원

쌀 산업의 노동자 1명당 소득 = 250/5명 = 50원

▶자동차 시장: 균형 가격과 균형 거래량인 (100, 10)은 수요함수와 공급함수를 모두 지난다.

(ⅰ) 공급곡선 : 두점 (100,10)과 (130,13)을 지나는 (P, Q)는 P=10Q

(ⅱ) 수요곡선 : 두점 (100,10)과 (130.7)을 지나는 (P, Q)는 P=-10Q+200

(ⅲ) 소비자 잉여 : 1/2×10×(200-100)=500

(ⅳ) 생산자 잉여 : 1/2×10×100=500

▶쌀 시장: 균형 가격과 균형 거래량인 (50, 5)은 수요함수와 공급함수를 모두 지난다.

(ⅰ) 공급곡선 : 두 점 (50, 5)와 (65, 8)을 지나는 (P, Q)는 P=5Q+25

(ⅱ) 수요곡선 : 두 점 (50, 5)와 (65, 2)를 지나는 (P, Q)는 P=-5Q+75

(ⅲ) 소비자 잉여 : 1/2×5×(75-50)=125/2=62.5

(ⅳ) 생산자 잉여 : 1/2×5×(50-25)=125/262.5

(2)

쌀 시장의 새로운 균형 가격은 최저 가격과 수요함수가 만나는 점인 P=60이며, 균형 거래량은 3가마가 된다. 즉, P=60, Q=3 (균형 가격은 상승, 균형 거래량은 감소)

(ⅰ) 소비자 잉여 : 1/2×3×(75-60)=45/2=22.5

정책 시행후 소비자 잉여는 40만큼 감소하였다.

(ⅱ) 생산자 잉여 : 1/2×3×(35+20)=165/2=82.5

정책 시행후 생산자 잉여는 20만큼 증가하였다.

(ⅲ) 정책 시행 이후 소비자 잉여가 40만큼 감소하고 생산자 잉여는 20만큼 증가하여 총잉여는 20만큼 감소하였다. (즉, 정책 시행 이후 총 잉여는 105(=22.5+82.5)로 이전 125(=62.5+62.5)에 비하여 20만큼 감소함.)

(3)

▶최저 가격 정책 시행 이전: 10명의 노동소득을 낮은 순서로 나열하면 50, 50, 50, 50, 50, 200, 200, 200, 200, 200원이다.

-전체 소득=50×5+200×5=1250

-십분위분배율=(하위 40%의 소득 점유율) / (상위 20%의 소득 점유율)

=(4×50/전체 소득) / (2×200/전체소득)

=200/400

=0.5

▶최저 가격 정책 시행 이후: 새로운 쌀 산업 노동자의 소득은 (60×3)/5=36원으로, 10명의 노동소득을 낮은 순서로 나열하면 36, 36, 36, 36, 36, 200, 200, 200, 200, 200원이다.

- 전체 소득=36×5+200×5=1180

- 십분위분배율=(하위 40%의 소득 점유율)/ (상위 20%의 소득 점유율)

=(4×36/전체소득)/ (2×200/전체소득)

=(4×36) / (2×200)

=0.36

즉, 정책 시행 이후 십분위분배율은 하락하였으며, 이는 쌀의 최저 가격 제도 시행으로 소득분배의 불평등도가 커졌음을 시사한다.

11. 2022학년도 이화여대 모의 논술 (인문 Ⅰ)

1. 제시문 [나]의 주장을 요약하고, ㉠의 '책임'이 제시문 [가]의 '화친'을 둘러싼 상반된 주장에서 어떻게 나타나는지 논하시오. [30점]

제시문 [나]에서는 누군가의 말을 받아들일지 결정하기 위해서는 첫째, 표현의 인지가능성, 즉 알아들을 수 있는 표현을 쓰고 있고, 둘째, 진리성, 즉 그 사람의 말이 참이며, 셋째, 진실성, 즉 말하는 사람이 그 참인 말을 자신도 실제로 참이라고 믿고 있어야 한다는 조건이 충족돼야 한다고 주장한다. 이 세 조건 가운데 특히 '참'을 말해야 한다는 진리성의 조건은 상대방과 대화를 하거나 의견을 교환할 때 매우 중요한 전제이며, 이 전제 조건이 충족되지 않을 경우 원만한 소통이 이루어지기 어렵다. 그렇기 때문에 진리성에 대한 상대방의 비판에 대해서는 책임 있게 적극적으로 응대해야 한다.

제시문 [가]는 성이 곧 적의 손아귀에 떨어지기 전인 풍전등화의 위기 상황에서 '화친'을 주장하는 최명길과, '화친'을 반대하며 끝까지 싸울 것을 주장하는 김상헌이 임금을 설득

하기 위해 벌이는 대립적 말하기 양상을 기록하고 있다. 최명길은 적들이 공격을 하지 않고 있음을 근거로 적들이 화친을 원하고 있다고 주장하고, 김상헌은 국경을 넘어 이곳까지 침공한 것을 근거로 하여 적들이 화친을 원하지 않고 있다고 주장한다. 또한 김상헌은 전(戰), 수(守), 화(和), 항(抗) 등의 말의 의미를 근거로 상대의 주장을 반박하고, 최명길은 그러한 말, 즉 명분을 따르면 모두 죽음에 이르게 될 것이라는 현실론을 바탕으로 상대의 주장을 다시 반박한다. 두 사람은 정황에 대한 자신의 해석을 바탕으로 나름의 근거를 제시하고, 상대방의 비판에 대해 다시 근거를 제시하며 응대를 하고 있어서 표면적(형식적)으로는 진리성의 책임을 다하고 있다고 볼 수 있다. 다만 근거로 활용한 해석들의 참과 거짓은 결국 적장의 의도에 달린 문제여서, 객관적으로 '참'의 여부를 확인하기 어렵기 때문에 실질적으로 진리성의 조건을 충족하였다고 보기에는 미흡함이 있다.

2. 제시문 [다]에 나타난 비판적 읽기의 관점을 요약하고, 그 관점에서 제시문 [라]의 '공정 무역'에 대한 입장을 설명하시오. [30점]

제시문 [다]는 우리가 일상에 늘 접하는 인터넷 기사나 TV 광고에서 접하는 통계 수치들이 더 나은 결정을 내리는 데 유용하게 사용될 수 있으나, 이 통계 수치들을 주어진 그대로 받아들이기보다는 그 수치들이 무엇을 의미하는지 비판적으로 검토할 필요가 있다고 역설한다. 그 한 예로 미정이는 블로쫌사의 세안용 액체비누를 홍보하는 인터넷 광고를 접했다. 이 광고는 제품의 우수성을 증명하기 위해서 첫째, 사용한 소비자 100%가 모두 피부가 더 밝아지고 부드러워졌다고 보고했고, 둘째, 이 제품에 대해 광고된 결과들은 회사로부터 독립된 실험기관으로부터 나온 것이고, 셋째, 이 결과들은 공공기관의 인증을 받았다고 주장한다. 미정이는 100%라는 통계 수치와 광고된 결과들이 공증되었다는 주장을 믿고 가격이 비싸지만 제품을 구입하였다. 그러나 사용해도 효과가 없자 미정이는 모든 사용자들에게 효과가 있었음을 의미하는 100%라는 통계 수치에 의문을 가졌고, 확인 결과 이 통계의 대상 인원이 5명이었다는 문구가 제품 광고의 마지막에 작은 글씨로 쓰여 있는 것을 발견하게 된다. 이를 통해 필자는 광고에서 주어진 100%라는 수치를 객관적인 사실이라고 맹목적으로 믿기보다는 통계 수치의 신뢰도를 결정하는 대상의 수를 확인해야 하고, 또한 광고에 언급된 공증기관들의 신뢰도를 꼼꼼히 따져보는 비판적 읽기가 필요함을 강조하고 있다.

제시문 [라]는 '공정 무역'의 원래 취지가 가난한 나라의 노동자들에게 더 높은 인금을 보장하기 위해 주로 개발도상국가의 생산 작물에 적용하는 것이었으나, 실상은 공정 무역 인증 제도 때문에 그렇지 못한 현실을 비판적으로 설명하고 있다. 필자는 공정 무역 인증 마크가 등장한 1988년 이래 공정 무역 상품 수요는 급격히 증가하였으나, 공정 무역의 원래 취지와는 다르게 실상 가난한 나라의 노동자들에게는 혜택이 많지 않다고 주장한다. 그 이유는, 첫째, 공정 무역 인증 기준이 까다롭기 때문에 가난한 국가의 노동자들이 만족시키기 어렵고, 둘째, 공정 무역 제품에서 발생하는 수익의 대부분을 가난한 농부가 아닌 거래 중개인이 가지고, 셋째, 공정 무역 인증을 받는 주체가 생산 단체여서 그 단체에 속한 개별 생산자들에게 모든 수익이 돌아가지 않을 수 있다고 주장한다. 따라서 소비자가 공정 무역의 원래 취지만 믿고 공정 무역 커피를 더 비싸게 구입한다고 해도 가난한 나라의 노동자에게는 혜택이 많지 않다는 설명이다. 오히려 공정 무역에 종사하는 노동자들이

비공정 무역에 종사하는 노동자들보다 임금도 낮고 노동 조건도 열악하며, 또한 공정 무역의 성과로 알고 있는 지역 공동체 사업에서도 극빈층이 소외되는 경우가 많다고 주장한다.

제시문 [라]의 필자는 가난한 나라의 노동자들에게 더 높은 임금과 좋은 환경을 제공하자는 공정 무역을 위한 인증 제도가 초래한 역기능을 인증 기준의 현실성, 거래 및 수익 발생 과정, 수혜를 받는 주체에 대한 구체적인 이해를 중심으로 설명하고 있다. 제시문 [다]가 강조하는 비판적 읽기의 관점에서 보면 제시문 [라]도 공정 무역의 원래 취지와 인증 제도 도입으로 벌어진 결과 사이의 괴리를 지적하고 있다. 공정 무역의 원래 취지와는 다르게 인증 제도 도입으로 발생한 문제점들을 구체적으로 지적하고 있어, 공정 무역이 표방하는 바를 맹목적으로 믿기보다는 현실에서 공정 무역의 취지가 적용되어 나타나는가를 비판적으로 살펴보아야 한다는 주장이다.

3. 제시문 [마]~ [사]를 읽고 다음 물음에 답하시오. [40점]

(1) 제시문 [마]와 제시문 [바]에 나타난 동물에 대한 두 가지 관점을 설명하시오. [20점]

(2) 동물 복지에 대한 제시문 [바]와 제시문 [사]의 주장을 비교하시오. [20점]

(1)

제시문 [마]에서 전 씨는 하늘이 오곡, 물고기, 새 등을 만든 것은 인간을 위해 쓰임 받도록 하기 위한 것이라고 하며 하늘의 은총에 감사한다. 이를 통해 알 수 있는 것은 전 씨가 동물이 인간을 위해 존재하는 대상이라고 간주한다는 사실이다. 자연 혹은 만물에 대해 전 씨는 인간 중심적인 사고를 보여주며 이는 동물에 대해서도 마찬가지이다. 전 씨에게 동물은 인간을 위한 존재이므로 인간은 동물에 대해 당연히 우월적인 지위를 차지한다. 포 씨의 열두 살짜리 아들은 이 같은 전 씨의 견해에 동의하지 않는다. 포 씨 아들은 천지 만물은 모두 동료라고 주장한다. 포 씨 아들에 의하면 동물도 인간의 동료이며 동료 사이에는 귀천의 차별은 없으니, 인간도 동물에 대해 우월한 지위에 서지 않는다. 포 씨 아들은 차별은 인정하지 않지만 크기나 힘에 따른 차이는 인정한다. 그에 따르면 동물은 그 자체로 존재하는 것이고, 인간을 위해 존재하는 것이 아니다.

제시문 [바]에 제시된 종 우월주의는 동물을 위계적 개념에 따라 하등 동물과 고등 동물로 분류하고 인간이 그 위계의 가장 높은 위치를 차지하는 것으로 간주한다. 그 결과 동물에 대한 인간의 차별은 매우 자연스럽고 당연한 것이 된다. 종 우월주의의 이런 인식은 인간이 동물을 학대하고 그들의 요구나 필요를 무시하는 태도를 정당화하여 동물 복지를 외면하는 근거를 제공한다. 제시문 [바]에는 종 우월주의를 비판하는 입장도 등장한다. 이 견해에 따르면 인간도 자연의 다른 모든 종들과 마찬가지로 생사를 경험하는 유한한 존재로, 자연의 일부인 것이다. 종 우월주의에 대해 비판하는 이 입장은 인간이 자신도 자연의 일부라는 사실을 망각하는 오만을 저질러 오늘날 전 지구적인 대규모 종의 멸종 과정 같은 재앙의 원인이 되고 있다면서 종 우월주의에 대해 문제를 제기한다.

제시문 [마]의 전 씨와 제시문 [바]의 종 우월주의는 인간이 동물보다 우월한 지위를 차지하는 것을 당연하게 여긴다는 점에서 동일하다. 반면 제시문 [마]의 포씨의 아들과 [바]의 종 우월주의에 대해 비판하는 입장은 동물과 인간은 다른 종과 구별되거나 차이가 있

다는 점에서 다를 뿐 동물이 인간을 위해 존재하거나 인간이 동물보다 우월한 존재라고 여기지 않는다는 점에서 동일하다.

(2)

제시문 [바]는 인간은 자연의 예외가 아니며 모든 다른 동물처럼 태어나 살다가 죽는 자연의 일부이고, 이러한 관점에서 인간은 '고등 동물'이고 나머지 동물들은 '하등 동물'이라는 이분법적 분류는 극복해야 한는 논지를 펼친다. 이러한 종 우월주의가 동물을 학대하고 상습적으로 그들의 요구를 무시하는 태도를 정당화하는 이론이며, 동물의 복지를 외면하게 만드는 그릇된 관점임을 주장한다.

제시문 [사]는 동물의 도덕적 지위를 인간의 관점에서 어떻게 정의하고 이해해야 할지에 관해 논의한다. 과거 서양에서는 동물을 마치 기계처럼 여겨왔으나, 현재 우리는 동물에 대해서 어떤 일은 해서는 안 된다는 사회적 합의가 존재하며, 이러한 생각은 동물에게도 복지가 있다는 생각에 근거한 것이다.

제시문 [바]와 [사]가 각각 종우월주의에 대한 비판 및 인간과 동물에 대한 정당한 관계 정립에 기반하여 공통으로 동물복지에 대하여 논의하고 있으나 동물복지의 중요성에 대한 배경과 가치관에서는 차이를 보이고 있다. 제시문 [바]가 인간도 자연의 일부로서 동물보다 우월하지 않다는 가정에서 출발하여 동물과 인간을 평등한 관계로 보고 동물복지를 주장하고 있다면, 제시문 [사]는 인간을 동물 복지의 주체로 설정하고, 함께 살아가는 동물과 건전하고 바람직한 관계를 정립하기 위해서 최소한의 복지를 동물에게 제공해야 한다는 관점이다. 즉 인간을 보다 인간답게 하기 위하여 동물과 인간의 바람직한 관계를 정립하고 인간이 동물의 복지를 책임져야 함을 강조한다.

12. 2022학년도 이화여대 모의 논술 (인문 II)

1. 제시문 [가] ~ [다]를 읽고 다음 물음에 답하시오. [40점]
   (1) 제시문 [가]와 제시문 [나]의 주장을 대비하시오. [20점]
   (2) 제시문 [다]의 관점에서 제시문 [나]의 역사관을 논하시오. [20점]

(1)

제시문 [가]는 세계 시민으로 생각하며, 정의와 선의 관점에서 우리의 삶의 방식을 살피는 것을 강조하고 있다. 이는 우리가 태어난 장소 등을 강조하는 민족이나 국적 등으로 경계선을 세우는 것을 비판한다. 우리가 태어난 장소는 우연의 산물이기 때문이다. 따라서 그러한 우연성보다는 인간의 필수적 구성요소인 이성과 도덕적 능력을 존중하고, 그것에 충성해야 한다. 다시 말해 특수한 정부형태나 일시적 권력이 아니라 전체 인류의 인간애에 수립된 도덕공동체에 충성해야 한다는 것이다.

제시문 [나]는 한 나라의 뜻깊은 역사를 기억하고 기념함으로써 그 나라에 대한 애국심을 가질 수 있다고 말한다. 그러나 그것은 거짓으로 꾸며낸 역사에 대한 자부심과는 전혀 다르다. 자유를 위한 투쟁이건 고통받았던 역사이건, 한 나라가 가졌던 소중한 경험에 대한 기억을 통해 자랑스러운 역사를 물려받았다는 공감대와 그 공동체에 복무해야겠다는 도덕적 의무감을 만들어 내는 것이 중요하다.

제시문 [가]는 국적이나 민족 등 특수하고 우연적인 귀속 속에서 나타난 정체성을 가지고 타인과 경계선을 만드는 것을 극복하고, 인류 보편적인 인간애에 기반하는 도덕공동체를 만들고 거기에 충성할 것을 주장한다. 반면, 제시문 [나]에서는 특수한 나라, 즉 우리나라의 소중한 역사에 대한 기억과 기념을 통해 그 공동체를 위해 노력해야겠다는 도덕적 의무감을 만들어 내는 것을 강조하고 있다.

(2)

제시문 [다]는 역사를 사실에 대해 기술하고 진실을 확인하는 작업으로 평가한다. 따라서 역사적 사건을 억지로 가감해서 칭송하거나 비난해서는 안 된다고 말한다. 역사에 대한 찬양과 비난은 공허한 것으로 오로지 사실에 대한 추구만이 역사에 대한 올바른 태도임을 주장하고 있다.

이런 관점에서 볼 때, 제시문 [나]는 역사를 과거의 사건에 대한 객관적 기술이나 진실 확인보다는 시민들에게 도덕적 의무감을 부여함으로써 시민적 덕성을 키우는 강력한 수단으로 파악한다. 의미와 가치 그리고 아름다움을 부여할 만한 사건들을 발굴해내고 기억하고 기념할 만한 일을 발굴해 내는 것이다. 자유를 위한 투쟁이건 고통받았던 역사이건, 한 나라가 가졌던 소중한 경험에 대한 기억을 통해 자랑스러운 역사를 물려받았다는 공감대와 그 공동체에 복무해야겠다는 도덕적 의무감을 만들어 내는 것이 제시문 [나]의 역사관이다. 그렇다고 제시문 [나]가 역사를 거짓으로 꾸며내야 한다고 주장하는 것은 아니다. 비겁한 거짓말로 꾸며낸 조상의 위대함 즉 위조된 역사는 국민적 자부심이 아니라고 말한다.

진실을 확인하는 것이 역사학의 목적이라는 제시문 [다]의 관점에서 보았을 때, 제시문 [나]의 역사관은 진실의 확인보다는 역사에 의미와 가치 그리고 아름다움을 부여하여 국민들에게 자긍심과 도덕적 의무감을 가지게 하려는 수단이라고 볼 수 있다.

2. 제시문 [라]의 '식량', 제시문 [마]의 '조기' 사례에서 얻을 수 있는 교훈을 설명하시오. [30점]

제시문 [라]는 정부가 식량의 가격에 인위적으로 개입하여 의도치 않은 부작용을 초래한 사례를 제시하고 있다. 펜실베이니아주 밸리 포지 전투의 상황에서 정부는 식량 등 군수물자를 군대에 원활하게 공급하기 위해, 법률을 통해 군수 물자의 가격을 강제적으로 통제하였다. 그런데 정부가 고시한 가격에 불만을 품은 농민들은 오히려 식량을 시장에 내놓지 않았고, 군수 물자의 가격은 오히려 급등하는 결과를 낳았다. 그리고 일부 농민들은 적군인 영국군에게 군수 물자를 판매하는 사태까지 벌어졌다. 이를 통해 섣부른 정부의 개입, 즉 재화에 대한 가격 통제가 공공 서비스를 약화시킨다는 교훈을 제공한다.

제시문 [마]는 '조기'와 같은 공유 자원의 경우, 과도하게 소비되는 '공유 자원의 비극'을 초래할 수 있음을 보여준다. 바닷 속 조기는 주인이 따로 없기 때문에 잡는 사람이 임자가 된다. 우리나라 뿐 아니라 중국과 대만 어부들까지 조기를 남획함에 따라 더 이상 잡을 조기가 없어지게 되는 최악의 상황에 이르게 되었다. 시장에만 맡겨두어서는 공유자원의 비극을 피하기 어렵기 때문에, 정부가 적극적으로 개입하여 금어기를 설정함으로써 조

기의 고갈을 방지하고 장기적으로 풍족한 조기잡이가 가능하도록 하였다.

두 사례로부터 우리는, 일반적인 재화의 시장에서는 인위적인 정부의 개입을 가급적 최소화하는 것이 바람직하지만, 조기의 사례에서 보듯이 시장의 성격에 따라서는 정부의 개입을 통한 통제와 조절을 가함으로써 장기적으로 보다 효율성을 높일 수 있다는 것을 알 수 있다.

3. 다음 글을 읽고 물음에 답하시오. [30점]

두 마을 A와 B는 강을 사이에 두고 지리적으로 분리되어 있다. 두 마을은 서로 교역이 없는 자급자족 경제이다. 두 마을 모두 노동을 투입하여 재화 쌀과 배추를 생산한다. A는 쌀 2kg 생산을 위하여 10시간의 노동 투입이 필요한 반면, B는 4시간의 노동시간 투입이 필요하다. 배추 4kg 생산에 필요한 노동 투입시간은 A의 경우 20시간, 그리고 B의 경우 6시간이다. 한편, 1개월 동안 투입 가능한 총 노동시간은 A의 경우 120시간, 그리고 B의 경우 60시간이다. 아래의 [표 1]은 앞에서 언급한 두 마을의 생산 기술을 요약한 것이다.

[표 1] 두 마을의 생산 기술

	A 마을	B 마을
쌀 2kg 생산	10시간	4시간
배추 4kg 생산	20시간	6시간

(1) 비교 우위란 상대 마을보다 상대적으로 적은 기회비용으로 상품을 생산할 수 있는 능력을 말한다. 각 마을의 비교 우위 재화가 무엇인지 근거를 들어 설명하시오.

(2) 생산가능곡선은 한 사회가 주어진 모든 자원을 효율적으로 이용해 최대한으로 생산할 수 있는 상품의 조합이다. 자급자족 경제에서 두 마을의 생산가능곡선을 그리시오. 한편, 두 마을은 자급자족 경제에서 쌀과 배추의 생산량 비율을 1:2로 유지하기로 하였다. 이 경우, 각 마을이 1개월 동안 생산하는 쌀과 배추의 양을 구하시오.

(3) 국제기구의 원조로 두 마을 사이의 강 위에 다리가 연결되면서 서로 의지만 있으면 교역이 가능한 상황이 되었다. 만약, 당신이 교역 중개자라면 (2)에서 언급된 기존의 자급자족 경제를 포기하고 비교 우위에 따른 생산과 교역을 하도록 제안하겠는가? 그렇다면 비교 우위에 입각한 생산과 적절한 교역을 통하여 각 마을의 후생 수준이 높아질 수 있음을 보이시오.

(후생 수준 상승 조건) 다음과 같은 조건이 성립하면 교역 후 두 마을의 후생 수준은 상승한다.

"교역 후 두 마을의 각 재화의 총 소비량이 자급자족 경제에서의 각 재화의 총 소비량보다 크거나 같아야 한다. 이때 적어도 한 재화의 소비량은 자급자족 경제에서의 소비량보다 커야 한다."

(1)

각 재화의 1kg 생산에 필요한 노동투입은 다음과 같다.

	A 마을	B 마을
쌀 1kg 생산	5시간	2시간
배추 1kg 생산	5시간	1.5시간

A 마을의 배추 1kg의 쌀 1kg의 비용은 노동투입 5시간으로 같다. 쌀 1kg 생산비용/배추 1kg 생산비용 = 5시간/5시간=1. 즉, 쌀 1kg 생산비용은 배추 1kg 생산비용과 같다. B 마을의 경우, 쌀 1kg 생산에 2시간 그리고 배추 1kg 생산에 3/2=1.5시간의 노동투입이 필요하다. 이는 쌀 1kg 생산비용/배추 1kg 생산비용 = 2시간/(1.5시간)=4/3임을 의미한다. 즉, 쌀 1kg 생산비용=4/3× 배추 1kg 생산비용이 된다. (또는 배추 1kg 생산비용 = 3/4×쌀 1kg 생산비용=0.75×쌀 1kg 생산비용으로 생각할 수도 있다.) 따라서, A 마을의 쌀 1kg 생산에 대한 기회비용이 B에 비하여 상대적으로 작고, B 마을은 배추 생산에 대한 기회비용이 A에 비하여 상대적으로 작다. 이는 A는 쌀 생산에, 그리고 B는 배추 생산에 비교 우위가 있음을 의미한다.

(2)

A 마을의 경우, 1개월간 가능한 모든 노동시간인 120시간을 쌀 생산에 투입하면 쌀 24kg을 생산할 수 있으며, 배추에 투입하면 24kg을 생산할 수 있다. 따라서, 가로축을 쌀 생산량, 세로축을 배추 생산량이라 할 때 두 점 (24,0)과 (0.24)를 이은 직선이 A의 생산가능곡선이 된다. B 마을의 경우, 1개월간 가능한 모든 노동시간인 60시간을 쌀 생산에 투입하면 쌀 30kg을 생산할 수 있으며, 배추에 투입하면 40kg을 생산할 수 있다. 따라서, 두 점 (30,0)과 (0,40)를 이은 직선이 A의 생산가능곡선이 된다.

만약, 각 마을의 쌀과 배추의 생산량이 1:2라면, A 마을은 쌀 8kg과 배추 16kg을 생산하게 되며, B 마을은 쌀 12kg과 배추 24kg을 생산하게 된다. 자급자족 경제에서는 이러한 생산량이 곧 소비량이 된다.

(3)

먼저 비교우위에 입각한 생산을 생각해보자. 이 경우, A 마을은 1개월 동안 쌀을 2×12=24kg 생산하고, B 마을은 배추를 4×10=40kg 생산하게 된다. 이러한 생산량이 주어졌을 때 다음과 같이 교환하는 것을 생각해보자. B 마을은 배추를 40kg 생산하여 A에 16kg을 주고 나머지 24kg은 B를 위하여 소비한다. 이를 통하여 두 마을은 자급자족 경제에서의 배추 생산량만큼 소비할 수 있다. 그리고, A 마을은 쌀을 24kg 생산하여, 우선 자신이 8kg을 갖고, B 마을에 12kg을 주면, 두 마을을 자급자족 경제에서의 쌀의 생산량을 확보하고도, 4kg의 쌀이 남는다. 이렇게 남는 4kg의 쌀을 두 마을이 각각 나누어 가지면 두 마을 모두 자급자족 경제에서보다 더 많은 쌀을 소비할 수 있게 된다. 따라서, 비교우위에 입각하여 생산하고 적절한 교환을 한다면 자급자족 경제보다 더 많은 소비를 할 수 있게 된다는 점에서 두 마을의 후생수준이 상승하게 됨을 알 수 있다.

13. 2021학년도 이화여대 수시 논술 (인문 Ⅰ)

1. 제시문 [가] ~ [다]를 읽고 다음 물음에 답하시오. [40점]
   (1) 제시문 [가]의 '복종'의 의미를 설명하고, 이와 관련된 두 가지 감시 기제를 제시문 [나]에서 찾아 비교하시오. [20점]
   (2) 제시문 [가]의 마녀사냥에 대한 논의에 근거하여 제시문 [다]의 채식주의자에 대한 사람들의 반응을 해석하시오. [20점]

(1)

제시문 [가]에서 기술하고 있는 복종은 근대 권력 당국이 다수의 구성원들에게 '균질적 영혼'이 되도록 강제하는 것을 의미한다. 근대 국가에서 개인은 균질적인 주체인 국민으로 만들어지고 통제된다. 마녀처럼 국가와 종교의 권위에서 이탈하거나 권력 당국이 부여한 질서를 거부하는 자는 억압되고 제거되었다.

근대 권력이 균질적인 다수를 감시하고 규율 사회를 상징하는 통제의 기제가 바로 제시문 [나]에서 언급한 '패놉티콘'이다. 원형의 사설 교도소인 패놉티콘은 바로 근대적 감시의 원리가 체화된 건축물이며, 개인에 대한 근대 권력의 통제가 육체적인 형벌에서 산업 자본주의의 인간형에 적합한 영혼의 규율로 바뀌어 갔음을 보여주는 것이었다. 1970년대 이후 정보 혁명 시대에 등장한 또 하나의 감시 기제가 '전자 패놉티콘'이다.

패놉티콘과 전자 패놉티콘은 모두 규율과 통제의 기제이며, 불확실성과 비대칭성을 기반으로 하고 있다. 하지만 패놉티콘은 시선을 통해 작동되는 반면 전자 패놉티콘에서는 정보가 그러한 기능을 하며, 패놉티콘이 시선의 비대칭성 때문에 가능했다면 전자 패놉티콘은 정보 접근의 비대칭성 때문에 가능했다. 시선에는 한계가 있지만 컴퓨터를 통한 정보의 수집은 국가적이고 전 지구적일 수 있다는 점에서도 차이가 있다.

(2)

제시문 [가]에서는 마녀사냥이 근대의 국가 질서 강화를 위해 거부하는 자들을 본보기로 처형함으로써 규율에 복종하는 균질적 주체를 만들어 낸 기제라고 본다. 마녀사냥은 중세 유럽에서 근대 질서를 수립하기 위해 이루어진 대량학살이었으며, 희생자의 대다수가 사회적 약자이거나 여성들이었다는 점에서 근대에 강화된 가부장적 규범의 폭력으로도 이해할 수 있다.

제시문 [다]에서 부부 동반 저녁 식사 자리는 남편의 공적 활동에 중요한 의미를 갖는다. 그 자리에서 유일한 채식주의자 영혜는 이질적인 존재로 사람들을 불편하게 만든다. 모두가 공유하는 음식을 거부하는 영혜는 공동체의 화합에 균열을 가하는 위험한 존재이다. 그렇기에 채식은 "본능을 거스르"는 행위로, 채식주의자는 "원만하지 못한 자"로 조롱과 억압의 대상이 된다. 이렇게 이질적인 대상을 타자화함으로써 사람들은 집단의 결속을 다지며 동질성을 확인한다.

특히 영혜에게 노골적으로 육식을 강요하는 가족은 더욱 억압적이다. 출가한 딸에게까지 미치는 아버지의 폭력적 권력은 가부장적 질서를 대변한다. 근대 초 가부장적 질서가 굳건

해졌다는 제시문 [가]의 의견에 따르면, 가족 내부의 규율을 강화하고 구성원을 강제적으로 복종시키려는 가부장의 권력은 제도로서의 가족이 국가의 질서를 내재화한 관계에 놓여 있음을 잘 보여준다.

제시문 [다]에서 회사 조직이든 가족 제도든 집단주의를 강제하는 규율 권력은 채식으로써 그에 저항하는 불복종의 신체를 억압하는 방식을 통해 구성원들의 복종을 이끌어낸다는 차원에서 제시문 [가]의 마녀사냥이라는 기제와 다름없다.

2. 제시문 [라]에서 파악한 '시각'의 특성과 제시문 [마]의 '보는 것'에 대한 태도를 설명하시오. [30점]

제시문 [라]는 시각이 세계를 인식하는 데 근본적 한계를 가진다는 점을 설명하고 있다. 하버드 대학 연구자들의 실험은 인간의 뇌가 '무주의 맹시'를 수행한다는 점을 알려준다. 이는 본 것도 보지 않은 것처럼 인식하는 것이다. 그 이유는 인간의 뇌가 시각을 통해 들어오는 많은 정보를 선택과 집중 그리고 적당한 무시 등을 통해 제한적으로 처리하기 때문이다. 이는 뇌가 수많은 정보를 다 처리하기는 어렵기 때문에 수행하는 전략적 행위이다.

제시문 [마]는 '보는 것'의 한계를 다루고 있다. 또한 '보는 것'은 시각뿐만 아니라 다른 감각기관을 통해 세상을 인식할 수 있다는 태도를 보이고 있다. 먼저 제시문 [마]는 요술을 보고 믿는 것은 눈이 보는 것을 믿을 수 없음을 의미하며, 이는 눈을 통해 본다는 것이 완전하지 않으며 눈을 통해 인간이 스스로 속는 것이라고 말하고 있다. 나아가 제시문 [마]는 눈뿐만 아니라 손, 발, 코, 귀 등의 감각기관도 세상을 잘 인지할 수 있음을 통해 '보는 것'의 의미를 확장시키고 있다. 결국 제시문 [마]는 눈 밝은 것을 경계하고, 좀 더 종합적으로 세상을 보는 것이 좋다는 태도를 보이고 있다.

요약하자면 제시문 [라]에서는 수많은 정보 가운데 자신이 필요한 정보를 선택적으로 받아들여 '있는 것'도 보지 못하는 뇌의 인지작용으로서 '시각'의 불완전성이라는 특성을, 제시문 [마]에서는 눈은 스스로 속일 수 있기에 그 한계를 인정하고, 눈을 과신하는 태도를 경계하며, 다른 감각기관 등과 함께 세상을 더 잘 보고 인식할 수 있다는 통찰적 태도를 설명하고 있다.

3. 제시문 [바]의 1-2의 관계와 제시문 [사]의 3-4의 관계를 대비하여 논하시오. [30점]

제시문 [바]는 1890년대 미국 대법원의 관세 부과 판결을 중심으로 토마토가 식물학적 분류에 따라 과일이라는 과학적 정의와 토마토를 채소로 사용하는 미국인들의 사회적 관습 사이의 갈등을 다루고 있다. 미국 대법원은 재판의 쟁점인 대상 토마토에 대한 판단 기준으로 과학적 정의와 사회적 관습을 모두 고려하였으나, 관세 부가라는 상황 속에서 토마토가 관세법상으로는 채소라고 최종 판결을 내렸다. 이 맥락에서는 가치중립적인 과학적 정의에 따른 과일이라는 토마토의 자연적 사실과 채소로 소비되는 사회적 사실이 별개의 독립적 범주로 제시되고 있는데, 여기서 과학은 토마토를 식물적 특성에 따라 분류하는 체계로서 가치중립적이다.

반면 제시문 [사]는 남성 영장류학자들이 연구한 암컷 영장류의 특징에 수동적 성적 특성만 있으며, 이것이 자연적 사실로 확립되었음을 주장한다. 이 자연적 사실은 남녀 성차라는 사회적 현상을 동물의 행동으로 설명하려는 진화론적 설명 근거가 되었고, 그 결과 남녀의 성차가 정당화되었다. 그러나 차후 여성 영장류학자들의 새로운 연구 결과를 통해서 수컷 영장류의 성적 특성이 암컷 영장류의 일부 개체에서도 발견됨으로써 기존 자연적 사실과 이를 기반으로 확립된 남녀 성차라는 사회적 사실에 대한 반성이 나타났다. 즉, 남성 연구자들의 암컷 영장류에 대한 연구가 당시 통용된 남녀 성차라는 사회적 인식이 개입한 선별적 연구 결과일 수도 있다는 비판이 일어난 것이다. 이 맥락에서는 자연적 사실이 가치중립적이지 않고 사회적 사실의 영향을 받을 수 있음을 알 수 있다.

제시문 [바]의 과학과 사회적 관습은 각각 제시문 [사]의 자연적 사실과 사회적 사실과 유사하게 보인다. 그러나 제시문 [바]의 과학이 가치중립적으로 제시되고 사회적 관습과는 별개의 영역으로 상정된 반면, 제시문 [사]의 자연적 사실은 사회적 인식이 개입한 선별적 연구의 결과일 수도 있다는 점에서 다르다. 제시문 [사]는 자연적 사실이 가치중립적이지 않고 사회적 사실의 영향을 받을 수 있고, 다시 사회적 사실을 정당화하는 순환적인 구조가 가능함을 보여주고 있기 때문이다. 이 두 사례에서 드러나는 바는 과학이나 자연적 사실이 가치중립적일 수 있으나, 사회 생물학과 같이 자연적 사실에 기초하여 사회현상을 설명하기 위해서는 자연적 사실의 발견 과정 및 전제나 해석 방법에 대한 비판적 검토가 필요하다는 점이다. 증명된 자연적 사실의 체제에 안주하지 말고 부단히 새로운 자연적 사실을 발견하기 위해 노력해야 할 이유이다.

14. 2021학년도 이화여대 수시 논술 (인문 II)

1. 제시문 [가] ~ [다]를 읽고 다음 물음에 답하시오. [40점]
   (1) 제시문 [가]와 제시문 [나]의 '경쟁'에 대한 견해를 비교하시오. [20점]
   (2) 제시문 [다]의 '실용'의 관점에서 제시문 [나]의 논지를 설명하시오. [20점]

(1) 제시문 [가]와 제시문 [나]에서 공통적으로 경쟁은 우리 삶에서 떼어낼 수 없는 불가피한 것이라고 주장한다. 그러나 제시문 [가]와 제시문 [나]는 경쟁이 발생하는 원인의 측면과, 경쟁을 수용하는 태도의 측면에서 다른 견해를 보여주고 있다.

먼저 경쟁이 발생한 원인의 측면에서 살펴보면, 제시문 [가]는 토머스 홉스의 주장을 근거로 경쟁심은 인간의 본능이라고 주장한다. 필요한 무엇인가를 얻기 위해 다른 사람과 투쟁하는 것은 인간의 본성이라는 것이다. 반면에, 제시문 [나]는 한정된 자원 때문에 여러 생물 종이 서로 다투게 되는 피할 수 없는 상황에서 경쟁이 발생한다고 본다.

다음으로 경쟁을 수용하는 태도의 측면에서 살펴보면, 제시문 [가]는 경쟁은 상대를 부정하고 배제하는 것이 아니라, 오히려 서로를 인정하고 각자의 의욕과 노력을 더 이끌어내는 긍정적인 상호작용이라고 간주한다. 앞으로도 경쟁은 계속될 것이기에 공정한 경쟁을 추구하기 위한 방식을 고민해야 한다고 주장한다. 반면에, 제시문 [나]는 획일성과 경쟁의 시대는 가고, 다양성과 화합, 더불어 사는 삶이 최대의 가치로 여겨지는 시대가 도래하고 있기 때문에 경쟁보다는 공존을 추구해야 한다고 주장하고 있다.

(2) 제시문 [다]는 실옹과 허자라는 두 인물이 묻고 답하는 형식을 통해 만물을 대하는 인물의 태도를 비교한 글이다. 사람과 만물 사이 귀천의 구분이 없고, 사람과 만물은 돕고 살아왔다는 점에 근거해서 실옹은 천지만물 가운데 사람이 가장 귀하다는 허자의 생각을 비판한다. 실옹은 하늘의 입장에서 만물을 바라보지 않고 사람의 입장에서 만물을 바라보는 허자의 어리석음을 깨우치고 있다.

제시문 [나]는 찰스 다윈의 진화론과 린 마굴리스의 공생 진화론을 예시하여 진화론의 본질적인 특징을 설명하고 있다. 먼저 찰스 다윈의 진화론에서 생물체는 환경에 더 잘 적응한 개체가 선택되는 방식으로 진화되어 왔다고 설명한다. 생물체를 있게 한 원동력은 환경에 적응하면서 얻게 된 변이의 '다양성'에 있기에 모든 생명체는 우열이 없다고 주장한다. 한편 린 마굴리스의 공생 진화론에서 생명체는 한정된 자원을 놓고 서로 경쟁하기보다 공생하고 상부상조하면서 진화한다고 설명한다. 제시문 [나]의 논지를 실옹의 관점에서 설명하면 다음과 같다.

다윈의 진화론에서 생물체의 진화 과정이 획일성보다 다양성에 있고 모든 생명체는 우열이 없다고 강조한 점은 사람과 만물 사이에 귀천이 없다고 주장한 실옹의 관점에 부합한다. 실옹은 하늘의 입장에서 보면 사람, 금수, 초목은 모두 평등하다고 보기 때문이다. 또 린 마굴리스의 공생 진화론에서 생물 종은 서로 의존하고 공생하는 방식으로 진화해왔다고 강조한 점은 만물이 서로 돕고 사람은 만물의 도움을 받지 않은 적이 없었다고 주장한 실옹의 관점에 부합한다. 따라서 진화론이 태생부터 경쟁보다 공존의 논리에 바탕을 두고 있다는 제시문 [나]의 논지는 하늘의 입장에서 사람과 만물을 동등하게 바라보고 사람과 만물은 돕고 살아왔다는 실옹의 관점과 같은 맥락에서 이해할 수 있다.

2. 제시문 [라]의 문제 상황을 분석하고, 제시문 [마]에 근거하여 문제 해결의 방향을 논하시오. [30점]

제시문 [라]에서는 누리 소통망 이용이 동질적 집단에서 나타나는 결속적 사회 자본은 강화하지만, 이질적인 집단 간에 나타나는 교량적 사회 자본은 더 떨어지는 문제에 대해 논하고 있다. 이는 누리 소통망을 이용하면서 더 많은 사람들과 접촉할 수 있게 된 것은 사실이지만, 그 과정에서 자신과 다르게 생각하는 사람들이 예상보다 더 많다는 사실을 알게 되면서 누리 소통망을 사용하기 전보다 외부인에 대한 신뢰도가 더 낮아졌기 때문이다. 기존에 알고 지내는 사람들과의 유대감은 누리 소통망 이용을 통해 더 강화되지만, 이질적인 동료나 조직의 사람들 가운데에는 못 믿을 사람이 더 많다고 생각하면서 사회 전체적인 통합력이나 신뢰가 떨어질 수 있게 된다는 것이다.

제시문 [마]에서는 보편적인 이성으로서의 '자연'의 말을 통해 인간의 바람직한 삶의 자세에 대해 이야기하고 있다. 인간은 연약하고 무지한 존재이지만 육신과 함께 '이성'과 '동정심'을 가지고 태어났다고 전제하고, 서로 돕고 가르치고 용인할 것을 권한다. 여러 집단의 다양한 갈등과 분열을 멈추고, '자연'의 목소리에 귀를 기울여야 함을 역설하고 있다. 이러한 제시문 [마]에 근거하여 볼 때, 제시문 [라]에서 언급한 누리 소통망 이용에 따른 문제는 이성에 따른 합리적 판단, 동정심을 잃지 않고 다른 사람을 배려하고 다른 사람에

공감하는 태도를 가질 때 개선/해결될 수 있다. 특히 [마]에서 언급한바, 우리와 반대 의견을 가진 사람이 그러한 의견을 가지게 된 데에는 우리의 책임도 있다는 사실을 잊지 말아야 한다. 의견이 다른 사람을 곧바로 믿지 못할 사람으로 생각하고 공격하는 대신 합리적 판단과 공감의 마음, 그리고 사회 구성원으로서의 책임감을 가지고 소통을 해 나간다면, 누리 소통망을 통한 사회적 관계는 결속적 사회 자본에 그치지 않고 교량적 사회 자본, 나아가 연결적 사회 자본으로 확대될 수 있을 것이다.

3 다음 글을 읽고 물음에 답하시오. [30점]

[표 1]은 X재의 가격에 따른 E국 소비자들의 수요량과 소비자 잉여를 나타낸다. [표 1]에 따르면 X재 가격이 100원 일 때 E국 소비자들은 80개를 구입하며 이때 32,000원의 소비자 잉여를 얻는다. X재는 E국 국내 기업들이 생산한 제품일 수도 있고 해외에서 수입된 제품일 수도 있으며 소비자 입장에서 둘 간의 차이는 없다. 한편 [표 2]는 X재의 가격에 따른 국내 생산 X재와 수입 X재의 공급량과 국내 및 해외 기업들의 생산자 잉여를 나타낸다. [표 2]에 따르면 가격이 100원일 때 국내에서 생산되는 X재는 5개이고 해외에서 수입되는 X재는 15개이므로 총 공급량은 20개이며, 국내 기업들이 개당 100원에 5개를 공급하여 얻는 생산자 잉여는 250원, 해외 기업들이 개당 100원에 15개를 공급하여 얻는 생산자 잉여는 750원이다. E국 정부는 자국 기업과 자국 소비자의 편익에만 관심이 있으므로 해외 기업의 생산자 잉여는 E국의 총잉여(소비자 잉여 + 생산자 잉여)에 포함되지 않는다.

[표 1] E국의 수요량과 소비자 잉여

가격(원)	100	200	300	400	500	600	700
수요량(개)	80	70	60	50	40	30	20
소비자 잉여(원)	32,000	24,500	18,000	12,500	8,000	4,500	2,000

[표 2] 국내에서 생산되는 X재와 해외에서 수입되는 X재의 공급량 및 생산자 잉여

가격(원)	100	200	300	400	500	600	700
국내 기업들의 공급량(개)	5	10	15	20	25	30	35
해외에서 수입되는 공급량(개)	15	20	25	30	35	40	45
국내 기업들의 생산자 잉여(원)	250	1,000	2,250	4,000	6,250	9,000	12,250
해외 기업들의 생산자 잉여(원)	750	2,500	4,750	7,500	10,750	14,500	18,750

(1) 수요량과 공급량이 일치하는 지점에서 결정되는 가격을 균형 가격, 이때의 거래량을 균형 거래량이라고 한다. E국의 균형 가격과 균형 거래량을 구하고, 이 중 국내 생산량과 수입량을 각각 구한 후, E국의 총잉여를 구하시오. [10점]

(2) E국 정부가 국내 산업 보호를 위해 수입 할당제를 시행하여 X재의 수입량이 15개를 초과할 수 없도록 한다고 하자. 이때 형성되는 균형 가격과 균형 거래량을 구하고, 이 중 국내 생산량과 수입량을 각각 구하시오. 문항 (1)의 결과와 비교하여 E국의 소비자들과 국내 기업들이 이러한 보호 무역 조치로 인해 얻는 이득 혹은 손해가 얼마인지 각각 구하시오. [10점]

(3) E국 정부가 수입 할당제를 시행하여 X재의 수입량이 40개를 초과할 수 없도록 한다고 하자. 이때 형성되는 균형 가격과 균형 거래량을 문항 (1)에서 구한 값들과 비교하고, 주어진 수입 할당제가 균형에 이러한 영향을 미치는 이유에 대해 설명하시오. [10점]

(1)

총 공급량은 국내에서 생산되는 X재 공급량과 해외에서 수입되어오는 X재 공급량의 합이므로, 공급표는 다음과 같이 구해진다.

가격(원)	100	200	300	400	500	600	700
국내 기업들의 공급량(개)	5	10	15	20	25	30	35
해외 기업들의 공급량(개)	15	20	25	30	35	40	45
총 공급량(개)	20	30	40	50	60	70	80

100원에서는 수요량이 공급량보다 크므로 (80>20) 균형이 아니다.
200원에서는 수요량이 공급량보다 크므로 (70>30) 균형이 아니다.
300원에서는 수요량이 공급량보다 크므로 (60>40) 균형이 아니다.
400원에서는 수요량과 공급량이 동일하므로 (50=50) 균형이다.
500원에서는 공급량이 수요량보다 크므로 (60>40) 균형이 아니다.
600원에서는 공급량이 수요량보다 크므로 (70>30) 균형이 아니다.
700원에서는 공급량이 수요량보다 크므로 (80>20) 균형이 아니다.

따라서 총 공급량과 수요량을 일치시키는 균형 가격은 400원이며, 그에 따른 균형 거래량은 50개이다. 이 중 국내 기업들의 공급량은 20개이며 수입량은 30개이다. E국의 총잉여는 소비자 잉여와 국내 생산자 잉여의 합인 16,500원이다 (12,500 + 4,000).

(2)

수입 할당제의 도입 후 수입량은 15개를 초과할 수 없으므로 국내 기업과 해외 기업의 공급량 및 총 공급량은 다음과 같이 변할 것이다. (15개 이하로 공급하고자 하는 경우는 변화가 없으며, 15개보다 많이 공급하고자 하는 경우 해외 기업 공급량이 15개로 제한됨.)

가격(원)	100	200	300	400	500	600	700
국내 기업들의 공급량(개)	5	10	15	20	25	30	35
해외 기업들의 공급량(개)	15	15	15	15	15	15	15
총 공급량(개)	20	25	30	35	40	45	50

따라서 총 공급량과 수요량을 일치시키는 균형 가격은 500원이며, 그에 따른 균형 거래량은 40개이다. 이 중 국내 기업들의 공급량은 25개이며 수입량은 15개이다. 문항 (1)과 비교했을 때, E국의 소비자 잉여는 12,500원에서 8,000원으로 감소하므로 소비자는 4,500원의 손해를 보며, E국 국내 기업들의 생산자 잉여는 4,000원에서 6,250원으로 증가하므로 국내 기업들은 2,250원의 이득을 본다.

(3)

수입 할당제의 도입 후 수입량은 40개를 초과할 수 없으므로 국내 기업과 해외 기업의 공급량 및 총 공급량은 다음과 같이 변할 것이다. (40개 이하로 공급하고자 하는 경우는 변화가 없으며, 40개보다 많이 공급하고자 하는 경우의 공급량이 40으로 제한됨.)

가격(원)	100	200	300	400	500	600	700
국내 기업들의 공급량(개)	5	10	15	20	25	30	35
해외 기업들의 공급량(개)	15	20	25	30	35	40	40
총 공급량	20	30	40	50	60	70	75

위의 공급표와 [표 1]의 수요표를 비교했을 때, 총 공급량과 수요량을 일치시키는 균형가격은 400원이며 그에 따른 균형 거래량은 50개이다. 따라서 주어진 수입 할당제의 시행 후 얻어지는 균형은 문항 (1)의 균형과 동일하다. 주어진 수입 할당제가 균형에 아무런 영향을 미치지 않는 이유는 수입 할당제에서 부여한 제한 수입량이 문항 (1)의 균형 상태에서의 수입량보다 많기 때문이다. 즉 도입된 수입 할당제가 기존의 균형에 실질적인 제약을 가하지 않을 정도로 느슨한 제약이기 때문에 주어진 정책이 아무런 효과를 갖지 않는다.

15. 2021학년도 이화여대 모의 논술 (인문 Ⅰ)

1. 제시문 [가]~ [다]를 읽고 다음 물음에 답하시오. [40점]

(1) 제시문 [가]의 '여유'와 제시문 [나]의 '통곡'의 의미를 비교하여 설명하시오. [20점]

(2) 제시문 [다]의 관점에서 제시문 [가]와 제시문 [다]의 인간관을 대비하여 논하시오. [20점]

(1)

제시문 [가]의 ‘여유’와 제시문 [나]의 ‘통곡’은 모두 인간으로 하여금 본성을 인식하는 계기이자, 그에 이르는 과정으로서의 의미를 띠고 있다. 제시문 [가]의 ‘여유’는 인간으로 하여금 본래의 정체성을 찾게 하는 것이며, 다른 일을 할 수도 있을 시간을 온전히 나로 향하게 하는 상태이다. 제시문 [나]의 ‘통곡’ 또한 ‘칠정(七情)’의 다양한 감정이 극치에 이르는 상태이며, 자신의 감정을 온전히 인식하게 하는 ‘참된 소리’이다.

그런데 이러한 ‘여유’를 가지려면 ‘쉬는 것을 죄처럼 여기는 사회’의 고정관념을 넘어서려는 적극성이 요구된다. 마찬가지로 ‘통곡’을 제대로 하기 위해서도 울음을 ‘슬픔’이라는 감정에만 한정하려는 사람들의 갇힌 생각을 깨는 역발상이 필요하다.

이와 같이 제시문 [가]의 ‘여유’와 제시문 [나]의 ‘통곡’은 세상이 당연하다고 생각하는 일을 다르게 보는 전환적 사고를 수반하며, 인간의 본성을 정확히 이해하고 자신의 참모습을 새롭게 만나게 하는 인식의 계기로서 중요한 의미를 가진다.

(2)

제시문 [다]의 글쓴이는 인간은 좋은 교육을 받으면 우아해지고, 나쁜 교육을 받으면 그와 반대되는 사람이 된다고 생각한다. 즉 인간은 미완의 상태에 있으며 어떤 교육을 받는

가에 따라 달라질 수 있는 가능성의 상태, 가소성(可塑性)의 상태에 있다고 보는 것이다. 또한, 인간은 예술작품으로부터 좋은 영향을 받고 아름다움과 사랑, 그리고 공감 능력을 얻게 될 것이라고 생각한다. 이로부터 우리는 제시문 [다]에서 인간을 기본적으로 불완전하며, 좋은 교육과 훌륭한 예술작품과 같은 외부의 긍정적 영향을 통해 보다 나은 인간으로 변화해 갈 수 있는 존재라고 보는 인간관을 읽을 수 있다.

반면 제시문 [가]에서는 인간이 능동적으로 쉼과 멈춤의 시간을 마련함으로써 스스로의 정체성을 찾을 수 있으며, 자신이 살고 있는 환경 속에 그 존재의 의의를 분명히 할 수 있다고 보고 있다. 능동적이고 자발적인 태도와 노력으로 보다 나은 인간으로 변화할 수 있다고 생각하는 것이다. 이때 중요한 것은 '자발적으로 나서서 만드는 여유'이며, 인간은 스스로 그러한 여유의 시간을 마련하기 위해 노력해야 한다고 본다.

이렇게 놓고 볼 때, 제시문 [다]는 제시문 [가]에 비해 인간을 보다 더 불완전한 존재로 보고, 외부의 좋은 영향과 교육을 통해 성장해 가야 한다고 보는 반면, 제시문 [가]는 인간의 자발적이고 주체적인 노력이 그 존재를 보다 나은 존재로 만들어 가는 데에 중요한 역할을 한다고 보고 있는 차이를 발견할 수 있다. 제시문 [다]의 관점에서 본다면, 제시문 [가]의 자발적 여유는 그 나름의 의미를 가지는 것이기는 하지만 그것만으로는 불완전하며, 훌륭한 스승과 좋은 교육, 그리고 뛰어난 예술작품을 통해 바람직한 영향을 받는 일이 중시되어야 한다. 스스로 마련하는 여유의 시간이 필요하기는 하지만, 그것만으로는 인간이 바람직하게 성장하는 데 필요한 좋은 교육을 온전히 대신하기 어렵기 때문이다.

2. 제시문 [라]의 핵심 개념을 설명하고, 그 관점에서 제시문 [마]에 나타난 '아빠'의 태도를 평가하시오. [30점]

제시문 [라]의 핵심 개념은 '다른 사람에 대해 무한한 책임이 있다.'는 책임의 주체이다. 레비나스는 기존 근대 철학의 유아론적 주체성에서 벗어나서 다른 사람과의 관계에서 탄생하는 주체성을 모색한다. 즉 관계를 통해 열리는 창조적 주체성은 타인과 마주칠 때 그에 응답함으로써 가능하며, 타자의 '얼굴'에 나타난 표정에 반응하고 무한한 책임을 질 수 있을 때 비로소 탄생한다. 이렇게 타자의 고통스러운 삶에 책임을 느끼고 그에게 다가서는 윤리적 주체야말로 레비나스가 말하는 무한 책임의 주체이다.

제시문 [마]에서는 어린 시절 베트남 전쟁 중 한국군에 의해 사랑하는 가족을 잃은 응웬 아줌마와 호 아저씨의 고통스러운 기억이 드러난다. 저녁 식사 자리에서 갑작스레 타인의 고통을 마주한 '엄마'는 그에 대해 잘 모르지만 죄송하다고 말한다. 그러나 그 대화를 회피하고자 했던 '아빠'는 그들의 고통에 응답을 요청하는 엄마의 추궁에 마침내 화를 낸다. 아빠도 베트남 전쟁에 용병으로 참전했던 형을 잃었으며, 이미 끝난 일에 대해 사과할 필요가 없다는 입장을 견지하며 자리를 떠난다. 이때 타인의 고통을 마주한 '엄마'와 '아빠'의 상이한 태도를 제시문 [라]의 관점에서 살펴보면 다음과 같다. 응웬 아줌마와 호 아저씨는 평생 상흔의 기억으로 고통받으며 거기에서 벗어날 수 없는 삶을 살았고, 그것이 타자의 '얼굴'로 현현했다. 레비나스에 의하면 그 표정에 응답함으로써 타자에게 무한한 책임을 질 때 우리는 주체로 탄생할 수 있다. 그러나 '아빠'는 대화 과정 내내 그들과 눈을 마주치는 것을 꺼리고, 못 들은 체 하거나 바닥을 내려다본다. 상대의 표정을 보지 않으려 하고, 그에 응답하기를 거부하면서 자신의 입장에 대해서만 말한다. 타인의 고통에 책임을 느끼며 응답하는 '엄마'가 윤리적 주체로서의 모습을 보이고 있는 반면, 자신이 겪은 고통만 내세우며 타인의 고통에 응답하기를 거부하는 '아빠'의 태도는 레비나스가 말하는 윤리적 주체, 무한 책임의 주체와 거리가 멀다. 타자의 '얼굴'에 나타난 표정에 무한한 책임을 지려 하지 않는 한, 새로운 관계를 만들어 가는 창조적 주체가 되기어렵다.

3. 제시문 [바]에서 말하는 효과적인 의사 결정 방식을 설명하고, 그 관점에서 제시문 [사]의 '집단 편향이나 쏠림 현상'을 극복할 수 있는 방안을 서술하시오. [30점]

제시문 [바]는 자연에서 발생하는 집단사회 속의 효과적인 의사결정을 보여주고 있고, 이를 배움으로써 인간 사회가 더 발전할 수 있다고 주장한다. 그 한 예로 벌 집단의 의사결정 과정을 보여주는바, 미국 코넬대학의 생물학자인 토마스 실리는 집단을 위한 벌들의 의사결정 과정 중 작용하는 규칙에 깊은 인상을 받았고, 이 규칙을 자신이 학과장으로 재직하는 학과의 교수회의에 적용한다. 실리에 따르면 벌들의 의사결정 규칙은 다음과 같다. 첫째, 다양한 선택사항이 제시될 수 있는 환경을 조성한다. 둘째, 제시된 사항들에 대한 다양한 의견들이 자유롭게 경쟁할 수 있는 환경을 만든다. 셋째, 최상의 의견을 선택할 수 있는 효율적인 체제를 사용한다. 벌 집단의 의사결정 규칙을 실리는 자신의 교수회의에 적용하여 구성원들에게 사안에 대한 모든 가능성을 검토하게 하고, 시간을 두고 의견을 제시하도록 하며, 비밀투표로 결정을 하게 한다. 이 과정에서 실리는 논쟁을 통한 의사결정 과정에서 작용하는 집단지성의 중요성을 인식하고, 나아가 각 구성원들 간의 갈등도 줄어드는 효과가 있음을 알게 되었다.

제시문 [바]에서 효과적인 의사소통으로 언급된 사례는 제시문 [사]에서 지적하는 '집단 편향 또는 쏠림 현상'을 해결할 수 있는 대안으로 볼 수 있다. 제시문 [사]는 '만남'과 '부딪침'을 통해서 서로의 의견이 얼마나 그리고 어떻게 다른지를 알아야 생산적인 논쟁이 가능하며, 이런 논쟁의 접전을 피하는 편향적인 사람들은 자신의 의견만 주장하여 독선적이 되거나, 또는 자신의 의견과 유사한 의견만을 선택적으로 수용하고 집단화함으로써 '집단 편향 또는 쏠림 현상'을 초래한다고 주장한다. 이런 맥락에서 제시문 [바]에서 구성원들에게 사안에 대한 모든 가능성을 검토하게 하고, 시간을 두고 의견을 제시하도록 하며, 비밀투표로 결정을 하게 하는 과정은 제시문 [사]에서 '집단 편향 또는 쏠림 현상'의 원인으로 지적하는 다른 의견들과의 '만남'과 '부딪침'이 일어나는 환경을 만들어준다. 나아가 '집단 편향 또는 쏠림 현상'에서 나타나는 선택의 기준이 다른 의견을 수용하지 못하고 동종 교배를 추구하는 유사함이라면 제시문 [바]에서 선택의 기준은 제시된 의견 중 공개적인 경쟁을 거쳐 검증되는 최상의 가치이다. 이런 맥락에서 공개적인 경쟁과 최상의 가치를 선택하는 제시문 [바]의 효과적인 의사소통은 제시문 [사]가 추구하는 생산적인 논쟁과 일맥상통하며, 자신의 의견에 매몰되거나 유사한 의견만 수용함으로써 발생하는 '집단 편향 또는 쏠림 현상'을 방지할 수 있다.

16. 2021학년도 이화여대 모의 논술 (인문 II)

1. 제시문 [가] [다]를 읽고 다음 물음에 답하시오. [40점]

(1) 지속가능성의 관점에서 제시문 [가]와 제시문 [다]를 비교하시오. [20점]

(2) 제시문 [나]와 제시문 [다]의 자연관을 대비하여 논하시오. [20점]

(1)

지속 가능성은 자연 속의 여러 생명체와 공기, 물 등의 환경이 훼손되거나 파괴되지 않은 상태로 유지되는 상태를 가리킨다. 이는 자연에만 한정되지 않으며 우리 사회를 보다 나은 상태로 만들어가기 위해서라든가 인간이 모여 사는 도시를 잘 운영하기 위해서도 필요한 개념이다.

제시문 [가]에서는 애초에 식물 성장을 설명하는 이론이었던 '리비히의 법칙'을 사회나 국가, 그리고 도시에 적용하여 지속 가능성의 문제를 살펴본다. 식물이 성장하기 위해 필수 영양소 중 특정 영양소 하나라도 부족해서는 안 되는 것처럼, 도시 생태계에도 크고 화려한 집만 있어서는 그 생태계가 지속될 수 없다. 도시도 식물과 마찬가지로 다양성을 구현할 때 생명력을 지속할 수 있으며, 도시 안의 다양한 사람들이 함께 살아갈 수 있다.

제시문 [다]에서는 생명 존중 사상을 바탕으로 자연을 파괴하지 않고 모든 생명을 존중하는 태도를 유지해 온 우리 조상들의 사례를 통해 지속 가능성에 대해 이야기한다. 조상들은 자연 조건이 주는 이점을 활용하되, 인간의 필요에 따라 자연 조건을 무리하게 파괴하거나 변형하지 않았으며, 재생 가능한 자료를 통한 순환을 유지하여 자연은 보전하고 이용 효율은 높일 수 있었다.

제시문 [가]에서는 식물의 생리를 과학적으로 분석한 이론을 도시에 적용하여 지속 가능성을 구현한 반면, 제시문 [다]에서는 인간의 마음, 즉 자연에 신비한 힘이 있다고 믿는 생명 존중 사상에 기반을 둔 지속 가능성에 초점을 맞추었다는 점에서 두 글에는 다소의 차이가 있다. 그러나 두 글은 모두 다양성을 중시하고, 사람과 동식물은 물론 자연환경과 도시 환경 속 다양한 개체들의 공존을 지향하며, 구체적인 사례들을 통해 주장의 설득력을 높이고 있다. 이러한 점에서 제시문 [가]와 [다]는 지속 가능성에 대한 중요한 통찰과 지혜를 우리에게 주고 있다.

(2)

제시문 [나]의 자연관은 인간이 자신의 안락한 삶의 조건을 위해 극복하고 정복해야 하는 자연관으로 볼 수 있다. 모래땅과 늪지로 이루어져 도시를 건설하기에 가장 불리한 지역에 인간의 기술과 노력으로 집과 거리 그리고 광장 등을 건설했다. 또한 바다에서 밀려오는 파도로부터 보호하기 위해 단단한 방벽을 쌓고 있는 베네치아를 묘사하고 있다. 이를 통해 "인간이 이미 점유해서 특정한 목적에 맞게 형태와 방향을 부여한" 도시인 베네치아에 해를 끼치지 못하도록 자연을 제어하려고 하고 있다. 자연은 인간에 의해 점유되어 인간의 목적에 의해 형태와 방향을 부여받아야 하는 극복의 대상인 것이다.

제시문 [다]의 자연은 인간과의 조화와 공존 속에서 인간에게 이득을 제공하는 자연이다. 인간의 지나친 개발로 자연이 파괴되면, 자연은 더 이상 인간에게 이득을 제공할 수 없다는 인식이 깔려 있다. 경사가 급한 산비탈에 계단식 다랑논 대신 그곳을 깎아 평평한 논을 만들면 홍수와 토양의 유실이 일어날 수 있다. 자연의 파괴는 인간에게 해를 끼칠 수 있기에 제시문 [다]에서는 자연을 섬기고 자연에 순응하면서 그 이득을 누리는 우리 조상의 지혜와 그 자연관을 칭찬하고 있다. 인간 사회의 지속 가능성은 자연의 이치를 알고, 그 속의 생물 다양성 등을 보존함으로써 가능하기에, 자연은 극복과 정복의 대상이 아니라 조화와 공존의 대상이다.

2. 제시문 [라]의 관점에서 제시문 [마]에 나타난 화자의 태도를 분석하시오. [30점]

제시문 [라]는 외부의 조건에도 흔들림 없이 자신의 길을 가는 맹자의 부동심에 대해 소개하고 있다. 제시문 [라]의 관점에 의하면, 맹자는 마음이 한 개인의 몸 전체를 이끄는 역할을 한다고 보았다. 마음과 감각 기관의 관계에 대해서 '큰 사람'과 '작은 사람', 즉 대인과 소인으로 구분하고, 대인과 소인은 타고나는 것이 아니라 수양의 과정에 따른 결과라고 주장한다. '작은 몸'은 '큰 몸'에 종속되어 있기 때문에 '큰 몸'이 서면 '작은 몸'이 '큰 몸'을 해치지 못한다. 마음이 제 역할을 해 나가면 오관(五官)과 같은 몸의 다른 부분들을 이끌어 책임감 있는 존재로 형성해 나갈 수 있어서 마음의 뜻(지향)을 붙잡는 일이 수양에서 중요한 과제임을 제안한다.

제시문 [마]의 화자는 자동차를 몰고 다니다가 차체에 부딪혀 짓이겨진 풀벌레들의 흔적을 보고 충격을 받는다. 풀 비린내에 대한 몸서리쳐지는 경험을 통해서 자동차 사용에 관한 바람직한 태도를 성찰하고 있다. 화자는 자동차를 '감성적 기계'라고 인식하고 편안하다고 느낀다. 편안함을 추구하는 것은 [라]의 관점에 따르면 감각 기관, 즉 '작은 몸'에 해당한다. '작은 몸'은 외부의 자극이 주어지면 그대로 끌려가는데 감각적 욕구를 충족시키려고 하기 때문이다. 자동차의 편안함에 빠져 자동차를 무절제하게 사용하는 것은 '작은 몸'을 기르는 일이다.

반면에, 화자는 풀벌레들이 차체에 부딪혀 죽은 잔해를 보고 인간에게 안락한 공간이 다른 생명을 해칠 수 있다는 사실을 자각한다. 자동차를 몰고 다니는 것 자체가 엄청난 살생 행위일 수 있다는 자각, 즉 '큰 몸'을 세워 자동차에 대한 태도를 정리할 필요를 느낀다. 화자는 자동차를 유지하되 사용을 최소화하여 차에 대한 의존도를 낮추고자 한다. '감성적 기계'의 편안함에 길들여지려는 순간마다 그것이 풀 비린내뿐 아니라 피비린내를 불러올 수도 있다는 자각을 잊지 않으려 한다. 타고난 착한 마음인 '큰 몸'이 제 역할을 해나가며 감각 기관인 '작은 몸'을 통제하고 있다. 화자는 자동차를 무절제하게 사용하는 행동을 억제하려는 마음을 가짐으로써 '큰 몸'이 '작은 몸'을 이끌면서 마음의 뜻(지향)을 붙잡고 있다.

3. 다음 글을 읽고 물음에 답하시오. [30점]

E국에서 생산 및 소비되는 X재가 있다. E국에는 7명의 국민이 있으며, [표 1]은 각 국민이 X재 한 개를 소비할 때 얻는 효용의 화폐가치를 나타낸다. X재의 특성으로 인해 한 명이 여러 개의 X를 소비하는 경우는 없다. [표 1]에 따르면 국민 A는 X재 한 개를 소비할 경우 1,100원만큼의 효용을 얻으므로 X재 구입을 위해 1,100원까지 지불할 용의가 있다. 소비자가 상품을 구입하여 얻는 이득을 소비자 잉여라고 하며, 소비자 잉여는 소비자가 상품을 구입하기 위해 최대로 지불할 의사가 있는 금액에서 실제로 지불한 금액을 뺀 것으로 계산할 수 있다. 만약 A가 X재를 100원에 구입한다면 A의 소비자 잉여는 1,000원(1,100원-100원)이 된다. X재를 구입하지 않을 경우의 소비자 잉여는 0이 되며, 따라서 각 국민은 X재를 구입할 때 얻는 소비자 잉여가 0보다 클 경우에만 X재를 사고자 할 것이다. X재를 사고자 하는 국민의 수가 수요량이 된다. 한편 [표 2]는 X재의 가격대별 공급량을 나타낸다. [표 2]에 따르면 X재의 가격이 450원일 경우 공급량은 1개이다.

[표 1] 각 국민이 X재 한 개를 소비할 때 얻는 효용의 화폐가치

국민	A	B	C	D	E	F	G
X재 한 개 소비 시 얻는 효용의 화폐가치(원)	1,100	1,000	900	800	700	600	500

[표 2] X재의 가격대별 공급량

가격(원)	450	550	650	750	850	950	1,050
공급량(개)	1	2	3	4	5	6	7

(1) 수요량과 공급량이 일치하는 지점에서 결정되는 가격을 균형 가격, 이때의 거래량을 균형 거래량이라고 한다. [표 2]에 나열된 가격 중 균형 가격이 될 수 있는 가격을 구하고, 그에 따른 균형 거래량을 구하시오. 또한 균형 가격에서 X재를 구입하는 국민들이 누구인지 구하고 이들이 각각 얻는 소비자 잉여의 크기를 구하시오. [10점]

(2) E국 정부가 X재의 가격이 지나치게 높다고 판단하여 X재의 가격이 550원을 초과할 수 없도록 하는 가격 통제 정책을 시행하였다. 초과 수요가 발생할 경우 정부는 알파벳 순서대로 먼저 구입할 수 있는 기회를 준다고 하자 (즉 A는 가장 먼저 구입할 수 있는 기회를 가지며, G는 가장 마지막에 구입할 기회를 얻는다). 가격 통제 정책 시행 후 X재를 구입하는 국민들은 누구인지 구하고 이들이 각각 얻는 소비자 잉여의 크기를 구하시오. 가격 통제 정책의 시행으로 인해 이득을 본국 민과 손해를 본 국민이 누구인지 구하시오. [10점]

(3) 아래 <보기>의 최저 임금제와 이자제한법 중 어느 정책이 문항 (2)의 가격 통제 정책과 유사한지 논하고, 선택한 <보기>의 정책이 갖는 순기능과 한계점에 대해 문항 (2)의 분석을 기반으로 논하시오. [10점]

〈보기〉

1. 최저 임금제는 정부가 임금의 최저 수준을 정하고, 사용자가 그 수준 이상의 임금을 근로자에게 지급하도록 법으로 강제하는 제도이다. 대부분의 국가는 근로자의 생활 안정 및 노동력의 질적 향상, 소득 분배의 개선 등을 위해 최저 임금제를 시행하고 있다.
2. 이자제한법은 이자의 적정한 최고 한도를 정하여 자금의 수요자를 보호하고자 하는 법이다. 많은 국가들은 이자 제한법 시행을 통해 국민 경제생활의 안정과 경제 정의의 실현을 추구한다.

(1)

가격이 450원일 경우 효용의 화폐가치가 450원을 넘는 사람들은 X재를 구입하고자 할 것이므로 수요량은 7개, 공급량은 1개가 되어 초과 수요가 발생하며, 따라서 450원은 균형 가격이 될 수 없다. 이와 같은 논리로 분석하면 가격이 750원일 경우 A, B, C, D가 X재를 구입하고자 할 것이므로 수요량이 4개가 되고, 이는 750원에서의 공급량과

일치하게 되므로, 균형 가격은 750원, 균형 거래량은 4개이다. X재를 구입하는 국민들은 A, B, C, D이며, A의 소비자 잉여는 350원(1,100원-750원), B의 소비자 잉여는 250원(1,000원-750원), C의 소비자 잉여는 150원(900원-750원), D의 소비자 잉여는 50원(800원-750원)이다.

(2)

정부의 가격 통제 정책이 시행되면, 기존의 균형 가격이었던 750원은 더 이상 허용되지 않으며 정부가 정한 가격 상한인 550원에서 거래가 이루어질 것이다. 이 가격에서 X재를 구입하고자 하는 국민은 A, B, C, D, E, F이므로 수요량은 6개이지만, 550원에서의 공급량은 2개에 불과하므로 초과 수요가 발생한다. 초과 수요 발생 시 알파벳 순으로 구입할 수 있다고 하였으므로, A와 B만이 X재를 구입할 수 있게 된다. A의 소비자 잉여는 550원(1,100원-550원), B의 소비자 잉여는 450원(1,000원-550원)이다. 가격 통제 정책으로 인해 이득을 본 국민은 A와 B이다. 가격 통제 정책 시행으로 인해 A와 B가 지불하는 가격이 하락하여 소비자 잉여가 증가하였기 때문이다. 가격 통제 정책으로 인해 손해를 본 국민은 C와 D이다. C와 D는 가격 통제 정책 시행 이전에는 양의 소비자 잉여를 얻었으나 가격 통제 정책 시행 후 X재를 아예 구입하지 못해 0의 소비자 잉여를 얻기 때문이다.

(3)

문항 (2)에서 본 정책은 가격의 상한을 정하는 최고 가격제이다. <보기>에서의 최저 임금제는 노동의 가격에 해당하는 임금에 대해 가격 하한을 정하는 최저 가격제이며, 이자 제한법은 금융시장에서의 자금 가격에 해당하는 이자에 대해 가격 상한을 정하는 최고 가격제이다. 따라서 <보기>의 이자 제한법이 문항 (2)의 가격 통제 정책과 유사하다. 문항 (2)의 분석에서 알 수 있듯이, 이자 제한법을 실시할 경우 원래의 균형 이자보다 낮은 이자로 자금을 빌릴 수 있게 되므로 경제적 약자인 자금 수요자를 보호한다는 목적을 달성하는 측면이 있기는 하나, 이자 제한법으로 인해 자금을 아예 빌리지 못하는 수요자 또한 발생하므로 이자 제한법이 일부 경제적 약자에게는 해를 끼치는 결과가 발생할 수 있다. 또한 정상적인 금융시장에서 자금을 구하지 못한 이들이 불법 사채 시장을 통해 자금을 구하려고 하는 등의 부작용이 발생할 수도 있다.

17. 2020학년도 이화여대 수시 논술 (인문 Ⅰ)

1. 제시문 [가]~[다]를 읽고 다음 물음에 답하시오. [40점]
   (1) 제시문 [가]와 [나]의 현실 인식을 대비하고, '통곡'과 '은하수'의 상징적 의미를 서술하시오. [20점]
   (2) 제시문 [가]의 허친과 [다]의 간디의 현실 대응 방식을 비교하시오. [20점]

(1)

제시문 [가]와 [나]는 모두 현실을 비판적으로 인식하고 있다. 허친은 사람들이 환락만을 즐기며 우쭐대기를 좋아하고 부귀를 좇는 시대로 당시 현실을 파악한다. 또한 '나'는 국가의 일이 날이 갈수록 그릇되어 가고 사람들의 삶에 허위와 배신이 심해져 예전 시

대에 비해 훨씬 더 말세에 가까워진 현실을 지적한다. 제시문 [나]의 저자는 젊은이들이 동경을 모르고 욕망에 매여 있는 요즘 시대를 개탄한다. 소유를 절대적 가치로 생각하고, 위대하고 영원한 것에 자신의 모든 것을 거는 헌신의 자세가 사라진 젊은이들을 염려하고 있다. 두 제시문은 모두 과거에 비해 현실이 더 타락해 가고 있다고 인식한다는 점에서 공통적이다.

다만 제시문 [가]는 국가적 차원의 현실이나 도덕의 문제에 초점을 맞추고 있다면, 제시문 [나]는 젊은이들 개인의 자아에 초점을 맞추어 영혼을 메마르게 하고 동경을 잃게 만든 소유 지상주의를 비판하고 있다는 점에서 차이를 보인다. '통곡'과 '은하수'는 그러한 두 글의 내용을 압축적으로 제시하는 상징이다. '통곡'은 원래 세상 사람들이 듣기 싫어하고 꺼리는 소리이지만, 제시문 [가]의 '통곡'은 시류를 좇기 거부하고 타락한 세상을 깊이 슬퍼하는 허친의 단호한 비판을 담고 있다. 이에 비해 제시문 [나]의 '은하수'는 명상과 동경이며, 현실과 우주, 지금과 영원을 잇는 순화와 초월의 공간이다. '은하수'는 우리로 하여금 명상을 통해 영혼의 존재를 느끼게 하며 이로써 절대에의 헌신을 결단하게 하는 계기이자 자아 초월의 공간이다. '통곡'이 역설적 저항이라면, '은하수'는 어렵더라도 반드시 회복되어야 할 가치이다.

(2)

제시문 [가]의 허친과 제시문 [다]의 간디는 세상의 지배적 가치와 주류적 흐름을 강하고 단호하게 거부하고 있다는 점에서 공통적이다. 허친은 세상의 환락과 부귀를 버리고 비천함과 가난을 자처하며, 간디는 기계 문명을 거부하고 다른 세계로부터 배울 것이 없음을 천명한다.

그러나 대응의 방식에 있어서는 차이가 보인다. 먼저, 허친은 세상 사람들이 가장 꺼려하는 '통곡'으로 집의 이름을 삼고 편액을 내다 걸었다. 당시 '곡'이란 상을 당한 자식이나 버림받은 사람이 하는 행위로서, 세상 사람들이 가장 싫어하는 것이다. 그는 '통곡헌'이라는 편액을 걸어 많은 사람들의 비웃음거리가 되는 것을 자처하며, 현실을 거부하는 자신의 뜻을 명확히 밝힌다.

간디는 모든 기계류를 폐기해야 한다고 주장하며, 이를 배우지 말 것을 주장한다. 그는 인간의 소유 욕구는 만족시킬 수 없는 것이라 지적하며, 행복은 정신적 상태라고 이해했던 그래서 사치와 쾌락을 단념하게 했던 조상들의 가르침을 상기시킨다. 또 생명을 잠식하는 경쟁 체계가 없었던 과거를 회상하며, 기계의 노예가 되지 않고 도덕 정신을 지킬 수 있는 대안을 조상들의 삶에서 찾고 있다.

허친은 통곡의 행위를 빗대어 세상을 향한 분노를 표출했다면, 간디는 조상들의 삶 속에서 미래의 대안을 찾고 있다.

2. 제시문 [마]의 주장을 바탕으로 제시문 [라]의 남편과 부인의 태도를 설명하시오. [3점]

제시문 [마]는 가난한 지역의 생산 노동에 대해 합당한 보상을 해 주는 공정 무역의 한계를 지적한다. 가난한 생산자들에게 더 높은 비용을 지불하는 것은 일견 긍정적으로 보이나, 곧 상품의 비용의 상승으로 이어져, 정작 가난한 소비자들의 구매력은 더욱 약화시키는 모순을 낳는다. 또한 소비자의 입장에서는 소수 공정 무역 상품의 소비가 대다

수 불공정 무역 상품 소비에 대한 면죄부로 작용할 수도 있으며, 때로는 공정 무역이라는 상표 자체가 남용될 가능성도 있다. 때문에 저자는 공정 무역을 넘어서, 세계를 파트너십과 상호 번영이라는 새로운 시각으로 바라보며, "더 공정한 무역"으로 나아가고자 하는 자세를 강조한다.

이와 같은 제시문 [마]의 주장을 바탕으로 보았을 때에, 제시문 [라]의 남편과 부인이 원주민의 토착 공예품 사자상을 대하는 태도는 그 의미가 사뭇 다르다. 우선 남편은 사자상의 가격이 최저치로 떨어지는 시점까지 기다렸다 산다는 점에서 공정 무역의 원칙 등은 고려하지 않는다. 이는 소비자로서는 최소비용으로 원하는 것을 얻는 최선의 선택이었을지 모르나, 원주민 상인의 입장에서는 헐값에 물건을 팔아야 했던 불공정한 거래이다. 반면 부인은 이 사자상을 단순히 값싼 기념품이 아닌 원주민 장인들의 노력이 깃든 훌륭한 예술품으로 바라보며, 그 가치가 함부로 폄훼되는 상황을 안타깝게 여긴다. 그녀의 남편에 대한 분노는 원주민의 노력과 그 문화의 가치를 헐값으로 치부해 버리는 세태에 대한 거부감의 표시라 할 수 있다. 물론 표면상 당장 원주민의 삶에 아무 영향도 주지 못하는 그녀의 행위가 남편의 선택보다 더 공정하다고 보기는 어렵다. 그러나 제시문 [마]의 시각에서 본다면, 부인은 원주민 상인들을 자신들과 동등한 위치에서 존중하고, 상호 번영의 파트너로 생각하는 태도를 보이며, 이는 장차 '더 공정한' 거래를 향한 가능성을 시사한다고 볼 수 있다.

3. 제시문 [사]의 관점에서 제시문 [바]의 '대리 줄서기'와 관객 본인의 '줄서기'에 대해 논하시오. [30점]

제시문 [바]에서의 대리 줄서기는 '돈을 지불하려는 마음'을 기준으로 재화를 배분하며, 이를 통해 자유 시장의 효율성을 달성한다. 반면 관객 본인의 줄서기는 관객들의 기꺼이 '줄을 서려는 마음'까지 평가하여 배분을 이루기 때문에 구매력에 의해서만 배분이 결정되지 않는다.

이러한 대리 줄서기와 관객 본인의 줄서기를 제시문 [사]의 관점에서 바라볼 때, 전자는 시장 자본주의, 후자는 민주주의 절차에 의해 선출된 정부의 개입으로 보완된 자본주의의 분배 제도들을 보여준다. 대리 줄서기는 구매력을 판단 기준으로 하여 재화의 분배를 결정하기 때문에 경제적 효율성에 긍정적인 영향을 미친다. 하지만 그 결과 경제적 비적격자를 분배로부터 몰아내어 경제적으로 멸종시키기 때문에 사회적 불평등이 확대될 가능성이 높다. 그리고 이는 대리 줄서기의 제도적 근간이 되는 자본주의의 유지에도 좋지 않은 영향을 미칠 수 있다. 반면 관객 본인에 의한 줄서기는 공연이나 경기를 보기 위한 관객들의 마음까지 분배의 기준으로 활용하므로 대리 줄서기에 비해 불평등을 완화할 수 있다.

18. 2020학년도 이화여대 수시 논술 (인문 II)

1. 제시문 [가]~[다]를 읽고 다음 물음에 답하시오. [40점]
   (1) 제시문 [가]의 관점에서 제시문 [나]에 나타난 애핀 씨의 태도에 대해 논하시오. [20점]
   (2) 제시문 [다]의 주장을 바탕으로 제시문 [가]의 '기술'에 대한 관점을 비판하시오. [20점]

(1)

제시문 [가]는 과학 기술의 윤리적 책임에 대해 범위를 확대할 것을 주장하고 있다. 독일의 철학자 요나스는 인간뿐만 아니라 자연, 그리고 미래 세대에 대한 책임까지 고려하며, 인간과 다른 생명체와의 보존을 위해 윤리적 책임의 범위를 확대해야 한다고 말한다. 특히 과학 기술을 개발할 때 결과에 대하여 주의를 더 기울여야 하는 '예견적 책임'을 제시한다. 과학자는 과학기술이 먼 미래에 끼칠 결과를 예측하고, 생명에 대하여 도덕적으로 책임지면서 과학 기술 개발에 신중해야 한다고 말한다.

제시문 [나]의 과학자 애핀은 동물에게 인간의 화술을 가르치는 기술을 개발하여 고양이 토버모리에게 가르쳤는데, 토버모리가 사람들을 무시하고 위협하는 공포의 상황에 놓이고 말았다. 게다가 동물들이 화술과 지능을 갖게 될 위험성이 커졌고, 공포를 느낀 사람들이 토버모리를 죽이자고 제안하기까지 한다.

이러한 상황을 [가]의 입장에서 보면, 애핀은 윤리적 책임, 특히 예견적 책임 윤리가 부족한 과학자라고 말할 수 있다. 애핀은 자신의 기술이 사람들에게 공포를 가져다주고, 동물들을 죽이는 위험 상황에 빠질 수 있다는 결과에 두려움을 갖고서, 적극적으로 과학 기술의 부정적 미래를 예견했어야 했다.

(2)

제시문 [다]에서는 제레드 다이아몬드의 저서 총,균,쇠의 '안나 카레니나 법칙'에 착안하여 기술의 발전에 대한 자신의 주장을 펼치고 있다. 기술은 미래에 어떻게 사용될 것인지 그 용도가 결정되어 발명되는 것이 아니며, 일단 기술이 발명된 후 다양한 사람들의 필요에 따라 그 용도가 새롭게 확장된다는 것이다. '안나 카레니나 법칙'을 원용하여 "무지한 인간의 어리석음은 다 제각각이지만 박학(博學)한 사람의 지혜는 모두 엇비슷하다."라고 자신의 주장을 정리하면서, 지혜로운 인간들은 끊임없이 자기 계발을 통해 스스로의 진화를 수행하고 있다고 보았다.

이와 달리 제시문 [가]에서는 기술 개발 시점의 의도와 책임을 중시한다. 과학 기술을 개발할 때에는 그것이 미래에 어떻게 사용되고 어떤 영향을 미치게 될지 미리 살펴서 그 부작용을 최소화해야 하며, 심각한 경우에는 기술의 개발을 중단해야 한다고 주장한다.

제시문 [다]의 주장에 근거하여 볼 때, [가]의 주장대로 실천하는 것은 불가능하기도 하고 불필요하기도 하다. 기술은 어느 한 사람의 행위에 그치지 않고 다수의 지혜가 누적되어 발전하는 것이기 때문에, 새로운 기술이 미래에 어떤 영향을 미칠지 정확하게 예측하는 것이 쉽지 않다. 또한 '박학한 사람들의 지혜'가 기술의 부작용을 최소화하거나 그 기술의 부작용을 보완하는 새로운 기술을 개발할 가능성이 크기 때문에 개발 시점에서 섣불리 기술의 한계와 부작용을 예단하기 어렵다. 이러한 점에서 [가]의 '예견적 책임'은 중시되어야 하지만, 그것이 새로운 기술에 대한 지나친 규제와 제약이 되는 것은 바람직하지 않을 것이다.

2. 인간 중심적 사고에 대한 제시문 [라]와 [마]의 주장을 비교하시오. [30점]

제시문 [라]와 [바]는 오늘날 세상을 지배하고 있는 기술지향적 산업사회에 대한 성찰과 인간 중심적 사고에 대한 진단을 통해 인간과 인간, 그리고 인간과 자연이 공존할 수 있는 방법을 모색하고 있다. 하지만 두 제시문에서 논의하고 있는 인간 중심적 사고의 성격에는 뚜렷한 차이가 드러나고 있으며, 문제에 대한 대안의 성격도 달리 나타나고 있다.

먼저 제시문 [라]는 산업사회의 지나친 개발과 대량 생산으로 인한 생태계와 환경 파괴에 대한 우려를 표명하면서, 이러한 문제가 지나치게 개발 지향적이고 첨단 기술 중심의 사고에서 비롯되었다고 본다. 이에 대하여 제시문 [라]는 '중간 기술' 또는 '적정 기술'의 보급을 통한 인간 중심적 접근에서 그 해법을 찾고 있다. 기술적 첨단과 효율성만을 추구하기보다 대중적이면서 현지 친화적인 중간 기술을 활용함으로써 '인간'에 대한 배려와 관심을 높일 수 있는 인간 중심적 접근이 적정 기술을 위한 지향점이어야 한다는 것이다. 따라서 제시문 [라]의 인간 중심적 사고는 인간들 사이의 조화로운 삶, 즉 '인간과 인간'의 관계에 그 초점을 맞추고 있다.

한편 제시문 [마]는 인간 중심주의에 대하여 비판적으로 고찰한다는 점에서 제시문 [라]와 차이를 보인다. 이 시각에 따르면, 기존의 인간 중심적 사고는 이분법적 세계관과 도구적 자연관을 기반으로 인간 이외의 모든 것의 가치를 폄훼한다. 이러한 편향된 사고로부터 많은 부작용이 생겨났는데, 여기에는 자연의 남용과 훼손, 기후 변화 등의 환경 문제가 포함된다. 결국 제시문 [마]는 이러한 인간 중심주의를 '강경한 인간 중심주의'라고 비판하면서, 이에 대한 대안으로 '온건한 인간 중심주의'를 제시한다. 온건한 인간 중심주의는 인간의 가치를 여전히 중시한다는 점에서 제시문 [라]와 유사하지만, 강경한 입장에 비하여 한층 환경친화적인 접근을 강조한다는 점에서 차이를 보이고 있다. 이런 점에서 제시문 [마]는 '인간과 자연'의 관계에 초점을 맞춘 인간 중심적 사고라고 볼 수 있다.

3. 다음 글을 읽고 물음에 답하시오 [3점]

제품 X를 생산하는 기업 E가 있다. 제품 X를 생산하기 위해 기업 E가 사용할 수 있는 생산 요소는 로봇, 가형 노동자, 나형 노동자 이렇게 세 가지이다. 가형 노동자에게는 로봇 조작 기술이 있으나, 로봇 없이 제품 X를 직접 생산할 수 있는 손 기술은 없다. 반면 나형 노동자에게는 로봇 조작 기술이 없으나, 로봇 없이 제품 X를 직접 생산할 수 있는 손 기술은 있다. 기업 E가 로봇 한 대를 일 년 동안 사용할 때 지불하는 사용료는 200원, 가형 노동자 한 명을 일 년 동안 고용할 때 지불하는 임금은 300원, 나형 노동자 한 명을 일 년 동안 고용할 때 지불하는 임금은 100원이라고 하자. 세 가지 생산 요소를 다양하게 조합하여 생산할 수 있으며, 각 조합을 사용했을 때 기업 E가 일 년 동안 생산할 수 있는 제품 X의 수량은 다음과 같다.

- 가형 노동자 한 명이 로봇 한 대를 사용하여 일할 경우: 19개

- 나형 노동자 한 명이 로봇 없이 일할 경우: 4개
- 로봇은 혼자 작동하지 못함.
- 가형 노동자 한 명이 동시에 여러 대의 로봇을 사용할 수 없음.
- 나형 노동자의 생산량은 로봇 사용 여부에 의해 영향 받지 않음.
- 로봇 없이 가형 노동자와 나형 노동자를 동시에 고용할 경우의 생산량은 각 노동자 개별 생산량의 합임. 로봇을 사용하지 않는 경우, 가형 노동자와 나형 노동자를 동시에 고용함으로써 발생하는 시너지 효과는 없음.
- 로봇 한 대, 가형 노동자 한 명, 나형 노동자 한 명을 동시에 사용할 경우, 가형 노동자 한 명과 로봇 한 대를 동시에 사용하여 얻는 생산량과 나형 노동자 한 명을 고용하여 얻는 생산량의 합보다 2개 더 생산할 수 있음. 즉 모든 생산 요소를 동시에 사용함으로써 발생하는 시너지 효과가 있음.

(1) 기업 E는 총비용을 최소화하는 방식으로 일 년 동안 600개의 제품 X를 생산하고자 한다. 이때 가형 노동자와 나형 노동자를 각각 몇 명씩 고용하고 몇 대의 로봇을 사용하는 것이 합리적인 선택인지 구하고, 기업 E가 생산을 위해 지불하는 총비용을 구하시오. [10점]

(2) 로봇 개발 기술의 진보로 인해 로봇의 생산성이 크게 증가하여 가형 노동자 한 명이 로봇 한 대를 사용할 때 일 년 동안 생산하는 제품의 양이 24개로 늘었다고 하자. 또한 기술 진보로 인해, 모든 생산 요소를 동시에 사용할 때의 시너지 효과가 사라졌다고 가정하자. 그 외 개별 생산 요소의 생산량, 가형 노동자와 나형 노동자의 임금 및 로봇의 사용료에는 변화가 없다. 기업 E가 총비용을 최소화하는 방식으로 일 년 동안 600개의 제품 X를 생산하고자 할 때, 기업 E가 고용하는 가형 노동자와 나형 노동자의 수 및 기업 E의 총비용이 문항 (1)에 비해 어떻게 바뀌는지 각각 구하시오. 그리고 이때 나타난 나형 노동자의 고용량 변화를 <보기>를 참조하여 설명하시오. [10점]

<보기>

실업은 발생 원인에 따라 경기적 실업, 구조적 실업, 계절적 실업 및 마찰적 실업으로 나뉜다. 경기적 실업은 경기 변동에 따라 나타나는 실업을 말한다. 경기 호황기에는 고용이 늘어나 실업이 줄어들지만, 경기 침체기에는 일자리가 부족해 실업이 늘어난다. 구조적 실업은 기술 혁신으로 예전의 기술이 쓸모없어지거나 산업 구조의 변화로 어떤 산업이 사양화됨에 따라 발생하는 실업을 말한다. 계절적 실업은 계절의 변화에 따라 나타나는 실업을 말한다. 예를 들어, 해수욕장에서 안전 요원으로 일할 수 있는 것은 여름 한 철뿐이다. 겨울철이 되면 날씨가 얼어붙어 건설 현장에서 일을 찾기가 쉽지 않다. 마찰적 실업은 더 나은 일자리를 찾거나 직장을 옮기는 직업 탐색 과정에서 발생하는 실업을 말한다. 이러한 실업은 경기가 좋더라도 항상 존재하는 것으로 실업에 처하는 기간이 비교적 짧은 편이다.

(3) 정부가 최저 임금제를 시행함에 따라, 기업 E가 가형 노동자 한 명을 고용할 경우 350원, 나형 노동자 한 명을 고용할 경우 150원의 임금을 지불해야 한다고 가정하자. 그 외 로봇의 사용료, 생산 요소의 조합에 따른 생산량 및 기업 E가 생산하고자 하는 제품 X의 개수는 문항 (2)와 동일하다. 이 경우 최저 임금제로 인해 가형 노동자와 나형 노동자 각각의 임금 총액과 고용량이 어떻게 바뀌는지 구하시오. [10점]

(1)

기업 E가 생산 요소를 다양한 조합으로 사용할 때의 생산량과 비용은 다음과 같다.

로봇 한 대만을 사용할 경우 200원을 지불하고 0개의 제품을 생산.

가형 노동자 한 명만을 고용할 경우 300원을 지불하고 0개의 제품을 생산.

나형 노동자 한 명만을 고용할 경우 100원을 지불하고 4개의 제품을 생산.

로봇 한 대와 가형 노동자 한 명을 사용할 경우 500원을 지불하고 19개의 제품을 생산.

로봇 한 대와 나형 노동자 한 명을 사용할 경우 300원을 지불하고 4개의 제품을 생산.

가형 노동자 한 명과 나형 노동자 한 명을 사용할 경우 400원을 지불하고 4개의 제품을 생산.

로봇 한 대, 가형 노동자 한명, 나형 노동자 한 명을 사용할 경우 600원을 지불하고 25개의 제품을 생산 (25 = 19+4+2).

각 경우의 제품 한 개 당 생산 비용을 비교하면 로봇 한 대와 가형 노동자 및 나형 노동자를 한 명씩 사용할 경우 최소의 비용으로 생산한다는 것을 알 수 있다. 모든 생산 요소를 하나씩 사용할 경우 25개의 제품 X를 생산하므로, 600개를 생산하기 위해서는 모든 생산 요소를 24개씩 사용해야 한다. 따라서 기업 E의 합리적인 선택은 24명의 가형 노동자를 고용하고, 24대의 로봇을 사용하며, 24명의 나형 노동자를 고용하는 것이다. 이 경우 기업 E의 총비용은 14,400원이다 (각 생산 요소 24개 × (가형 노동자의 임금 + 나형 노동자의 임금 + 로봇 사용료) = 24 × 600 = 14,400).

(2)

기술 진보로 인해 로봇의 생산량이 변하였을 때, 다양한 생산 요소의 조합 시 발생하는 생산량과 비용은 다음과 같다.

로봇 한 대만을 사용할 경우 200원을 지불하고 0개의 제품을 생산.

가형 노동자 한 명만을 고용할 경우 300원을 지불하고 0개의 제품을 생산.

나형 노동자 한 명만을 고용할 경우 100원을 지불하고 4개의 제품을 생산.

로봇 한 대와 가형 노동자 한 명을 사용할 경우 500원을 지불하고 24개의 제품을 생산.

로봇 한 대와 나형 노동자 한 명을 사용할 경우 300원을 지불하고 4개의 제품을 생산.

가형 노동자 한 명과 나형 노동자 한 명을 사용할 경우 400원을 지불하고 4개의 제품을 생산.

로봇 한 대와 가형 노동자 및 나형 노동자 한 명씩 사용할 경우 600원을 지불하고 28개의 제품을 생산 (28 = 24+4+0).

위의 경우들을 비교해 보면, 제품 한 개당 생산 비용을 최소화하기 위해서는 로봇과 가

형 노동자만을 사용하여야 함을 알 수 있다. 로봇 한 대와 가형 노동자 한 명을 사용할 경우 24개의 제품 X를 생산하므로, 600개를 생산하기 위해서는 로봇 25대와 가형 노동자 25명을 사용해야 한다. 따라서 기업 E의 합리적인 선택은 25명의 가형 노동자를 고용하고, 25대의 로봇을 사용하며, 0명의 나형 노동자를 고용하는 것이다. 이 경우 기업 E의 총비용은 12,500원이다 (25명의 가형 노동자 × 가형 노동자 한 명당 임금 300원 + 25대의 로봇 × 로봇 한 대당 사용료 200원 = 12,500). 따라서 문항 (1)에 비해 기업 E가 고용하는 가형 노동자의 수는 1명 증가하고, 기업 E가 고용하는 나형 노동자의 수는 24명 감소하며, 기업 E의 총비용은 1,900원 감소한다.

로봇 기술의 진보로 인해 로봇의 상대적 생산량이 월등히 높아지고 그로 인해 나형 노동자가 갖고 있던 손 기술에 대한 기업의 수요가 줄어 나형 노동자가 일자리를 잃게 된 것이므로 구조적 실업에 해당한다.

(3)

주어진 조건하에서는 최저 임금제가 시행되어도 가형 노동자와 로봇만을 사용하여 생산하는 것이 총비용을 최소화하는 생산 요소의 조합이라는 사실에는 변화가 없다. 따라서 기업 E가 고용하는 가형 노동자의 수(25명)와 나형 노동자의 수(0명)에는 변화가 없다. 더불어, 일자리를 유지하는 노동자는 최저 임금제 시행으로 인해 전보다 높은 임금을 받으므로 가형 노동자의 임금 총액은 1,250원 증가하고 (25 × 350 - 25 × 300 = 1,250) 나형 노동자의 임금 총액은 변하지 않는다 (0 - 0 = 0).

정리하자면,

가형 노동자의 고용량 변화: 없음.

나형 노동자의 고용량 변화: 없음.

가형 노동자의 임금 총액 변화: 1,250원 증가.

나형 노동자의 임금 총액 변화: 없음.